KB000502

Yomu Mishima

미시마 요무

illustration

토모조

"괜찮아!
나는 이쪽이
더 잘 맞아!"

땀으로 범벅이 된
아리아 씨는,
꽤나 기운찼다.

세븐스 2

7th

"이야, 정말이지 이 순간은

『헤에, 별일이네.』
5대가 조금 놀랐다.

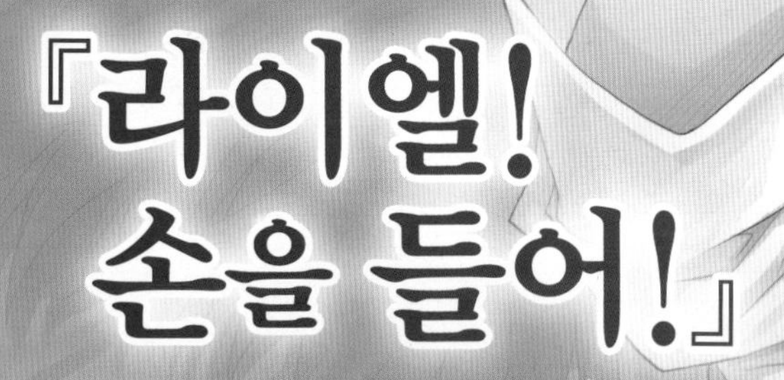

오른손을 들자, 초대는 내 쪽으로 걸어와서
힘차게 하이파이브를 하고는 내 옆을 지나갔다.

"네, 네엣!"

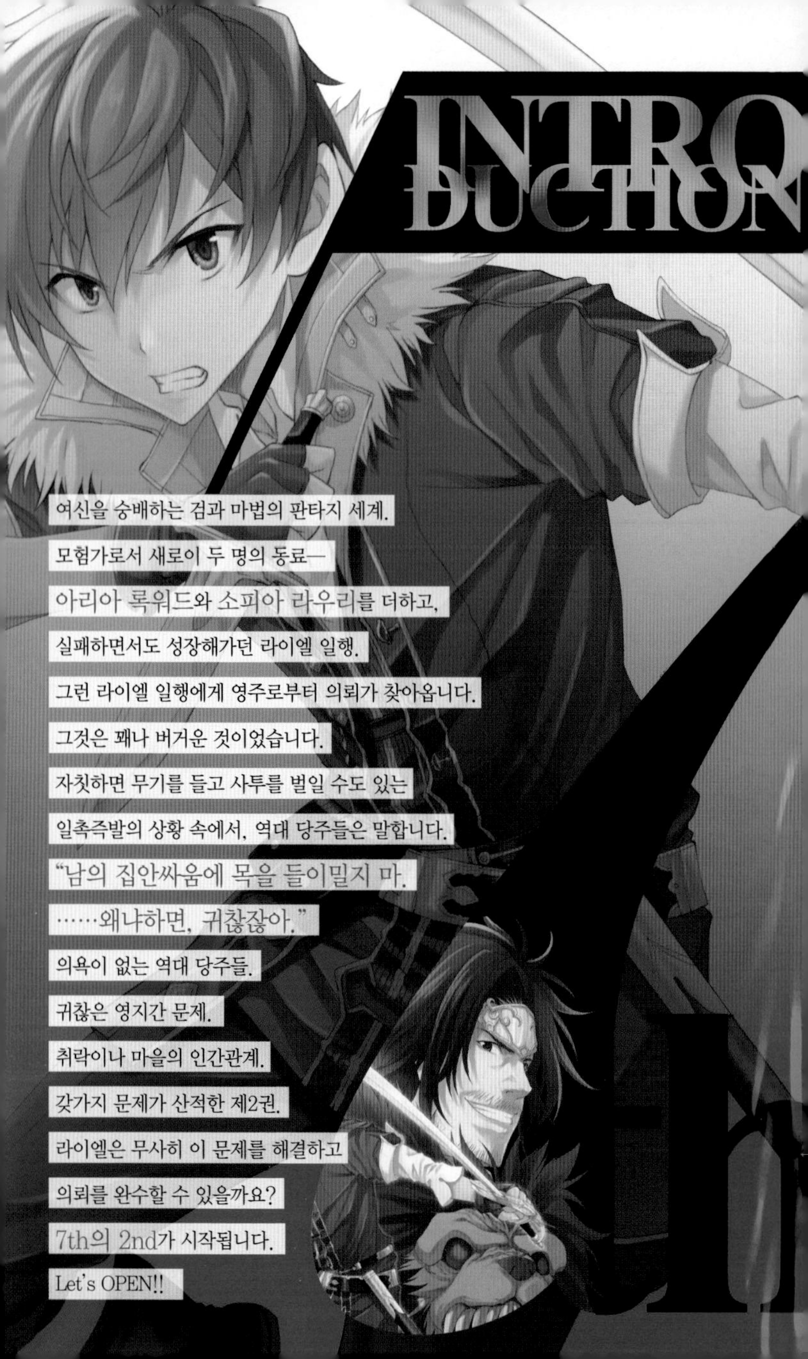
INTRO
DUCTION
여신을 숭배하는 검과 마법의 판타지 세계.
모험가로서 새로이 두 명의 동료—
아리아 록워드와 소피아 라우리를 더하고,
실패하면서도 성장해가던 라이엘 일행.
그런 라이엘 일행에게 영주로부터 의뢰가 찾아옵니다.
그것은 꽤나 버거운 것이었습니다.
자칫하면 무기를 들고 사투를 벌일 수도 있는
일촉즉발의 상황 속에서, 역대 당주들은 말합니다.
"남의 집안싸움에 목을 들이밀지 마.
……왜냐하면, 귀찮잖아."
의욕이 없는 역대 당주들.
귀찮은 영지간 문제.
취락이나 마을의 인간관계.
갖가지 문제가 산적한 제2권.
라이엘은 무사히 이 문제를 해결하고
의뢰를 완수할 수 있을까요?
7th의 2nd가 시작됩니다.
Let's OPEN!!

세븐스 7th

2

미시마 요무 지음
토모조 일러스트
이경인 옮김

CONTENTS

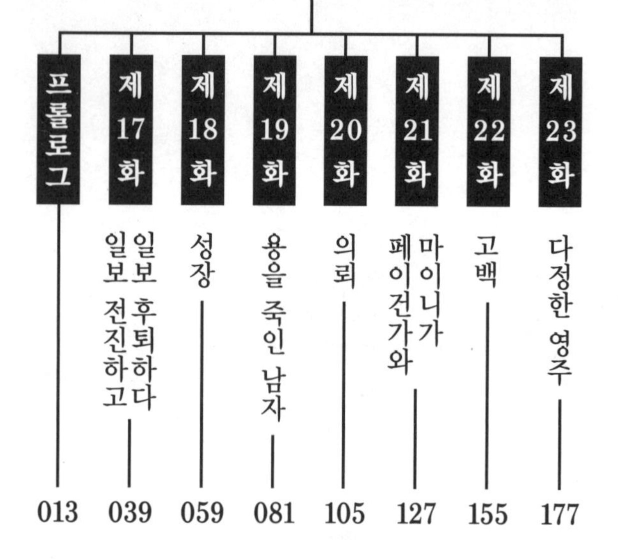

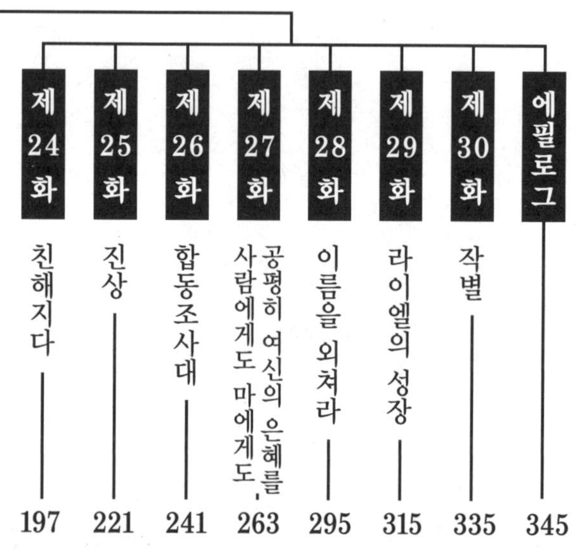

illustration 토모조

프롤로그

여관을 나와 향한 곳은 다리온에서도 유명한 대장간이었다.

아침 일찍부터 떠들썩한 거리를 걷는 내 이름은 【라이엘 월트】.

아직까지 삐쳐 있는 머리를 확인하기 위해 하품을 참으며 앞머리를 건드렸다. 푸른 머리, 푸른 눈동자— 그리고 목에는 은빛 목걸이에 박혀 있는 푸른 보옥이 오늘도 빛나고 있다.

차림새는 옷깃 주변에 모피가 달린 상의를 오른손에 들고, 허리에는 벨트가 두 개. 원래대로라면 무기를 달고 있지만 오늘은 텅 비었다.

모험가로서는 미덥지 못한 차림새지만, 빈손인 것은 내 무기를 대장간에 수리를 맡겼기 때문이다.

내 옆을 걷는 소녀 【노웸 폭스즈】는 보랏빛 눈동자로 나를 걱정스레 바라보고 있었다. 사이드 포니테일로 묶은 갈색 머리는 오늘도 빛나 보인다.

푸른 상의에 은빛 지팡이를 든 마법사. 그것도 엄청난 실력의 마법사고, 남작가의 차녀이기도 하며 내 전 약혼자다.

노웸은 친가인 백작가— 월트가에서 쫓겨나 모험가가 된 나를 따라와 준 소녀다.

후계자 다툼에서 여동생 【세레스】에게 패배한 나는 차기 당주라는 지위에 어울리지 않다며 집에서 쫓겨났다. 여동생과 싸우고 너덜너덜하게 당했다. 친가에서 쫓겨난 나는 정원사로 일하던 젤 할아버지의 도움을 받아 친가에 있던 푸른 보옥을 받았다.

모든 것을 잃어버린 내가 그렇게 친가에서 나올 때 따라와준 것이 노웸이다. 돌려보내려고 했지만 완고하게 쫓아왔다. 게다가 나를 위해 혼수품을 팔아치워서까지 돈을 마련하고, 일류 모험가가 되기 위해 필요한 베테랑 전속 지도원도 고용해주었다.

사실 집을 나왔을 때는 진심으로 모험가가 될 생각은 없었지만, 노웸이 이렇게까지 해준 덕분에 지금은 일류 모험가를 목표로 하려고 생각 중이다.

노웸은 나 따위에게는 아까운 여성이었다.

다만, 조금…… 아니, 상당히 과보호이긴 하지만, 그 이유는 내가 미덥지 못하기 때문이다. 백작가에서 쫓겨나고 어영부영 모험가가 된 나는 지금까지 친가에서 나왔던 적이 한 번도 없었다. 세상물정이라는 걸 모르고, 그러면서도 어떻게든 될 거라는 어설픈 생각으로 모험가가 되었다.

그러나 세상은 그리 어설프지 않았다.

모험가가 되고 나서 몇 번이나 실패했다. 꺾일 뻔했을 때도 짧은 기간 사이에 몇 번이나 있었다. 다리온에 와서 모험가가 되고 한 달이 지난 현재까지 노웸에게 걱정을 받는 내 잘못이다…… 그런 식으로 되어 있었다.

"노웰. 괜찮으니까 걱정하지 마. 무기를 받으러 갈 뿐이니까."
안심시키기 위해 말했지만 노웰은 역시 불안해 보였다. 그렇게 미덥지 못한 건가?
"역시 저도 따라가야 하지 않을까요?"
"아니, 정말로 무기를 받으러 갈 뿐이야. 받으면 바로 길드로 갈 테니까."
아침부터 똑같은 대화를 몇 번이나 한 걸까. 노웰은 마지못한 느낌으로 겨우 내 의견을 따라주었다.
"알겠습니다. 그럼 길드 2층에서 기다릴게요."
주변에는 이미 일을 시작한 가게가 있어서 통행인들에게 기운차게 말을 걸고 있었다. 건물 틈새에서 보이는 도시 외벽에서는 빠르게도 공사가 시작됐다.
다리온— 반세임 왕국 수도에 가까운 이 도시는【벤틀러 로베니아】라는 남작이 다스리는 도시다. 모험가를 적극 활용하고 있기 때문에 신출내기 모험가에게는 고마운 도시로 인식된다.
도시 주변은 남작가의 기사나 병사들이 마물을 쓰러뜨리며 치안을 유지하고, 활기 넘치는 도시는 확장공사로 일손을 원한다.
그 때문에 모험가가 된지 얼마 되지 않은 신인은 벽 안에서 안전하게 일을 하며 돈을 벌 수 있다. 그리고 바깥에 나가도 성가신 마물은 좀처럼 만나지 않는다.
다리온은 신인 모험가에게는 안성맞춤인 도시였다.

불안해 보이는 노웸이 십자로에 접어들어 길드 방향으로 향했다. 나를 몇 번이나 돌아보고 있었다.

나는 쓴웃음을 짓고는 손을 흔들며 대장간으로 향했다. 아침 햇살 탓에 이마에 땀이 맺혔다. 이미 계절은 봄에서 여름이 되려 하고 있다.

혼자 걸어가던 나는 탄식을 섞어 중얼거렸다.

"이제 조금은 믿어줘도 되지 않을까 싶은데. 이래 봬도 도적단 퇴치를 성공시켰고, 겨우 모험가답게 벌 수도 있게 됐는데."

다리온의 광산터. 그곳에 잠복하고 있던 도적단에게 끌려간 지인을 구하기 위해, 나는 도적단을 퇴치했다.

정확하게 말하면 쫓아냈을 뿐이지만, 영주인 벤틀러 씨나 주변 영지의 영주들까지 말려들게 해서 도적단을 괴멸시켰다.

그때 조언을 준 것이 지금은 내 목에 걸려있는 보옥 — 은빛 펜던드 톱에 박힌 직경 3센티미터의 둥글고 푸른 옥 — 안에 기억되어 있는 월트가 역대 당주들이다.

난폭한 목소리가 크게 웃었다. 내게는 보옥 쪽에서 그 목소리가 들려온다. 머리에 울린다고 표현해야 할지……. 큰소리인데도 다른 사람에게는 들리지 않는다.

난폭한 목소리의 주인은 월트가 초대 당주 【버질 월트】다. 목에 모피를 두르고, 갈색 머리는 부스스. 마치 야만족 같은…… 아니 야만족 그 자체라고 할 법한 차림새를 하고 있는 것이, 반세임 왕국에서도 최강이라 일컬어지는 영주 귀족 월트가의 시조다.

『와하하하, 이 멍청아. 너 같은 건 아직 멀었어. 조금 더 나처럼 와일드한 남자가 되어야지.』

기분이 좋은 초대에게 찬물을 끼얹은 것은 사냥꾼 같은 차림새를 한 2대【크라셀 월트】였다. 당연하지만 초대와는 부자관계다. 하지만 이 부자는…… 매우 사이가 안 좋다.

『그러니까, 네가 하는 짓은 와일드가 아니라 야만이라고 했잖아. 라이엘, 너는 이 녀석처럼은 되지 마라.』

2대의 목소리에 반응한 것은 그 아들인 3대【슬레이 월트】였다. 금발을 어깨 정도까지 기른 나긋나긋한 느낌의 가벼운 남성이다. 겉보기와는 달리 역대 당주들 중에서 가장 속이 시커멓다.

반세임의 역사에 이름을 새기고 의장(義將)으로 전해져오는 인물이지만, 그런 느낌은 전혀 없었다.

『평소 그대로의 대화네. 용케도 안 질린다니까. 다만, 나로서도 라이엘은 조금 더 열심히 해줬으면 좋겠어.』

분명 보옥 안에서 못 말리겠다며 고개를 내젓고 있을 거다. 그런 3대의 아들인 4대— 푸른색의 7대 3 커트 머리에 안경을 쓴【마크스 월트】. 원래는 기사작이라는 말단 작위의 영주귀족이었던 월트가가 남작으로 승작했을 때의 당주다.

『확실히 찬성이네요. 저도 같은 의견입니다. 다만, 아버지인 3대가 말하니까 당신이 할 말이냐, 라고 말하고 싶어지는군요.』

3대, 슬레이 월트는 월트가 당주 중에서 첫 전사자다. 그 이후를 힘들게 이어받은 4대는 고생도 많았다고 한다.

……5대, 【프레더릭스 월트】는 녹색 머리를 뒤로 묶고, 눈을 반쯤 감고 있다. 평소에는 그다지 말하지 않는 당주다. 그러나 오늘 아침에는 대화에 참가했다.

『4대도 거울을 보면 어때.』

짧은 말에는 4대에 대한 불만이 담겨 있었다. 초대와 2대가 무척 사이가 나쁘기 때문에 눈에 띄지 않지만, 다른 부자 관계도 모종의 문제를 품고 있는 것이 월트가다.

6대인 【파인즈 월트】는 그런 5대가 어이없었던 모양이다. 6대는 역대 당주 중에서 가장 키가 크다. 몸집이 작은 5대와 비교하면 어느 쪽이 부자인지 알 수가 없다.

붉은 머리와 수염이 이어져서 마치 사자 같은 풍모다. 자작 시대의 월트가 당주로는 도저히 보이지 않지만, 싹싹한 성격이고 내게는 형처럼 느껴지는 사람이다. 외모와는 달리 일곱 명 중에서는 가장 내게 신경을 써주고 있다.

『라이엘 네 주장도 이해는 간다. 하지만 노웸 쪽에서 보면 아직까지 걱정이 되겠지. 앞으로의 행동으로 안심시켜주면 돼.』

가장 의지가 되는 의견이다. 그런 6대의 건설적인 의견에 대해 수상하다는 말을 꺼낸 사람이 7대인 나의 조부 【브로드 월트】였다. 올백 머리에 날카로운 눈초리. 매우 엄한 사람이었다고 들었지만, 내게는 다정한 할아버지다.

『6대가 말해도 솔직히, 마음에 와 닿지는 않는군요. 하지만 라이엘. 너는 이미 두 사람의 인생을 짊어지고 있다. 좀 더 듬직해지지 않으면 안 돼.』

두 사람— 그렇다. 이미 나는 두 사람의 인생을 짊어지고 있었다.

조금 전에 모험가 길드로 향하면서 헤어진 전 약혼자 노웰.

내가 친가에서 쫓겨난 뒤에도 애써주는 여성이다. 꼭 행복하게 해주고 싶지만, 여기에 와서 또 한 명…….

도적단에서 구출한 소녀— 【아리아 록워드】의 인생까지 짊어지고 말았다.

……내게는 갑작스러운 사건이었다. 확실히 내가 그녀를 구해주기는 했다.

내가 다리온에 와서 정말로 침울해졌을 때는 그녀가 말을 걸어주었다. 살짝 곱슬한, 바깥쪽으로 꼬인 붉은 머리를 등까지 기르고, 보랏빛 눈동자와 밝은 미소를 가진 아리아 씨.

아리아 씨의 아버지는 도적단에게 협력한 바람에 심판을 받았고, 가족에게도 죄가 미칠 뻔했다. 그것을 구하기 위해 나는 벤틀러 씨와 거래를 해서 도적단을 쫓아냈다. 도적단은 그들이 마구 날뛰었던 영지의 기사들에게 건네주어 영지간의 미묘한 문제는 해결. 나도 약속을 달성했고 벤틀러 씨도 약속대로 아리아 씨를 구해주었다.

다만, 벌이라는 형태만큼은 갖고 싶었는지 아리아 씨는 창관에 팔려가게 되었다. 하지만 그곳은 존재하지 않는 창관이고, 바로 내가 창녀가 된 아리아 씨의 몸값을 내서 신병을 인수한 형태가 되었다.

벤틀러 씨는 팔아치운 이후의 일까지는 책임질 필요가 없고, 벌을 줬다는 사실만큼은 남게 되어 체면을 유지했다. 나와의 약속대로 아리아 씨를 구해준 셈이다. 이른바 가공의 창관을 쓴 돈세탁이다.

월트가 역대 당주도 상당하지만, 벤틀러 씨도 꽤 잔머리가 돌아가는 것 같다. 하지만 결과적으로는 바라는 형태로 이루어졌다고 할 수 있다. 아리아 씨의 이력에 흠이 생긴 건 유감이지만 말이다.

다만. 다만, 말이지!

내가 아리아 씨를 받아왔다는 사실은, 아리아 씨의 인생을 짊어지게 된 것을 의미하고 있었다.

물론 나중에 자유롭게 풀어주려 했다. 그랬는데, 아리아 씨는 이미 무일푼이고 돌아갈 집도 없었다. 내팽개칠 수도 없어서 나는 아리아 씨를 돌봐주기로 했다.

그러기로 했는데, 여기서 문제가 된 게 노웸이었다.

"……보통은, 말이죠? 일반적인 이야기이긴, 하지만. 좋아하는 남성이 창녀를 받아오거나 그러면, 여성은 화내는 법 아닌가요?"

『라이엘! 남자라면 여자 두 명 정도의 인생은 짊어져 봐라! 나는 네가 할 수 있는 남자라고 믿고 있다고.』

내 질문에 대답한 건 초대였다. 다만, 초대는— 아리아 씨가 첫사랑 상대와 똑 닮은 데다, 그 사람의 자손이라는 것 때문인지 아리아 씨를 편애하고 있었다.

예전에는 역대 당주 전원이 신세를 졌다고 할 수 있는 폭스즈가의 노웸을 반드시 행복하게 해주라고 시끄럽게 말했었던 초대.

지금은 아리아 씨를 행복하게 해주라고 말한다.

어이가 없었는지 2대가 탄식 섞인 목소리로 내게 조언을 해주었다.

『노웸이 받아들일 줄은 몰랐어. 그게 커다란 오산이었지. 하지만, 라이엘……. 이미 정해진 일이야. 게다가 본인도 은근히 좋아하고 있으니까 받아들이면 될 거다. 부럽다고. 나는 신부를 들이는 데 얼마나 고생했는데……. 어디 사는 누구의 「가훈」 탓에, 말이지!』

가훈— 월트가에는 혼인 가훈이라는 것이 존재한다. 용모가 뛰어나야 한다든가, 피부가 예뻐야 한다든가, 전부 여섯 항목이 있다.

다만, 이 가훈은…… 초대가 실연당한 후에 신부를 들이고 싶지 않아서 술자리에서 거짓말을 한 것이 그대로 가훈으로 남아버린 것이다.

대대로 소중히 지켜온 가훈이 설마 술자리의 거짓말이었을 줄이야!

알고 싶지 않았던 진실이다. 뭐, 세상일은 이런 법이라는 걸 깨닫게 해주는 일례일지도 모른다.

"노웸이라고요. 그 노웸이, 설마 하렘을 긍정해버리다니……. 전 그렇게 재주가 많지는 않아서, 여성 두 명을 상대하는 법은 모른다고요. ……불안해요."

4대가 『재주가 많지는 않다, 라는 겁니까. 뭐, 그쪽 방면에서는 그렇겠죠』라며 영문 모를 말을 중얼거렸다.

노웸 한 명도 제대로 상대해주지 못하고 있는데 아리아 씨까지 더해지니 어떻게 해야 좋을지 모르겠다. 노웸을 행복하게 해주는 것을 생각하고 있었는데, 설마 두 명으로 늘어나다니 상상도 하지 못했다.

마음의 준비도 전혀 되지 않았다. 2대가 내 불안을 해소해주려고 했는지 다시 말했다.

『뭐, 남녀의 입장을 바꿔서 생각하더라도 그리 재미있는 이야기는 아니겠지. 하지만 노웸은 좋아하는 것처럼 보이더군. 라이엘 네게 질려서 저버릴 것처럼 보이지도 않고……. 뭐, 남작가의 차녀니까 첩 같은 것도 일반적으로 여기고 있다, 든가?』

노웸의 행동으로 인해 내 예정은 크게 일그러지고 말았다. 탄식을 내쉬면서 목적지인 대장간 앞에 도착했다.

간판에는 글을 읽지 못하는 사람을 위해 갑옷이나 무기가 그려져 있었다.

역대 당주와의 대화를 일단 멈췄다. 이 떠들썩한 대화는 사실 내 마력을 소비하고 있다. 그 때문에 오래 이어지면 마력이 계속 소비돼서 최종적으로는 마력부족으로 쓰러지고 만다. 보옥— 그것은 아츠라는, 마법과는 다른 편리하고 특수한 힘을 쓸 수 있는 도구다.

보옥에 마력이 빨리고, 보옥 안에서 어째서인지 기억으로 되살아난 역대 당주들의 대화에도 마력을 빨려서…… 내가 사용할 수 있는 마력은 적다. 특기였던 마법은 예전보다 못해졌다. 보옥에 기억된 아츠도 대부분 쓸 수 없다. 지금의 나는 그런 어중간한 상태였다.

이 보옥이 저주받은 도구라고 말해도 믿어버릴 것 같다. 아니, 그렇게 생각할 수밖에 없었다.

"뭐, 처음보다는 나을지도? ……들어갈까."

나는 문을 열고 갑옷이라든가 가죽과 기름, 그런 냄새가 넘쳐나는 가게 안으로 들어갔다. 가게에는 아침 일찍부터 손님이 있었다. 하지만, 상태가 이상하다.

드워프 여주인은 인간보다 몸집이 작다. 소녀처럼 보이기도 하지만, 인간의 두 배는 오래 사는 드워프는 어려 보이는 외모라도 60세라든가 100세 같은 경우가 많다.

이 가게의 여주인도 마치 소녀가 가죽제 앞치마를 걸치고 있는 것처럼 보인다. 그런 여주인이 카운터에서 곤란한 듯이 이마에 손을 짚고 있었다.

손님인 청년은 몸집이 작고 통통했다. 거리에서 보이는 사람들의 옷과 달리 흙으로 더러워져 있어서, 어딘가에서 다리온으로 찾아온 여행자처럼 보였다.

카운터에 놓여있는 것은 금속제 방어구였다. 세트가 갖춰져 있는데, 어깨 움푹 파인 곳이나 상처가 많았다. 게다가 한 곳, 커다란 상처가 있었다. 치명상으로 보인다.

"이봐, 꼬마. 이 가슴 보호구에 새겨진 이름은 꼬마의 것이 아니지? 이런 걸 어떻게 해달라고 하면 곤란하다고. 사정도 말해주지 않는다면 건드릴 수 없어."

작은 체구의 청년은 곤란해 하고 있었다. 그리고 왠지 초조한 것처럼 보였다.

"죄, 죄송합니다. 하지만, 어떻게든……."

그 모습을 보고 3대가 흥미를 드러냈다.

『어라? 설마 도난품이라도 가져온 건가? 차림새로 봐서는 농민……. 가져온 방어구는 나름대로 괜찮네. 어딘가의 종자한테서 빼앗은 걸까? 대담한 짓을 하네.』

웃고 있지만, 사실이라면 터무니없는 일이다.

그러자 가게 여주인이 나를 눈치챘는지 손짓을 해왔다. 내키지는 않았지만 카운터로 다가가자 청년이 황급히 방어구를 주머니에 넣었다.

순간 방어구에 묻은 피의 흔적이 보였다.

"다, 다시 오겠습니다."

황급히 가게를 나가는 청년의 등을 바라보자 여주인이 어깨를 으쓱했다. 나는 신경이 쓰여서 말을 걸었다.

"무슨 일인가요?"

여주인은 머리를 왼손으로 긁적이며 눈을 감았다.

"아니, 아무리 봐도 도난품이고, 닦기는 했지만 피의 흔적이 남아있어서……. 게다가, 사달라는 게 아니라 수리해달라고 하지 뭐냐. 그리고 자기 사이즈에도 맞추지 않고 그대로 해달라고 하더라고. 처음에는 누군가에게 부탁을 받은 거라 생각했는데……."

하지만 이야기를 들어보니 수상한 부분이 많아서 수리를 받아줘야 할지 고민하고 있었던 모양이었다.

『이상한 녀석이구만.』

초대가 청년의 행동을 수상해했지만 딱히 흥미는 없는지 그 이상은 말하지 않았다.

여주인은 눈을 살며시 뜨며 내 쪽을 봤다. 아무래도 조금 전 방어구의 파괴 흔적이 신경 쓰이는 모양이었다.

지금까지의 경험 때문인지 상처를 입힌 상대를 짐작하고 있었다.

"그 상처, 혹시 오크일까? ……자, 그럼 이쪽 꼬마의 의뢰도 해결해야겠네. 요전에 가져왔던 사브르와 단검 말인데, 솔직히 말하자면 틀렸어. 부러지지만 않았을 뿐이지, 이젠 쓸 수 없을 지경이야."

도적단 보스와 싸웠을 때 상대가 아츠를 복수 사용했었다. 그 맹공을 버티기 위해 사용했던 내 무기인 사브르. 그리고 단검은 아무래도 수리할 수 없는 모양이다.

하지만, 그건 나도 이해하고 있었다.

"그런가요. 그럼 예비를 겸해서 새로운 사브르를 두 개 주세요. 단검도…… 아, 이쪽은 세 개요."

여주인은 뒤쪽 선반으로 가서 그곳에서 사브르를 꺼내 카운터로 가져왔다. 움직임은 경쾌해서 역시 아이로는 보이지 않았다.

"자, 이거면 되겠지?"

나는 카운터에 놓인 사브르를 바라봤다. 그리고 다음으로 가게를 둘러봤다. 진열된 무구 대다수는 중후한 느낌이 났다. 무기도 창에 둔기, 그리고 도끼나 활. 날이 양쪽인 검이 벽에 걸려있다. 전부 이 가게의 주인인 여주인의 남편이 만든 물건이다.

다만, 내가 사려는 사브르는 이 나라의 수도인 센트럴에서 가져온 물건이었다. 일단 비축해두고 있을 뿐인 상품인 모양이다.

여주인은 단검 세 개를 고르며 말을 걸었다.

"꼬마도 듬직한 무기로 바꾸는 게 어때? 우리 남편의 상품은 전부 튼튼해서 평판이 좋다고."

이 가게는 다리온에서는 모험가에 병사, 그리고 기사에게까지 평판이 좋은 가게다. 실제로 실용적인 무기가 요구되는 다리온에서는 이런 가게가 인기다.

장식이 적은 무구를 바라보고 있는데 역대 당주들의 불평이 들려왔다.

『남자라면 쇳덩어리 같은 대검(大劍)이 최고지.』

『활이야, 활! 라이엘, 활은 좋다고.』

『익숙한 무기가 제일이지만, 양날을 가진 튼튼한 검도 좋을지도.』

『단검이 최고입니다.』

『……사복검(蛇腹劍).』

『아니, 역시 창도 좋지만 할버드야말로 최강의 무기라는…….』

『라이엘. 총은 좋다. 값은 나가지만, 장래성이 있는 무기지.』
각자 자신이 주로 쓰던 무기를 추천했다. 여기까지 오면 이해할 수 있겠지만, 보옥 안의 역대 당주들은 조언을 하더라도 반드시 정답을 말하지는 않는다. 각자의 가치관과 경험으로부터 대답을 해주는 것이라 잘못된 것도 많았다.
게다가 일곱 명이나 있으면 의견이 정리되지 않는다. 각자 다른 소리를 한다.
『남자라면 대검이잖아!』
『활을 바보 취급 하지 마! 인류 최고의 무기잖아!』
초대와 2대가 또다시 싸우기 시작했다. 나는 아침 일찍부터 드득드득 소리를 내며 깎이는 마력에 불안감을 느꼈다.
"……뭐, 사브르가 익숙해서요."
여주인은 그 이상은 내게 억지로 강요하지 않았다.
"그러냐. 뭐, 자기 목숨을 맡기는 거니까. 고집이 있는 편이 호감을 가질 수 있긴 해. 유감인 건, 우리 남편이 만든 게 아니니까 자신감을 갖고 팔 수 없다는 거지만. 자, 단검은 이런 것들이야. 마음대로 골라."
카운터에 놓인 단검은 미묘하게 다른 구조를 가진 것들이 전부 여섯 개. 그 중에서 세 개를 골라서 구입하자 여주인이 내게 물었다.
"그러고 보니, 그 사이드 포니의 아이는 없는 거냐?"
"노웸 말인가요? 오늘은 먼저 길드로 갔는데요."
여주인은 조금 유감스러워했다.

“뭐야. 데려오면 될 텐데. 남편도 그 아이가 오면 기분이 좋아지거든. 일부러 공방에서 얼굴을 내밀 정도니까. 꽤 드문 일이라고.”

노웸을 무척 마음에 들어 한다는 걸 알았다. ……나 이상으로 마음에 들어 하는 것도.

2대가 기뻐하며 말했다.

『역시 노웸이군. 주변에 호감을 사는 착한 아이야.』

나는 여주인에게 손을 흔들며 감사를 표하고 가게를 나왔다.

―다리온의 모험가 길드.

1층은 개방되어 있고, 그곳에서 아침 일찍부터 상인들이 진을 치고 시장 같은 떠들썩한 분위기를 내고 있었다.

짐마차의 출입이 잦고, 바깥에서 돌아온 모험가들이 1층 부분으로 향해서 마물에게서 벗겨낸 마석이나 소재― 마물의 일부분인 가공할 수 있는 부위를 가져왔다.

상인들은 모험가에게서 소재를 사들인다. 마석은 1층 부분에 있는 길드 직원에게 가져가서 팔 수 있다.

모험가 길드는 도시마다 존재하는 독립된 조직이다. 단, 모험가를 관리하기 위해 공통 룰을 정해놓고 횡적인 연결을 갖고 있다.

연계는 하더라도 각각 독립되어 있는 비슷한 조직이다. 그 때문에 지역에 따라 독자적인 색이 강하다.

다리온은 신인 모험가에게는 편안하지만, 실력이 붙은 모험가에게는 부족함이 있는 도시다. 다리온 길드도 실력을 붙여서 밖으로 나가는 모험가를 신경 쓰기보다는 신인 모험가 육성에 힘을 쏟고 있다.

그런 다리온 모험가 길드 2층으로 올라간 노웸은 아침부터 접수대에 얼굴을 내미는 모험가들과 스쳐 지나갔다.

얼굴이 예쁜 노웸은 미소녀라 불러도 손색이 없다. 하지만 지나가는 남성 대부분은 노웸에게 눈길도 주지 않았다.

모험가는 동업자 이성, 특히 남성은 모험가 여성에게 연애 감정을 갖기 힘들다. 단, 그게 남성 모험가가 자신을 돌아보지 않는 이유가 아닌 것은 노웸이 가장 잘 알고 있었다.

노웸은 그런 일에는 흥미가 없다는 듯이 카운터 쪽을 봤다.

접수대는 세 곳. 각각 모험가들이 줄을 서서 모종의 수속을 밟고 있었다. 벽에 걸린 게시판을 바라보며 의뢰나 매입 단가를 확인하는 모험가도 있었다. 앞으로의 예정을 확인하고 있는 건지 대화를 나누는 이들도 있다.

떠들썩한 플로어에서 멀뚱히 기다리고 있는 두 여성의 모습을 발견하고, 노웸이 무표정했던 얼굴에 미소를 짓고는 두 사람에게 다가갔다.

한 사람은 짐을 든 아리아로, 불안한 듯이 주변을 돌아봤다.

옆에는 아리아에게 말을 걸려는 남성들을 노려보는, 보라색 쇼트헤어와 담갈색으로 탄 피부를 가진 여성 모험가【젤피】의 모습이 보였다.

모험가에 아직 물들지 않은 아리아에게 주변 남성들이 흥미를 보이던 중이었다. 노웹에게 보이는 반응과는 대조적으로, 미인이라면 말을 걸어보는 게 당연하다는 느낌이었다. 그것을 젤피가 노려보면서 쫓아내고 있었다.

젤피는 일찍이 록워드가를 섬기던 집안의 딸이었다. 록워드가의 몰락 후 다리온으로 흘러와 모험가가 되었지만 말이다.

그 때문에 젤피에게 있어서 아리아는 소중한 여동생 같은 존재였다.

그런 젤피는 라이엘 일행에게 모험가의 기초를 가르쳐주는 지도원이기도 했다. 노웹이 금화 20닢이라는 거금으로 고용한, 길드가 추천하는 베테랑 모험가다.

두 사람 모두 일하러 가는 차림이 아니라 러프한 옷을 입고 있었다. 원래부터 오늘은 일을 할 예정이 없고, 아리아와 정식으로 파티를 맺는 날이었다.

노웹이 두 사람에게 인사를 했다.

"좋은 아침이에요, 젤피 씨, 아리아 씨."

아리아와 젤피는 노웹에게 대답을 하면서 미심쩍게 주변을 돌아봤다.

"조, 좋은 아침. 저, 저기…… 라이엘은?"

"좋은 아침. 지각이야?"

젤피는 라이엘이 지각하는 거라 생각한 모양이지만 노웹은 살짝 고개를 내저으며 부정했다.

"아니에요. 오늘은 무기를 받으러 가셨어요. 제시간 안에 오실 거예요."

젤피는 양손을 머리 뒤에 돌려 깍지를 끼며 등을 벽에 기댔다.

"그러고 보니, 못 쓰게 되어버렸던가. 하지만 아츠를 쓰던 도적단 수령을 그 라이엘이 쓰러뜨렸다니 아직도 믿기지 않는걸."

도랑 청소를 시키면 쓰러질 것 같다. 마법을 쓰면 쓰러진다. 이야기하는 도중에도 쓰러진다. 틈만 나면 정신을 잃고 쓰러진다는 인상밖에 없었기에, 젤피는 라이엘의 활약이 믿기지 않는다는 낌새였다.

겉으로는 도적단을 쫓아냈을 뿐이라고 되어 있다. 하지만 젤피는 도적단을 토벌한 그 자리에 있었다. 게다가 영주인 벤틀러와도 연결이 있는 모험가다. 실제로 라이엘이 뒤에서 어떻게 움직였는지를 알고 있었다.

아리아는 도움을 받았을 때의 일을 떠올렸는지 뺨을 물들이며 끄덕였다.

"그, 그랬나? 엄청 멋있었던 것 같은데……. 그, 그때는 지쳤을 거라 생각하고……."

반했기 때문인지 아리아는 라이엘에게 긍정적이었다. 젤피는 그걸 시시한 듯이 보고 있었다.

노웸은 키득 웃고는 두 사람과 함께 라이엘을 기다리기로 했다. 그리고 벽 쪽에 서서 길드 안을 돌아보는데 낯익은 얼굴이 세 사람 다가왔다. 아니, 네 사람이다. 누군가를 데리고 있었다.

"아, 저기 있네요. 그는 지금 없는 것 같지만, 바로 올 것 같아요."

네 명 중 한 명, 호청년이라고 할 수 있는 검사 【론도】도 노웸 일행을 발견했다. 로브를 입은 여성에게 노웸 일행에 대해 이야기를 하며 걸어왔다.

"먼저 저 세 사람에게 말하는 게 어때?"

창을 어깨에 짊어진 키가 큰 청년은 모히칸 머리에다 불량스럽게 보이는 【라프】다. 하지만 겉모습과는 달리 다정한 말투로 여성에게 말했다.

"자자, 두 사람 다 헤실거리지 말라고! 라이엘의 손님이잖아."

두 청년에게 둘러싸인, 지팡이를 든 작은 체구의 소녀는 【레이첼】이다.

세 사람은 다리온에 온 라이엘과 친해진 모험가들로 동향 사람 셋이서 파티를 맺고 있었다. 도적단 퇴치에도 협력한, 라이엘 일행과도 교류가 있는 모험가 파티다.

검은 로브를 입은 여성은 후드를 벗고 긴 흑발을 옆으로 흔들었다. 드세 보이는 눈동자는 검은색. 몸매는 여성다움을 강조하고 있다. 하지만, 등에 짊어진 거대한 도끼― 전투도끼【배틀 액스】가 이질적인 느낌을 드러내고 있었다.

노웸이 다가오는 네 사람에게 손을 흔들었다.

"레이첼 씨 일행에…… 소피아 씨, 였던가요?"

여성의 이름은 【소피아 라우리】. 그녀의 가문이 빼앗긴 가보(家寶) 배틀 액스를, 라이엘이 도적단을 퇴치하며 되찾아 돌려주었다. 노웸도 그때 모습을 봤었다.

소피아는 고개를 숙여 인사했다.

"네. 소피아 라우리입니다. 저번에는 신세 많이 졌습니다. 라우리가의 가보도 되찾아주셔서, 무척 기쁘게 생각하고 있어요."

레이첼은 소피아를 팔꿈치로 살짝 찔렀다. 조금 기쁜 표정이었다.

"소피아는 라이엘에게 감사를 표하기 위해 왔대. 길을 헤매고 있어서 안내해줬어. 왠지, 노웸하고 만났을 때를 떠올렸지 뭐야."

론도는 턱에 손을 대고 조금 위를 바라봤다.

"하긴. 그러고 보니 길드에 누군가를 소개해준 건 이번이 두 번째네. 하지만 아리아 씨도 건강해 보여서 다행이야."

라프도 웃으면서 끄덕였다.

"그러게. 설마, 그런 식으로 구해줄 줄은 생각도 못했어. 라이엘 녀석도, 말해줬다면 오해도 하지 않았을 텐데."

오해란, 라이엘이 아리아를 신병을 인수한 이야기를 말한다. 론도 일행은 라이엘과 노웸의 관계를 지레짐작하고 있었기 때문에, 아리아의 신병을 인수했다는 걸 듣고 진심으로 기겁했었다.

그것이 오해라는 걸 알자 이렇게 소피아를 안내해주는 겸해서 라이엘에게 사죄할 생각이었다. 론도가 주변을 돌아봤다.

"빨리 사과를 해둬야지. 그건 그렇고, 소피아 씨도 일부러 감사의 말을 하러 여기까지 오다니, 고생스러웠을 텐데."

그러자 소피아가 고개를 갸웃했다.

"네? 아뇨, 저는 감사를 표하러 온 건데요."

레이첼이 몇 번이나 끄덕였다. 아리아는 조금 재미없다는 듯이 소피아를 바라봤다.

"알았다. 소피아는 그 감사의 표시를 가지고 여기로 온 거구나. 의리 있네~."

소피아는 또다시 반대쪽으로 고개를 갸웃했다.

노웸은 그런 소피아의 행동에 뭔가를 깨달았는지, 확인을 해봤다.

"소피아 씨. 한 가지 확인을 하고 싶은데요. 오늘은 어떤 용건으로 라이엘 님을 면회하실 건가요?"

그러자 소피아는 등을 쫙 뻗고 커다란 가슴을 펴며, 오른손을 가슴에 대고 잘 울리는 목소리로 대답했다.

"저는 친가를 잃은 몸. 라이엘 공께 받은 은혜를 이 몸으로 갚고자, 이곳에 왔습니다."

이 몸으로, 라는 말이 나오자 주변 남성 모험가들이 일제히 소피아를 주목했다. 그리고 로브 위에서도 알 수 있는 소피아의 몸매를 핥듯이 바라봤다.

론도 일행은 굳어졌고, 젤피도 아리아도 아연실색했다. 아리아는 갖고 온 짐을 떨어뜨렸다.

……묘한 정적에 휩싸인 길드.

그곳에, 라이엘이 짐을 들고 계단을 올려왔다.

"후우, 역시 놔두고 왔어야 했나? 하지만 사용감도 시험해

보고 싶고……. 아, 다들 있네. 어~이……. 어, 어라?”

도적단을 쓰러뜨릴 때 라이엘은 토벌대를 편성했었다. 그때 귀족 집 바보 아들을 연기했었기 때문에 다리온에서는 묘하게 유명해져 있었다.

『귀족 집 바보 아들 라이엘』.

전혀 기쁘지 않은 별명이 퍼지게 된 셈인데, 조용해진 길드에서 남자들의 시선이 라이엘에게 꽂혔다.

“어? 어?!”

노웸이 소피아를 보고, 다시 한 번 물었다.

“소피아 씨. 다시 한 번 물을게요. 라이엘 님께 무슨 볼일로 오신 건가요?”

소피아는 의문으로 생각하면서도 더욱 큰소리로 대답했다.

“그러니까, 이 몸으로 은혜를 갚으려고 오늘 이곳에 온 겁니다! 가보를 되찾아주신 은혜는, 이 몸으로 갚겠어요!”

노웸은 내심 소피아가 진짜로 몸을 바칠 거라고는 생각하지 않았다. 분명 일해서 은혜를 갚겠다는 의미라는 걸 이해하고 있었다. 그런데도 일부러, 이 자리의 분위기를 읽지 못하는 소피아에게 미소를 보냈다.

“그렇군요……. 뭐, 임시 합격이라는 걸로 해두죠. 소피아 씨, 앞으로 잘 부탁드려요.”

“네, 네에. 그런가요. 임시 합격?”

노웸의 말에 라이엘에게 향하는 시선이 더욱 날카로워졌다. 아리아는 울상이었고, 소피아는 노웸이 한 임시 합격이란 말을 이해하지 못해서 고개를 갸웃했다. 젤피는 라이엘을 보며 미간에 주름을 잡고 있었다.

론도 일행도 차가운 시선으로 라이엘을 바라보았다. 주변도 마찬가지다. 시선의 종류는 다르지만, 다들 호의적이라고는 할 수 없었다.

"어…… 무슨 소리야? 어, 뭐야 이 상황?!"

이날, 라이엘은 두 사람이 아니라 세 사람의 인생을 짊어지게 되었다—.

第17화 일보 전진하고 일보 후퇴하다

『굉장하네, 라이엘. 두 사람의 인생을 짊어지니 뭐니 하고 고민하고 있었는데, 세 번째 사람이 등장하다니 예상 못했어. 라이엘, 뭔가 「갖고」 있네.』

즐겁게 떠들어댄 것은 3대다. 갖고 있다는 건 운 같은 요소를 말하는 것이리라. 아니, 이 경우는 악운일까? 아니, 악운이라면 내가 나쁜 짓을 해서 번창하는 것처럼 들리는데.

나쁜 일……은, 하지 않았을 것이다.

현재, 길드의 방 하나를 빌려서 젤피 씨가 앞으로의 방침을 이야기하고 있었다. 갑자기 추가된 소피아 씨를 노웰이 모처럼 온 기회라면서 파티에 가입시킨 것이 마음에 걸렸다.

노웰은 기본적으로 미인이고, 뭐든 가능하고, 나를 위해 애써주는 유능한 여성이다. 하지만 아리아 씨를 받아들인 경위도 그렇고, 하렘 사고의 소유자다. 무슨 영문인지 내 주변에 여성을 두려고 한다.

방에는 긴 테이블이 두 개 놓여 있고, 젤피 씨를 앞에 두고 우리 네 사람이 앉아 있었다. 나를 사이에 둔 형태로 노웰과 아리아 씨가 앉고, 노웰 옆에는 소피아 씨가 앉았다.

젤피 씨가 헛기침을 했다.

"아~ 뭐냐. 그쪽 아가씨는 라이엘에게 은혜를 갚기 위해 모험가로서 일하겠다고. 그거면 되는 거지?"

소피아 씨가 살짝 끄덕였다. 등을 쫙 뻗고 앉아 있고, 의연한 태도지만 얼굴은 붉었다. 귀까지 새빨갛다.

"네, 네! 몸으로 갚는다는 건 육체노동이라는 의미였고—따, 딱히 다른 의미가 있었던 건 아니거든요!"

6대가 나지막하게 중얼거리는 목소리가 보옥을 통해 내게만 들렸다.

『육체노동, 이라. 이 아이의 입으로 들으니까 어째서 야릇하게 들리는 걸까요.』

분명 조금 전 일이 있었기 때문이다. 소피아 씨는 길드의—게다가 사람이 무척 많은 곳에서 내게 몸으로 은혜를 갚겠다는 소리를 단호하게 했었다.

덕분에 내 별명은 『귀족 집 바보 아들』에서 하루아침에 『바람둥이』로 변경되고 말았다.

내 이미지가 점점 나쁜 방향으로 나아가고 있다.

젤피 씨는 왼손을 휘휘 흔들면서 그 이야기를 중단시켰다.

"알았으니까 진정해. 한 번만 더 확인하겠는데, 모험가로서 일한 경험은 없지?"

소피아 씨는 고개를 끄덕이며 움츠러들었다.

"하, 하지만, 배신(陪臣)#1 기사 가문 출신이니, 무예도 익히고 있어요."

커다란 배틀 액스를 짊어지고 걸을 수 있으니 몸은 단련하

#1 배신(陪臣) 제후의 신하.

고 있겠지만, 젤피 씨는 이마에 손을 올렸다. 아무래도 문제가 있는 모양이다.

"……라이엘. 이건 내가 하는 제안이니까 들어줬으면 좋겠어. 나쁜 이야기는 아냐."

"뭔가요?"

젤피 씨는 우리에게 시선을 보내면서 양손을 깍지 끼고 테이블 위에 놓았다.

"도적단 토벌에서는 나도, 그리고 길드도 은혜를 느끼고 있어. 사람이 늘어났으니 겸사겸사 지도기간을 2주일 연장하지 않겠어? 물론 돈은 받지 않겠어. 길드도 반대는 하지 않을 거야."

젤피 씨 같은 베테랑 모험가에게 전속으로 지도를 받으려면 돈이 든다. 3개월에 금화 20닢이라는 가격이었다. 그게 2주일이나 무료로 연장된다는 건 내게는 무척 고마운 이야기다. 고맙긴 한데…….

"저기, 어째서죠?"

노웸은 아리아 씨와 소피아 씨에게 시선을 보내며 끄덕였다.

"그러네요. 그 편이 좋을지도 모르겠어요. 라이엘 님, 이 제안은 순순히 받아들여야 한다고 생각해요."

노웸은 이해하는 모양이지만 나는 잘 모르겠다. 젤피 씨는 복잡한 표정을 지으며 아리아 씨와 소피아 씨를 보고 있었다.

2대가 내게 설명해주었다.

『즉, 이 두 사람이 초보자라는 거지. 모험가가 되기 전의 너와 마찬가지로 지식도 경험도 전혀 없어. 그런 두 사람에게 기초를 가르쳐주고 싶은 거다.』

나는 살짝 고개를 숙이며 생각했다. 첫 한 달을 떠올려 보니, 나는 확실히 모험가라는 것을 이해하지 못해서…… 아!

"어, 잠깐 기다려주세요! 그럼, 그 2주일은!"

내가 힘차게 일어나며 젤피 씨를 바라봤다. 젤피 씨는 씨익 웃으며 끄덕였다.

"겨우 이해했나보네. 뭐, 열심히 잡일 의뢰를 해볼까. 괜찮아, 2주일은 이쪽의 서비스니까."

아리아 씨는 이해하지 못했는지 내 쪽을 바라봤다.

"라이엘, 잡일 의뢰라는 게 뭐야?"

다리온은 확장공사나 재개발이 진행되고 있어서 거리에 일이 많다. 그런 인원을 길드에서 구하기 때문에, 무기도 방어구도 도구도 없는 모험가들은 장비를 모으기 위해 그런 의뢰를 한다.

모험가답지 않은 일이다.

"……도랑 청소."

"……어?"

내가 그렇게 중얼거리자 아리아 씨가 젤피 씨를 바라봤다. 하지만 젤피 씨는 시선을 돌렸다. 그런 의뢰는 시키지 않는다는, 그런 특별대우는 해주지 않는 모양이다.

소피아 씨가 그 자리에서 일어났다.

"자, 잠깐 기다려주세요! 제가 은혜를 갚는다고 했던 건, 그런 일이 아니라, 좀 더 마물을 쓰러뜨린다든가 하는—."

젤피 씨는 소피아 씨를 흘겨봤다.

“미안하지만, 이 파티의 지도원은 나야. 즉, 리더인 라이엘에게 방침을 제시할 뿐이야. 아가씨, 그게 싫으면 파티에서 나가도 좋아. 단, 모험가로서 살아가고자 한다면 여기서의 경험은 헛수고가 되지 않는다는 걸 보장하겠어.”

소피아 씨가 뭔가 불만을 늘어놓으려 했지만, 노웸이 말을 꺼냈다.

“라이엘 님, 안심해주세요. 이번에는 제가 바깥에서 일할 테니 라이엘 님은 그 사이에 길드에서 대필을 하고 계세요. 괜찮아요. 저는 이래 봬도 꽤 힘이 있거든요.”

노웸은 내게 배정되는 도랑 청소나 공사현장에서의 일을 웃으며 맡아주겠다고 했지만, 그런 걸 허락할 역대 당주들이 아니다.

초대가 떠들기 시작했다.

『라, 라이엘! 노웸에게 그런 일을 시켜서는 안 돼! 아, 아리아한테도 마찬가지야! 아리아한테 그런 육체노동 같은 걸 시킬 수 있겠냐!』

다만, 2대는 조금 의견이 달랐다.

『노웸에게 바깥에서 하는 일을 시키지 않는다면, 다른 두 명에게도 똑같이 해야겠지.』

3대도 아리아나 소피아에게는 얽매이지 않지만, 노웸에게는 달랐다.

『하긴. 뭐, 대필로 힘내라고 할까. 두 사람 다 귀족 출신이니까, 읽고 쓰기 정도는 가능할 거야.』

4대는 부정적인 의견을 냈다.

『글쎄요. 궁정 귀족 출신인 아리아라면 몰라도, 영주 귀족에다 배신 기사 가문인 소피아는…… 그 있잖습니까. 잡무를 명사(名士)들에게 시키는 영주는 읽고 쓰기가 가능한지 의심스러운 이들도 많으니까요.』

5대도 동의했다.

『은근히 많아. 개중에는 여자에게는 글이 필요 없다고 말하는 바보도 있고.』

6대는— 애초부터 5대 이후부터는 노웸에게 큰 집착이 없다. 혼수품을 팔아서까지 내게 애써주고 있으니까 소중히 대하라고 말할 뿐이다.

『뭐, 지도원인 젤피가 그렇게 판단했다면, 따라야겠죠.』

7대는 분한 표정이었다.

『젠장! 라이엘이 또 그런 일을 하게 되다니……. 이러니까 모험가 같은 건 싫은 거다!』

7대는 모험가나 용병 같은 부류를 싫어한다. 그 때문에 모험가라고 하는 것만으로도 상대의 평가를 낮추고 만다.

"노웸…… 너는 대필을 해."

"어째서인가요, 라이엘 님! 저, 저도 할 수 있어요!"

노웸은 쇼크를 받은 반응을 보였지만, 나로서는 진심으로 내 대신 육체노동을 할 생각이었던 게 더 무섭다.

노웸이 바깥에서 일하고 내가 실내에서 일하면…… 노웸에게만 일을 시키는 것처럼 비치겠지. 내 별명이 『바람둥이』에서 『기둥서방』이 되고 만다. 그런 건 싫어!

젤피 씨가 손뼉을 쳤다.

"자, 정해졌으면 이제 떠들지 마. 라이엘은 육체노동. 여자 아이는 대필이나 그쪽 잡일로. 제대로 일하면서, 모험가라는 걸 배우도록 해."

기분 탓인가, 젤피 씨의 시선이 곤란해 하는 아리아 씨에게 가고 있었다. 역시 여동생 같은 아이니 신경이 쓰이는 거겠지.

태양의 위치가 높고, 햇살이 강해진 낮.

나는 타월로 땀을 닦으며 육체노동을 하는 두 사람을 바라봤다. 두 사람은 내가 도랑에서 꺼낸 진흙을 땀을 흘리며 일륜차에 실어서 옮기고 있었다.

초대가 울 것 같은 목소리로 중얼거렸다.

『아리아…….』

2대도 어이없는 목소리를 꺼냈다.

『소피아도 글러먹은 타입이었네. 뭐랄까 이 두 사람…… 타입은 다르지만 다들 서툴러.』

나는 아리아 씨에게 말을 걸었다.

"저기, 이제 곧 휴식시간이니 쉴까요. 진흙은 나중에 버리죠. 그보다, 괜찮나요? 무리라면 다른 의뢰를……."

땀으로 범벅이 된 아리아 씨는 꽤나 기운찼다.

"괜찮아! 냄새는 심하지만, 나는 굳이 따지자면 이쪽이 더 잘 맞아!"

어째서인지 무척 어울리는 일체형 옷. 게다가 잘 맞는다고 할 만큼, 확실히 믿음직했다. 반면 소피아 씨는 질색하고 있었다.

"소피아 씨도 쉬죠. 너무 신경 쓰지 않아도 되니까요."

"아뇨. 수많은 실패를 여기서 노력해서 만회해야……."

수많은 실패. 내가 공사현장에서 의뢰를 하던 어제까지의 닷새간, 두 사람은 젤피 씨의 지시로 대필이나 그 밖의 여성용 의뢰를 처리했다. 그리고 두 사람 모두 멋들어지게 의뢰에 실패했고, 평가는 설마 하던 『E』평가. 『A』에서 『E』까지의 다섯 단계 중 최저 평가인 『E』가 나와서 벌금을 내는 결과가 되었다.

그 때문에 오늘도 도랑 청소를 나갈 예정이었던 나에게 두 사람이 합류한 것이다. 그리고, 두 사람 모두 이쪽이 더 잘 맞았다.

3대가 웃었다.

『굉장하네. 대필을 시키면 상대에게 설교를 하는 소피아! 가게에서 그릇을 마구 깨고, 손님을 때린 아리아! 지금까지 용케 접객업을 하고 있었다니까.』

두 사람 모두 의뢰를 받은 직장에서 갖가지 문제를 일으키고 있었다.

뭐, 두 사람 모두 이유는 있다. 있긴 하지만, 너무나도 벌금이 많아서 어울리지 않는다는 판단이 내려왔다.

솔직히 내 쪽이 더 잘 했다고 생각한다.

장갑을 벗고 근처에 놔둔 내 물통에 손을 뻗었다. 두 사람 모두 땀을 닦으면서 마찬가지로 물통을 잡았다. 수분 보급은 하지만, 역시 장소가 장소인 만큼 식사는 일이 끝난 뒤가 될 거다.

의뢰받은 도랑 청소는 앞으로 몇 시간만 지나면 끝날 것 같았다. 끝나면 의뢰인에게 확인을 받아야 한다.

아리아 씨는 물을 마시고 타월로 입가를 닦았다.

"젤피는 이쪽에 안 오네."

지도원인 젤피 씨도 하루 종일 우리를 보고 있는 건 아니다. 그보다, 지금은 다른 건으로 바쁘다.

4대가 살짝 웃었다.

『지금쯤 두 사람의 뒤처리에 바쁘겠죠. 뭐, 제대로 일하고 있는 것 같아서 다행입니다. 책임자는 책임을 지는 게 일이니까요.』

두 사람의 실패는 닷새 동안 상당한 숫자였다.

소피아 씨는 첫날에 길드에 대필을 부탁하러 온 모험가에게 설교를 했다. 러브레터를 써달라는 부탁을 받고, 마지막에는 「그걸 네게 보내고 싶어」라는 소리를 들어서 격노했다고 한다.

얼굴을 새빨갛게 물들이며 설탕이라도 토할 것 같은 달콤한 말을 썼는데, 상대는 그걸 보고 히죽히죽 웃고 있었다는 모양이다. 소피아 씨가 화를 낸 이유는 이해가 갔다.

하지만, 실패는 실패다.

아리아 씨는 접객업을 하고 있었으니까 괜찮을 것 같아서 인원이 부족한 식당으로 갔는데, 거기서 취한 중년 남성이 엉덩이를 건드리자 손이 나갔다고 한다.

상대는 얻어맞고 날아가 그릇이 깨졌고, 테이블도 부서졌다고 하니까 무시무시하다. 뒤쪽 일로 돌리자 설거지를 하다 그릇을 몇 개나 깨서 가게 측이 길드에 불만을 늘어놓았다.

그 후에도 비슷한 실패를 반복하는 바람에 내가 있는 곳까지 보내졌다.

젤피 씨는 이곳저곳에 사과를 하기 위해 오늘은 우리가 있는 곳에 감시하러 오지 못하게 된 것이다. 젤피 씨도 설마 접객업을 하던 아리아 씨가 이렇게까지 심각할 줄은 몰랐던 거겠지.

아리아 씨가 예전에 일하던 가게 【시엘】은 남성에게 달콤한 간식을 제공하는 숨겨진 가게 같은 곳이었다. 지금 생각해보면, 숨어서 달콤한 걸 먹으러 오는 남성들의 대다수는 주정뱅이가 아니었다. 점주도 아리아 씨가 주방일에 서툴다는 것을 알았기 때문에 손님 상대를 시켰던 거겠지. 귀여운 차림으로 일하고 있었으니 외모 중시였던 걸지도 모른다.

초대가 반응하기 곤란해 하고 있었다.

『눈이 닿는 곳에 있어서 안심해야 하는지, 아니면 육체노동으로 좋아하는 모습을 한탄해야 하는지 모르겠어! 젠장! 나는 어떻게 해야 되는데!』

3대가 즉답했다.

『아무것도 못하니까 잠자코 있으면 되는 것 아닐까?』

『빌어먹으으으을!』

초대가 외칠 때마다 내 미덥지 못한 마력이 소리를 내며 깎이는 듯했다. 소리는 들리지 않지만 틀림없이 헛되이 소비되고 있다.

초대는 마음속으로 아리아 씨에게 진짜 양갓집 규수였다는 아리아 씨의 선조를 겹쳐보고 있는 걸지도 모른다. 뭐, 그 아리아 씨의 선조는 대화조차 못했던 상대였는지라 어떤 인물인지는 모른다.

의외로 아리아 씨와 비슷했던 걸지도, 라는 생각도 들었다.

소피아 씨가 한숨을 내쉬었다.

"……바깥에서 마물과 싸운다면, 좀 더 활약할 수 있을 텐데요."

나는 소피아 씨에게 말했다.

"아니, 그렇게까지 신경 쓰지 않아도 괜찮아요. 저도 가보를 되찾은 건 덤이었으니까."

아리아 씨가 대화에 끼어들었다.

"마, 맞아! 너, 그렇게 신경 쓸 것 없어. 그보다, 전혀 도움이 안 되잖아."

소피아 씨가 험악한 표정으로 아리아 씨를 노려봤다.

"……당신한테 듣고 싶지는 않습니다."

"두, 두 사람 다. 그렇게 노려볼 것까지는……."

두 사람이 미묘한 분위기를 내자 통행인들의 목소리가 소곤소곤 들려왔다. 3인조 주부로 보이는 사람들이 말했다.

"싫다 참. 수라장이야, 수라장."

"남자 얼굴이 반반하니까 속아 넘어간 걸까?"

"젊다니까."

즐겁게 이쪽을 바라보면서 지나갔다. 그러자 그런 우리에게 한 인물이 다가왔다. 지친 표정을 지은 젤피 씨였다.

"꽤나 즐거워 보이네."

"즐겁지 않아요!"

내가 반박하자 젤피 씨는 어깨를 으쓱했다.

"미안하지만 예정 변경이야. 아무래도 벌금의 액수가 너무 커. 내일은 쉬기로 하고, 모레는 바깥으로 마물 퇴치를 나가자. 미리 꿔주는 것도 생각해봤지만, 빠르게 현실을 이해하는 것도 괜찮겠지."

소피아 씨가 눈을 크게 떴다.

"겨우 왔군요. 이걸로 지금까지의 실패를 만회할 수 있겠어요!"

아리아 씨도 소피아 씨에게 대항하며 말했다.

"나, 나도 하겠어! 친가에서는 창 연습을 한 적도 있고!"

아리아 씨도 소피아 씨도 의외로 무예에 밝다.

좀 더 다른 걸 배우는 게 좋을 텐데, 라는 생각이 들었지만 입 밖으로는 꺼내지 않았다. 다만, 3대는 하고 싶은 말을 참던 내게 말했다.

『……라이엘. 생각한 건 조금 더 입 밖으로 꺼내는 게 좋아.』

여성에 대한 대우와 돈에 시끄러운 4대도 같은 의견이 모양이다.

『실언은 안 되지만요. 그래도 커뮤니케이션은 중요합니다, 라이엘.』

말하면 화낼 것 같아서 입 다물고 있었는데 이러면 안 되는 거였나?

젤피 씨는 서로를 의식하는 두 사람을 보고 머리를 긁적였다.

"……먼저 현실을 가르쳐주는 게 좋았을지도 모르겠어."

두 사람의 현실…… 무슨 의미일까?

—다음날.

노웸은 소피아를 데리고 장을 보러 나왔다.

도시 밖에서 마물과 싸우는 것만으로는 의미가 없는 게 모험가다. 필요한 도구는 많다. 아리아는 젤피와 장을 보러 나갔기에 노웸과 소피아가 행동을 함께 하게 되었다.

모험가에게 필요한 물건을 취급하는 가게는 많다. 하지만 가게에 따라 특징이 있어서 소피아는 곤혹스러웠다.

"비슷한 물건인데 가격이 다르네요. 질이 다른 건가요?"

노웸은 소피아의 물음에 고개를 끄덕였다.

"그렇죠. 어느 정도는 질이 좋은 도구를 고르는 게 좋다고 생각해요. 싸구려는 망가지기 쉽고, 오래 쓸 것을 생각하면 경제적이니까요."

다만, 소피아는 조금 곤란한 표정을 지었다.

"꽤나 지출이 많네요. 좀 더 초기비용이 적다고 생각하고 있었는데요."

노웸은 소피아에게 제안했다.

"소피아 씨. 도구에 관해서는 제가 지불하겠어요. 그리고, 여관비는 괜찮으신가요? 부족하다면 그쪽도 지불하죠."

소피아는 고개를 가로저었다.

"아뇨! 그런 것까지 받을 수는 없습니다! 저, 저는, 은혜를 갚기 위해 온 거지, 더 이상 민폐를 끼칠 수는……."

노웸은 단호하게 말했다.

"도구 부족, 그리고 몸 관리를 못하신다면 라이엘 님에게 걸림돌이 되고 말아요. 이건 필요경비에요. 게다가, 언젠가 갚아주신다면 괜찮아요. 지금은 이쪽을 의지해주세요."

소피아는 모험가라는 것을 얕보고 있었다. 아니 의식조차 하지 않고 있었다. 반세임 왕국의 귀족은 모험가가 되는 것을 꺼리는 경향이 있다.

가문이 몰락한, 혹은 차남이나 삼남이 독립하기 위해 모험가가 되는 이유가 아니라면 이 길을 고르지 않는다.

소피아 역시 모험가가 되려고는 생각하지 않았던 사람이다. 여성이니 다른 가문에 시집가려고 생각하고 있었다. 하지만 영주에게 주어진 토지를 지키지 못하고 가족이 사망했으며, 배신 기사의 지위도 박탈되고 말았다.

"……죄송합니다. 지금은 빌리겠습니다."

노웸은 미소 지었다.

"네. 언젠가 되돌려 받을게요. 자, 도구를 고르기로 하죠. 다음에 갈 가게도 있으니까요."

소피아는 곤혹스러웠다.
"또, 또 가게를 도는 겁니까?"
두 사람은 그대로 장보기를 이어갔다—.

다음날, 다리온에서 몇 시간 정도 걸어간 장소.
그곳에서 나는 얼굴에 묻은 황록색 액체를 타월로 닦았다.
젤피 씨는 배를 잡고 웃고 있고, 노웸은 마법으로 물을 준비해서 타월로 적셔 나나 아리아 씨, 그리고 소피아 씨에게 건넸다.
웃고 있는 젤피 씨를 노웸이 질타했다.
"젤피 씨!"
그러자 젤피 씨가 헛기침을 했다.
"미안하니까 그렇게 화내지 마. 하지만, 이걸로 깨달았겠지?"
아리아 씨와 소피아 씨가 고개를 수그렸다.
슬라임— 황록색 액체를 점막으로 감싸고 있는 말랑말랑한 마물이다. 크기는 다양하지만 사람보다는 작다. 쓰러뜨리기 쉬운 마물이긴 해도 지금의 우리는 그런 슬라임의 액체로 범벅이 되어 있었다.
내 경우에는, 소피아 씨가 휘두른 배틀 액스 탓에 얼굴에 체액이 날아온 거다. 아리아 씨도 창으로 찌른 슬라임의 체액을 뒤집어쓰고 매우 더러워졌다.
뭐, 노웸과 젤피 씨 말고는 질척질척하게 더러워진 셈이다.
2대가 한 마디.

『심하군.』

그렇게 중얼거렸는데, 실제로도 심했다. 젤피 씨가 장갑을 끼고 슬라임의 팔아치울 부위— 소재를 잡았다. 체액을 감싸던 투명한 피부 부분이 너덜너덜했다.

"정말이지 상태가 심해. 이거라면 매입가는 절반 이하겠어. 게다가 코어도 너덜너덜해서 사주지 않을걸. 마석도 어디로 날아갔는지 원…… 찾을 수가 없네."

아리아 씨가 뭔가 말하려고 했지만 젤피 씨가 노려보자 입을 다물었다.

"잘 들어. 쓰러뜨리기만 하면 다 되는 게 아냐. 소재를 깔끔하게 확보하지 않으면 모험가는 돈을 벌 수가 없다고. 아리아!"

"네, 넷!"

업무 모드의 젤피 씨 앞에서, 아리아 씨도 자연스레 긴장했다.

"전력으로 찌를 필요는 없다고 가르쳐줬을 텐데! 일부만 베면 나머지는 내용물이 튀어온다고. 그걸 기다렸다가 회수! 왜 그것도 못해!"

침울해진 아리아 씨를 소피아 씨가 곁눈질하고 있었다. 하지만, 자랑스러운 표정은 아니다.

"소피아. 너도 마찬가지야. 내가 말했었지? 그 무기로는 어렵다고."

소피아 씨는 더러워진 배틀 액스를 바닥에 꽂은 채 허둥지둥 변명을 했다.

"하, 하지만, 다른 무기 같은 걸 들지 않아도—."

"자기가 다루지 못하는 무기는 들지 마!"

소피아 씨는 커다란 배틀 액스를 들고 휘두를 수는 있지만, 잘 다루느냐고 묻는다면 그렇지는 않았다. 슬라임 상대로 몇 번이나 헛손질을 하고, 끝내는 있는 힘껏 가로로 베서 주변에 체액을 흩뿌려버렸다.

"자기 목숨을 맡아주는 무구야. 마음대로 고르는 건 상관없지만, 다루지 못하는 무구를 가지고 있는 건 위험해. 소피아, 너…… 근처에 동료가 있을 때 그 배틀 액스를 휘두를 수 있겠어?"

소피아 씨가 고개를 숙이며 주먹을 쥐었다.

"……무리에요."

나도 무리라고 생각한다. 그보다, 소피아 씨 근처에 설 수가 없을 거다. 자칫하면 배틀 액스가 날아올 위험성도 있으니까.

초대가 서툰 두 사람을 앞두고 투덜투덜 중얼거렸다.

『그렇게 심하게 말할 필요는 없잖아. 아리아도 노력했고.』

나 때와는 태도가 전혀 다르잖아! 요즘에는 나아졌지만 이전까지는 나를 도발하고, 깔아뭉개고, 욕설을 퍼부어댔었는데 이 두 사람, 아니 아리아에게는 이런 태도라니!

……과연 괜찮은가 싶다.

젤피 씨가 내 쪽으로 시선을 보냈다. 나는 사브르를 뽑아서 짐을 맡는 역할인 노웸에게 짐을 맡겼다.

바닥에 떨어진 나뭇가지를 주워서 그걸 슬라임에게 던졌다. 슬라임에게 나뭇가지가 맞아서 튕겨나자, 슬라임은 폴짝 뛰면서 내 쪽으로 다가왔다.

사브르를 오른손에 쥐고서 서 있는 위치에서 조금 이동했다.

슬라임이 내가 서 있던 위치를 지나갈 때, 사브르로 살짝 표면을 베었다. 슬라임은 바닥에 체액을 흘리며 움직이지 못하게 되었다. 빨갛고 둥근 코어와, 빨갛고 작은 돌— 마석이 바닥에 모습을 드러냈다.

회수용 장갑을 들고 짐에서 작은 통과 가죽주머니를 꺼내 소재와 마석을 회수했다.

"자, 이게 모험가의 싸움법이야. 이해했어?"

아리아 씨와 소피아 씨를 앞두고, 젤피 씨는 나의 행동을 견본 삼아 보여주었다. ……아무래도 내가 쓰러뜨린 방법은 합격인 모양이다.

두 사람은 침울해졌다.

"그저 쓰러뜨리기만 해봤자 돈은 모이지 않아. 기사나 병사처럼 쓰러뜨리면 끝나는 것도 아냐. 깔끔하게 쓰러뜨려서 소재와 마석을 회수하는 것. 그걸 못하면 모험가로서 먹고 살 수 없어. 아무리 지나도 잡일을 하게 되지."

내가 두 사람을 바라보던 중 노웸이 내게 다가왔다.

"라이엘 님. 나중에 두 분에게 말을 거시는 게 좋을지도 모르겠네요."

"……어?"

내가 고개를 갸웃하자 노웸이 곤란한 표정을 지었다.

"아, 아뇨. 말을 걸어서 격려한다든가, 저기…… 여러모로 말이죠."

예전에 젤피 씨에게는 반푼이가 남을 돕지 말라는 말을 들었다. 끼어드는 건 한 사람 몫을 하고 나서, 라는 뜻이다.

"……아니, 그래도 돼? 반대로 말을 걸면 안 되는 것 아닐까. 그 있잖아. 나는 아직 반푼이니까. 전에 도와주는 건 한 사람 몫을 하고 나서, 라고……."

노웸이 놀라고 있었다. 하지만 바로 뭔가를 떠올렸는지 내게 다그쳤다.

"꼭 말을 걸어주세요. 아시겠죠, 꼭이에요! 딱히 어드바이스를 하라는 게 아니에요. 그저, 열심히 했다는 말 한 마디면 충분해요!"

"어, 어어."

노웸의 기세에 눌려서 끄덕였지만, 그런 내게 놀란 것은 당주들도 마찬가지였다.

초대가 겨우 목소리를 쥐어짜냈다.

『야, 라이엘 애 좀 이상하지 않아?』

2대도 마찬가지였다.

『그래, 전부터 생각하던 건데…….』

말을 이어받은 것은 3대였다.

『인간관계에 어둡다거나 하는, 그런 레벨이 아니네.』

4대는 조금 화를 냈다.

『큰 문제에요. 큰 문제! 어째서 그 이야기와 지금 상황을 겹쳐보는 건지…….』

5대 역시 마찬가지다.

『같은 파티 멤버잖아. 서로 도와주라고. 왜 남을 돕는 이야기와 같은 취급인 건데.』

6대는 의문을 품고 있었다.

『흠, 이건 어쩌면…… 뭐, 지금까지는 노웸의 눈치가 빨라서 도움을 받았으니까요. 깨닫지 못했을 뿐, 미묘한 부분은 많았었죠.』

7대가 도와주려다가, 포기했다.

『……라이엘, 이 두 사람은 이제 타인이 아니다. 네게는 책임이 있다고 이야기한지 얼마 되지 않았을 텐데.』

듣고 보니 확실히 그렇지만, 하지만 예전에는 반푼이인 내가 남을 도와주다니 10년은 이르다는 말을 들었다.

……뭔가 다른 건가?

초대가 내게 고함을 쳤다.

『너, 이해하지 못하고 있지! 좋아, 알았어! 오늘 밤은 보옥 안으로 와! 알겠냐, 반드시 오라고!』

젤피 씨에게 설교를 듣는 아리아 씨와 소피아 씨. 나를 불안하게 바라보는 노웸과, 현재 상황을 이해하지 못하고 있는 나……. 그리고 어이없어하는 보옥 안의 역대 당주들.

어째서지. 얼마 전으로 돌아온 기분이다. 아무것도 하지 못하고 혼나기만 했을 때와 비교해보면, 전혀 진보가 느껴지지 않았다.

제18화 성장

보옥.

그것의 가장 큰 특징은 보옥이 되기 전의 옥과 비교해보면 알기 쉽다.

옥은 소유자의 아츠를 기억하는 도구다. 기억되는 아츠의 조건은 3단계까지의 아츠를 사용할 수 있을 것. 조건을 채우면 아츠는 옥에 기억된다.

그리고 소유자가 바뀌더라도 「아츠의 사용방법」과 「아츠의 이름」을 알면, 새로운 소유자도 마찬가지로 아츠의 1단계부터 3단계까지를 사용할 수 있다.

이 두 가지가 없는 경우, 옥은 소유자에게 아츠 1단계까지만 가르쳐줄 수 있다.

단, 옥에서 보옥이 된 내 푸른 보옥은, 기억된 아츠의 소유자들 인격이 전성기의 모습으로 되살아나서 대화가 가능하다.

잃어버린 아츠의 사용방법을 역대 당주들이 직접 가르쳐줄 수 있는 거다. 어째서 이런 일이 가능한지는 역대 당주들도 알지 못했다.

보옥 안— 원탁의 방에는 나도 의식을 보낼 수 있다.

보옥 안에서 기억으로 되살아난 역대 당주들과 만날 수 있는 것이다. 이게 옥과의 큰 차이겠지.

원형 방에는 원탁이 놓여있고, 천장에는 커다란 푸른 구체와 그것을 둘러싸는 작은 구체가 방사형으로 메워져 있었다. 전부 22개 있는 옥 가운데서 여섯 개가 빛을 발하고 있었다.

원탁 중앙에도 커다란 푸른 옥이 박혀있고, 원탁을 둘러싸듯이 역대 당주들의 의자가 배치되어 있었다. 그 뒤에는 각자 특징적인 문이 있다.

내 자리에도 있지만, 내 뒤에는 문 — 기억의 방 — 이 없다. 이 문 너머에는 역대 당주들의 기억이 잠들어 있다.

거기에 들어가면 나는 역대 당주들의 기억을 볼 수 있다. 다만, 이 기억의 방도 어째서 존재하는 건지는 알 수 없었다.

결국, 보옥이란 대체 뭘까……. 모르는 것들이 많았다.

원탁의 방.

사회 진행자인 4대가 안경을 손끝으로 올려서 위치를 조정하며 이 자리를 인솔했다.

『음~ 그럼 「조금 이상하네, 라이엘」에 대한 회의를 시작하고자 합니다.』

회의의 내용보다도 의제가 신경이 쓰였지만 침묵했다.

처음으로 발언한 것은 2대였다.

『아니, 내가 생각하기에는 조금이 아냐. 치명적인 거 아닌가? 타인과 동료를 같은 선상에서 대하다니 평범하지 않다고.』

엄한 의견에 어깨가 움츠러들었다. 나로서는 주변 사람들의 가르침을 지키고 있을 뿐인데…….

3대가 원탁에 팔꿈치를 대고 나를 바라보았다.

『지금까지는 노웰과 둘, 그리고 지도원까지 셋뿐이라서 눈에 띄지 않았었으니까. 주변 사람들이 유능해서 라이엘은 도움을 받는 쪽이었고.』

5대가 나지막하게 중얼거렸다.

『대인관계가 괴멸적이네.』

초대가 원탁에 주먹을 내리쳤다.

『그런 건 아무래도 좋아! 잘 들어, 라이엘! 걔네들은 이미 네 동료잖아! 말하자면, 지켜줘야 할 존재야! 그걸 타인하고 같이 취급하지 말라고!』

나는 초대를 보며 말했다.

"저로서는, 아직 받아들일지 정하지 못했고……. 게다가, 두 사람 다 연인은 아니잖아요?"

초대가 머리를 쥐어뜯었다.

『아리아의 태도를 보라고! 너한테 반했잖아! 행복하게 해주라고! 부탁이니까 좀 해줘라! 해주세요, 이놈아!』

부탁을 받는 건지 명령을 받는 건지 모르겠다.

6대가 나를 설득하듯이 말했다.

『라이엘. 소피아라는 아이 말인데. 친가는 망했고, 앞으로는 모험가가 되어 네게 은혜를 갚으려 하고 있다. 지금은 도움이 되지 않지만 갈 곳이 없는 아이야. 최소한, 한 사람 몫이 될 때까지 맡아두는 게 좋겠지. 그 성격을 봐서는, 내팽개쳤다가는 나쁜 녀석들에게 속아 넘어갈 거다.』

성실하고, 나 정도는 아니지만 모험가에 어두운 소피아 씨다. 아리아 씨에게는 젤피 씨가 있지만 소피아 씨 주변에는 아무도 없다.

“드, 듣고 보니 그러네요.”

7대가 불안한 듯이 나를 보고 있었다.

『라이엘, 옛날의 너는 좀 더, 이렇게…… 눈치가 빨랐을 텐데. 그리고 밝고 기운차고, 뭐든 할 수 있었고……. 대체, 무슨 일이 있었던 거냐.』

그러자 3대가 고개를 들었다.

『아, 그러고 보니 나도 신경이 쓰였어. 라이엘, 너 말이야……. 친가에서 냉대를 받았었지? 어떤 대우를 받고 있었어?』

3대는 내 대우에 흥미를 드러냈지만 다른 사람들은 딱히 그렇지 않았다. 냉대, 라고 해도 어느 정도는 대부분 상상할 수 있는 것이리라.

“……여러분이 생각하는 그대로라고 생각하는데요. 어어, 열 살 정도부터였어요. 생일 선물로 사브르를 받은 이후부터였을까요?”

거기서부터 나는 친가에서 받은 대우를 역대 당주들에게 이야기했다.

다만, 역대 당주들의 표정이 점점 새파래졌다.

냉대를 받게 되고나서는 내 방과 한정된 장소— 단련에 사용하는 뜰만이 내 생활 영역이었다.

식사는 방으로 옮겨졌다. 다 먹은 식기는 다음 식사를 가져올 때 사용인들이 가져갔다.

가정교사에게서 건네받은 것은 책뿐이었다. 딱히 뭔가를 가르쳐주지는 않아서 방에서 그걸 읽고 스스로 공부했었다.

누구와도 대화가 없었다. ―무슨 일이 생기면 덤덤하게 고지가 내려졌고, 가족과의 대화도 없었다. 말을 걸어도 무시당했다. 지금 생각해 보면 내게 말을 걸어줬던 건 종종 상황을 보러 왔던 노웰뿐이었다.

아니, 젊은 가신들에게 괴롭힘을 당했던 추억도 있다.

그러고 보니 너무 무리해서 몸이 상했던 때가 있었다. 그때도 딱히 변화는 없었다. 의사도 오지 않았고, 약도 받지 못했다.

……그 이전. 열 살 때까지는 확실히…… 떠오르지 않았다. 멍하니 다정한 부모님, 사브르를 받았던 추억, 그리고 가족과 놀고……. 거기까지는 떠오르지만 그것 말고는 생각나지 않았다.

양손으로 머리를 감싸 쥔 나는 위화감을 느꼈다. 자세히 떠오르지 않는다.

"……어라? 뭔가 이상한 것 같은데."

자신의 기억인데 정말로 떠오르지 않았다. 그걸 의아하게 생각하던 내게 6대가 외쳤다.

『너무 이상하잖아! 브로드, 너 정말로 마이젤의 교육에 실패했던 건 아니겠지! 말도 안 되는 일이야! 완전히 연금 생활 아니냐!』

7대의 멱살을 움켜쥔 6대는 아버지의 이름을 꺼냈다. 6대에게는 손주에 해당하지만, 6대와 아버지의 관계는 차가웠다고 들었다.

7대도 혼란에 빠졌다.

『아, 아니, 설마 이 정도일 거라고는 생각하지 못했습니다! 나, 나조차도 이런 대우를 받고 있었을 줄은 몰랐으니까요!』

7대가 아는 나는 가족에게도 가신들에게도 기대를 받았고, 사랑받고 있었다고 한다. 내게는 이미 남 일 같은 기분이 들 정도로 기억이 애매하지만 말이다.

2대가 땀을 닦았다.

『적자(嫡子)에게 이런 대우라니. 그보다, 아이에 대한 대응이 아니잖아. 차남 이후의 가문을 잇지 않는 아이들도 이것보다는 훨씬 나은 대우를 받는다고. ……뭐, 다른 가문은 잘 모르지만.』

4대도 조금 곤혹스러워했다.

『상상 이상이라고 말하는 게 과연 괜찮을지 모르겠군요. 게다가, 가신들까지 손을 댔다니 이상하네요.』

5대는 침묵했다. 하지만 눈은 나를 바라보며 뭐라 말 못할 표정을 짓더니 손으로 얼굴을 가렸다.

"어? 저기? ……이건 꽤 심한, 건가요?"

3대가 메마른 웃음소리를 냈다.

『응. 쫓겨나지만 않았을 뿐, 그것 말고는 최악이네. 상상 이상으로 참혹해서 지금의 라이엘에게 화낼 기분이 들지 않을 정도로, 말이지.』

진지한 표정으로 팔짱을 낀 초대가 나를 바라봤다.

『……라이엘, 너는 먹는 데 곤란했던 적은 있냐?』

“어, 없는데요. 식사만큼은 제대로 가져와 줬으니까요.”

그러자 초대는 작은 목소리로 말했다.

『그러냐. 그것만큼은 다행이군.』

4대가 손뼉을 치자, 멱살을 잡혔던 7대가 풀려나며 전원이 자리에 앉았다.

『네. 그럼 상상 이상으로 글러먹은 원인도 판명되었으니, 향후의 일을 건설적으로 생각해보도록 할까요. 실제로 이걸 기회 삼아 여러모로 배우는 게 중요할 테니까요. 이 기회를 최대한 활용해보죠.』

5대가 살짝 어깨를 으쓱했다.

『라이엘이 철부지인 것에 관해서는 「말해주지 않아서 모른다」니까 「말해주면 알 수 있다」라고 인식하면 되겠지. 다감(多感)한 시기에 그런 대우를 받아서 이런 상태가 된 것 치고는 오히려 무척 양호한 편으로 보여.』

그러자 7대가 나를 슬픈 표정으로 바라봤다.

역대 당주들의 갑작스런 태도 변화가 반대로 무서워졌다. 그렇게까지 심각했나? 나에게는 그게 보통이었다.

왠지 모르게, 이 자리에 있기 거북했다. 그러자 4대가 화제를 바꿨다.

『그럼 향후의 방침에 대해 정해둘까요. 그거, 라이엘의 전투 스타일에 대한 부분입니다.』

내 전투 스타일에 대해 이야기할 모양이다.

3대가 손가락을 딱 울렸다.

『그랬지! 라이엘은 아마 특화 타입 아닐까? 그 있잖아, 전에 도적단 수령하고 싸웠을 때 보인 그 재주는 꽤 굉장하다고 생각했어.』

나는 고개를 갸웃했다.

"……재주?"

2대가 조금 어이없어했다. 시선은 4대를 향하고 있다.

『아니, 왜 네가 모르는 거냐? 그 있잖아, 사브르와 단검의 이도류를 했던 그거야. 내가 보더라도 멋진 재주였다. 우리라고 해도 할 수 있는 건 아마…….』

4대는 등을 조금 폈다.

『저뿐이겠죠. 하지만 저는 단검의 이도류였습니다. 사브르를 쓴 이도류는 역시 무리겠죠.』

"……팔은 두 개 있는데, 하려고만 하면 할 수 있지 않나요?"

6대가 눈가를 손으로 문질렀다.

『그런 생각부터가 이미 이상해. 보통은 잘 쓰는 팔이 있는 거다. 뭐, 마력의 체내 보유량으로 보건대, 아무리 생각해도 너는 일부가 극단적으로 「성장」하는 타입이겠군.』

2대가 팔짱을 끼고 몇 번이나 끄덕였다.

『마력은 적지만, 뭔가에 특화해서 「성장」하는 건 나쁜 게 아냐. 실제로 이것저것 전부 어중간하게 「성장」하는 것보다는 자신의 스타일을 정하기 쉽고 망설임이 생기지 않으니까. 자기가 할 수 있는 것과 할 수 없는 것이 확실해지지.』

역대 당주들의 대화를 들어보니 위화감이 있었다. 확실히, 지금의 나는 마력 고갈을 자주 일으키고 있다. 다만, 그래도 예전에는 마력량은 많은 편이라는 인식이 있었다.

보옥이라는 마력을 빨아들이는 저주받은 도구가 원인이 되어 마력부족에 빠진 거지, 내가 원래 마력이 적은 건 아닐 거다.

그건 그렇고, 아무래도 이 자리에서 계속 언급되는 「성장」이라는 말이 마음에 걸렸다. 조용히 손을 들자, 4대가 『네, 라이엘』이라 말해서 발언을 허가해주었다. 일곱 명의 시선이 모였다.

"저기…… 여러분이 말씀하시는 「성장」이라는 게 뭔가요?"

전원이 굳어졌다.

내가 그렇게 이상한 소리를 한 건가?

……결론부터 말하면, 나는 상당히 철부지였던 모양이다.

『말도 안 돼! 평범하게 생활한다면, 라이엘의 연령이면 한 번은 반드시 「성장」이 오는 법이라고!』

2대가 혼란에 빠져서 머리를 헝클자, 초대가 내게 확인을 했다.

『라이엘, 너는 생활하고 있을 때 뭔가 없었냐? 그 있잖아, 뿌드득! 하는 느낌이야. 갑자기 몸이 안 좋아져서 누웠을 때 오는 그 감각 말이야!』

3대가 왼손으로 얼굴 절반을 가리면서 고민했다.

『어? 부와앗, 하는 느낌 아닌가? 그건 그렇고, 라이엘의 경우는 연금 생활이었으니까 경험 같은 게 적었던 것 아닐까?

그게, 성장하려면 이런저런 인생경험 같은 게 필요하니까.』

성장— 그것은 새로운 단계로 나아가기 위해 일어나는 현상이다.

처음에는 몸 상태가 나빠진다. 그 이후에, 마치 거짓말처럼 몸 상태가 좋아진다. 성장을 경험하면 지금까지 할 수 없었던 것을 할 수 있게 되는 일도 많다고 한다.

그런 성장은, 내 연령 정도면 평범하게 생활하면서 최소한 한 번은 경험하는 일인 모양이다.

평온한 인생이면 두 번에서 세 번. 마물과 싸우는 전사나 병사, 그리고 모험가 등은 다섯 번에서 여섯 번이라고 한다.

그 때문에 마물과 싸우면 보다 성장이 빨라진다고 전해지는 모양이다. 하지만 이런 이야기는 지금까지 들어본 적이 없었다.

7대가 고민에 빠졌다.

『라이엘의 경우, 주변 환경이 나빴으니까요. 이런 건 대부분 그때가 올 때까지는 조용히 있고, 가족이 성장 후를 히죽히죽 웃으며 지켜보는 게 일반적이지만…….』

성장 후에는 기분이 고양되어 자주 실패를 일으킨다고 한다. 가족은 그걸 보고 히죽히죽 웃으며 지켜보는 게 일반적인 풍습인 모양이다.

무척이나 꺼림칙한 풍습이다.

2대가 나를 바라봤다.

『잠깐만. 성장도 모르고, 스스로도 샤킹! 같은 감각이 없는 라이엘은, 성장도 경험하지 않았는데 이 정도의 능력이 있는 거냐? 마법도 쓸 수 있는데?!』

마법에는 핏줄이 크게 관계되어 있으며, 귀족과 마법사가 동일하게 다뤄지는 것은 마법사가 귀족이라는 계급을 만들었기 때문이다. 다만, 현재는 진정한 의미로 마법사라 부를 수 있는 계급은 남작 이상에 해당한다.

다른 준남작, 기사작 같은 말석은 마법을 몇 개 사용할 수 있는 상태에 지나지 않는다.

다만 마법사의 피는 귀족 이외에도 널리 퍼져있다. 마법을 쓸 수 있는 자가 귀족 이외에도 있는 것은 그 때문이다.

뭐, 마법사는 애매모호한 위치에 있다. 귀족 쪽에서 보면, 귀족 이외의 마법사는 가짜다. 다른 곳에서 보면, 마법을 쓸 수 있으면 마법사다.

아니, 지금은 마법에 관해서는 아무래도 좋았다.

"시간만큼은 있었으니까, 나름대로 마법에 관해서도 단련은 했었어요."

그러자 6대가 내게 어이없어했다.

『그런 이야기가 아닌데 말이지. 라이엘, 너는 성장 전인데도 마법을 쓸 수 있는 거다. 이건 꽤 굉장한 일이야.』

성장 전인데도 난이도가 높은 마법을 사용하려면 재능이 필요하다고 한다. 즉, 내게는 재능이 있다는 거다.

다만, 기뻐하고만 있을 수는 없었다. 5대가 복잡한 표정을 지었다.

『라이엘은 그거네. 가끔 있는 타입이야. 극단적으로 성장이 느린 타입……. 성장하면 반동이 큰 건지, 능력적으로는 여러모로 대폭 성장하는 녀석이야.』

이야기 내용만 들으면 좋아 보이지만 주변은 머리를 감싸쥐고 있었다.

2대가 곤혹스러워했다.

『드물게 있지. 이런 타입은 실패도 많아. 급격하게 강해져서, 성장 후에 진정되더라도 방심하게 되는 경우가 많으니까. 빨리 죽는 타입이지.』

꺼림칙한 타입이다. 2대의 말에 따르면, 성장 후에는 못했던 것들을 갑자기 할 수 있게 되면서 고양감이 가라앉은 뒤에도 실패가 많아진다고 한다.

방심도 있겠지만, 지금의 자신이 어디까지 할 수 있는지 시험해보고 싶어지는 거다. 그렇게 자신의 역량을 오판하는 일이 많아서 그 실패가 죽음으로 이어지는 케이스도 많은 모양이다.

초대가 주변의 의견을 들으며 말했다.

『뭐, 그거다! 아무튼, 뭐든지 하면 성장하는 거야. 앞으로는 팍팍 마물을 쓰러뜨리라고. 근처에 미궁이라도 있다면 이야기가 빠른데 말이지.』

2대가 고개를 들었다.

『그거다! 라이엘, 미궁에 도전해라! 그러면 이야기가 빨라. 미궁은 성장하기 위해 있는 수련장 같은 거니까.』

"어? 미궁, 이라면 훨씬 무섭다거나, 성가신 곳 아닌가요?"

미궁이란 자연적으로 발생하는, 공간이 왜곡된 장소다. 그와 동시에, 미궁 자체가 「살아있다」고 일컬어진다.

미궁 최심부 방으로 불리는 곳에는 사람을 유혹하기 위한 재보가 놓인다. 그것은 마력을 방출하는 금속이다. 마력을 방출하기만 하면 구리라도 희귀금속이다. 마구의 귀중한 재료가 된다.

미궁의 종류에 따라 다르지만, 안에는 마물이 있고 각 계층을 지키는 계층주라는 성가신 마물도 있다.

사람이 오면 마물이 죽이러 나온다.

미궁에게 사람은 먹이이며, 죽은 인간은 미궁에 흡수된다고 한다. 무척 위험한 곳이지만 커다란 미궁일수록 최심부 방의 재보는 양도 많고 질도 좋다. 그곳이야말로 사람들이 목표로 삼고 목숨을 걸고 도전하는 곳이다.

그리고 최심부 방에서 재보를 빼앗으면 미궁은 시들고 만다. 시든다는 건, 미궁이 죽어버린다는 의미다.

마치 살아있는 듯한 미궁. 그렇기에 그런 미궁에 도전하는 것을 「토벌한다」고 말하는 것이다.

……그리고 가장 성가신 것은, 사람이 찾아오지 않거나 미궁 내부에 마물이 넘쳐나는 경우다. 이 경우 미궁에서 많은 마물이 방출되고 만다.

그런 성가신 미궁에 대한 역대 당주들의 반응은 조금 어긋나있는 것 같았다.

『미궁이라. 좋네!』

『좋군요. 최심부 방의 재보 같은 걸 이용해서 마구를 만들 수 있고, 팔면 돈도 손에 들어오니까요.』

『돈도 손에 들어오고 훈련도 되지.』

『찾아내면 앞 다투어 도전했었지요!』

『관리하는 건 역시 노하우가 필요하지만, 쓰러뜨리는 거라면 우리는 질릴 만큼 노하우를 갖고 있으니까요. 떼돈을 벌 수 있죠.』

3대부터 7대도 미궁에 대한 가치관이 이상하다. 보통 영지 안에서 미궁이 나오면 토벌하는 것이 영주의 책무다. 길드에 위탁하는 경우도 있지만 그럼에도 꽤 많은 피해가 나온다고 들었다.

"저기, 엄청 큰일이라고 들었고, 다리온에서 저는 토벌에 참가할 수 없다고 생각하는데요."

예전에 다리온에 두 번째 미궁이 나온 적이 있었다. 아니, 지금도 인원을 모아 그쪽 토벌을 하는 도중이다. 미궁에 따라서는 몇 주일 안에 토벌할 수 있는 것부터, 토벌에 몇 개월이나 시간이 걸리는 것도 있다.

나는 두 번째가 출현했을 때 호킨스 씨에게 참가하지 말라는 말을 들었다. 그때는 파티의 인원도 노웸과 둘뿐. 지도원인 젤피 씨는 어디까지나 지도원이라는 위치이지 동료는 아니었다.

전원이 머리를 감싸 쥐었다. 그리고 입을 모아 아쉬워했다.

『빌어먹을. 좋은 생각이었는데.』

『미궁은 실력을 시험하는 곳이잖아. 제한을 걸지 말라고.』

『그거 말고는 수수한 방법밖에는…….』

『돈이 되는데 말이죠. 유감입니다.』

『아리아도 소피아도 막 합류했으니…… 확실히 힘들겠네.』

『인원이 걸림돌이군요.』

『우리 때는 인원을 모을 수 있었으니까요. 지금 라이엘은 인력이 부족합니다. 압도적으로 부족하죠.』

포기해준 모양이지만, 어째서 저렇게까지 아쉬워하는 걸까……. 역대 당주들의 가치관을 이해할 수 없었다.

그러자 초대가 예전을 그리워했다.

『내 시대에는 말이야. 근처에 미개척 지역이 펼쳐져 있어서 거기가 숲이었다고. 거기에 미궁이 나왔는데…….』

초대는 진지하게 추억을 떠올리고 있었지만 그 이후가 참혹했다.

『……왠지 거기, 나무를 잘라버려도 바로 나오더라니까. 덤으로 금방 커져버려서 개척촌 만들 자재하고 다른 데에 팔기 위해서 팍팍 잘라줬지!』

줬지! 라니. 이 사람은 대체 미궁에서 뭘 했던 걸까.

2대가 불만을 늘어놓았지만 역시 조금 엉뚱했다.

『네가 그대로 미궁까지 토벌해버려서 우리는 귀중한 임업을 포기하게 되어버렸잖아! 돌려줘! 내 계획을 돌려달라고!』

『아버지한테 「너」라니! 밖으로 나와, 이 빌어먹을 아들놈아!』

또다시 초대와 2대가 드잡이를 시작했다.

이야기가 탈선되자 4대가 손뼉을 쳐서 해산을 선언했다.

『뭐, 오늘은 여기까지로 하죠. 라이엘도 내일부터 함께 노력합시다. 특히, 인간관계를 여러모로…… 여성관계는 특히 말이죠.』

4대가 진지한 표정으로 안경을 반짝였다. 이 사람은 이 사람대로 왜 돈하고 여성관계에 집착하는 걸까?

보옥에서 의식을 되돌린 다음날.

도시 바깥에서 막 돌아오기도 해서 우리는 이날 휴일이었다.

다만, 나만큼은 볼일이 있어서 아침부터 길드로 와 있었다. 다만, 1층이나 2층의 볼일은 아니다.

길드에는 자료실이 있어서 모험가는 그곳을 이용할 수 있다. 배치된 자료 대다수는 마물이나 미궁에 관한 자료. 그리고 길드가 남긴 자료 등이다.

어떤 마물이 있고, 어떤 사건이 일어났는지 여러모로 조사해볼 수 있다.

그것 외에도 어디서든 손에 넣을 수 있는 자료도 놓여 있었다. 자료를 보러 가자는 말을 꺼낸 것은 2대다. 책을 좋아하는 3대도 동의해서 오늘은 자료실로 가기로 결정했다.

자료실로 들어가자 책의 독특한 냄새가 가득했다. 종이나 잉크 냄새. 그리고 먼지…… 청소는 하고 있겠지만, 그렇게 빈번히 하는 것 같지는 않았다.

방에 들어가서 몇몇 자료를 들고 의자에 앉아서 책을 펼쳤다. 페이지를 넘기자 2대의 목소리가 들렸다.

『라이엘, 빠르다! 페이지 넘기는 게 빨라! 그보다, 그걸로 읽을 수 있는 거냐?』

페이지를 넘기는 스피드가 빠르다고 해서 천천히 페이지를 넘겼다. 나를 통해 역대 당주들도 바깥 풍경을 보고 있다.

3대는 자료를 읽으며 위화감을 가진 모양이다.

『라이엘, 이 자료는 언제 거야?』

표지를 보자 연대로 보건대…… 100년 이전 것이었다.

꽤나 낡았지만 이것 외에도 오래된 자료는 있었다. 주변을 보고 사람이 없는 것을 확인한 뒤 입을 열었다.

"대략 100년 전이네요."

『……라이엘, 읽을 수 있어?』

"뭐, 조금 힘들긴 하지만요."

표현 같은 것에서 때때로 막히기는 하지만 어찌어찌 읽을 수는 있다. 그러자 2대가 뭔가 느낀 모양이었다.

『그렇군. 우리가 말하는 언어는 라이엘에 맞춰 조정되어 있는 건가. 이상하다 싶었어.』

이상해? 2대는 그 이상은 말하지 않고 페이지를 넘기라고 재촉했다. 다리온 주변에 자주 볼 수 있는 마물을 정리한 자료 속에서 조금 이상한 글을 찾았다.

"……오크 아종? 피부는 보라색이고 독을 토한다. 들은 적이 없네요."

이런 마물이 있다는 건 몰랐다.

오크는 기본적으로 어디든 출몰한다. 돼지 머리를 가졌고, 아래턱에는 두 개의 송곳니가 튀어나와 있다. 발은 두껍고 짧다. 팔은 길어서 땅에 닿을 정도다. 피부는 갈색이라고 들었다. 무기를 들고, 개중에는 투구를 쓰는 놈도 있다고 들었다.

인간형이라 다른 마물보다는 머리도 잘 돌아가고 사람에게도 공격적이다.

그러자 2대가 나지막하게 중얼거렸다.

『아종이 아냐. 마물 중에서도 성장하는 녀석이 있거든.』

3대도 2대의 설명을 보충했다.

『그런 녀석은 아츠도 가진 경우가 있어. 라이엘, 알고 있어? 7인의 여신이 이 세상을 창조했어. 그리고 연약한 인간을 위해 마법과 아츠를 우리에게 부여하고, 성장도 그 은혜 중 하나로 여겨지고 있지.』

2대가 코웃음 쳤다.

『그렇지 않아. 뭐, 신관이 화낼 테니까 말하지 않을 뿐이지, 사람이건 마(魔)건, 평등하게 성장하고 아츠도 발현해. 애초에 마법을 사용하는 마물도 있으니까.』

사람에게도 마에게도 평등하게 은혜를 내려주는 여신.

여신을 숭배하는 이 세계에서 여신은 인류의 편으로 여겨지고 있다. 그 때문에 마물에게도 평등하게 은혜를 내린다는 걸 인정하고 싶지 않은 거겠지.

3대가 웃었다.

『누구든 자신들이 특별하다고 생각해. 좋은 일이야. 하지만, 강제는 하지 말았으면 좋겠어. 그러니까 이런 식으로 아종이 있다고 쓸 수밖에 없는 거야. 우리 같은 변경의 영주는 싫어도 조우하게 될 기회가 많아. 정보는 정확하게 전해줬으면 좋겠어.』

변경— 일찍이 월트가의 영지인 바이스는 변경이라 불렸다. 하지만 지금은 반세임 왕국에서도 꽤나 발전한 영지다.

초대부터 3대 무렵까지는 당주 스스로 밭을 경작할 정도로 어려운 시대였다고 들었다.

"그럼, 지금 이 나라의 종교는 글러먹은 건가요?"

『응? 어째서?』

3대의 목소리에 나는 의문을 느꼈다. 조금 전까지 부정하는 말을 하고 있었건만.

2대가 어이없다는 목소리로 내게 말했다.

『라이엘, 우리도 여신을 숭배하고 있어. 어어, 확실히…… 7인의 여신을 동등하게 여기는 타입의 여신 신앙이다.』

3대도 동의했다.

『아아, 지방에 따라서 우열이 있었지? 다른 나라에서 메이저한 건 일곱 번째 여신이었나? 사람에게 은혜를 내리는 자비로운 여신이라고 하면서. 솔직히 우열 같은 건 붙이지 않아도 된다고 생각하는데.』

"아니, 저기…… 조금 전에는 이런 말을 기록할 수 없다거나, 신관이 화낸다며……."

그러자 3대가 웃었다.

『라이엘은 바보네. 딱히 종교가 나쁜 건 아니고, 엄청 덕이 높은 신관도 있어. 나쁜 신관도 있기는 해도. 뭐, 이런 것에 불만을 토로하는 녀석도 있긴 하지만. 그건 딱히 신관만의 이야기가 아니거든.』

2대가 고개를 끄덕인 것 같았다.

『어디든 좋은 녀석이 있으면 나쁜 녀석도 있지. 뭐, 나쁜 부분이 나왔다는 느낌은 드는군.』

3대가 나를 놀렸다.

『라이엘, 혹시 이런 걸 용납 못하는 타입? 정말이지, 그렇게 딱딱하면 세상 살아가는 것도 지쳐버린다고.』

2대가 내게 말했다.

『이 녀석처럼 흐물흐물한 느낌이어도 안 되겠지만.』

3대가 2대에게 항의했다.

『어라? 그런 말 하는 거야? 2대도 굳이 따지자면 딱딱했는데. 나이든 이후에는 고생이었잖아.』

『그건 네가 내 계획을 멋대로 변경해서 그런 것 아니냐!』

두 사람이 떠들썩해져서 나는 자료를 계속 읽기로 했다.

바깥 세계에 나와서 새삼 깨달은 건 내가 너무나도 철부지였다는 점이다.

다만, 이런 내게 세상에 대해서 가르쳐주는 역대 당주들은…… 세간의 일반적인 생각과는 무척 어긋난 것 아닐까?

—라는 의문을 가지게 되는 것도 사실이었다.

제19화 용을 죽인 남자

길드 1층은 천장에 매달린 광원 밑에서 활기에 넘치고 있었다.

모험가들이 입수한 마물 소재를 팔고, 상인들이 그걸 매입한다. 그 중에는 일반인도 와서 소재를 상인이나 모험가들에게서 매입하고 있었다.

젤피 씨의 인솔로 우리 일행— 나, 노웹, 아리아, 소피아 씨 네 사람은 그녀가 지켜보는 가운데 상인에게 소재를 보여주며 팔고 있었다.

"저기, 매입을 부탁드립니다."

상대 상인은 내가 아니라 젤피 씨에게 한 번 시선을 보내고는, 내 쪽을 보며 웃는 표정을 보였다.

"상태가 나쁜 게 많은걸. 이러면 숫자가 많아도 싸다고. 게다가 최근에는 단가가 내려갔어. 은화로 치면 아슬아슬하게 두 닢이겠군."

단가가 내려간 걸까? 예전에는 이번보다 양이 적었는데도 은화 두 닢하고도 조금 더 받은 느낌이었다.

"그럼, 그걸로—."

"이 녀석아."

젤피 씨가 막았다. 상인도 웃었다.

"형씨, 뭐든 믿어주는 건 우리로서는 기쁘지만, 조금은 교섭을 하라고. 이쪽이 미안한 마음이 든다니까."

보옥 안에서 4대의 조금 격한 목소리가 들렸다.

『라이엘, 이럴 때는 다른 곳에도 상인이 있으니 다른 곳을 찾아가겠다고 말하면 됩니다. 저라면 은화 세 닢으로 팔 수 있어요!』

아니, 나는 4대가 아니니까 그런 건 무리인데. 그러자 3대가 웃었다.

『괜찮지 않을까. 실패도 중요한 경험이야. 좀 더 지켜보자고.』

그런 가운데 초대는—.

『돈이 갖고 싶으면 좀 더 잡아오면 되는 거 아냐?』

변함없이 힘으로 밀어붙이기 일변도였다.

젤피 씨가 상인과 이야기를 나눴다.

"30마리나 쓰러뜨렸잖아. 이 정도로 숫자가 있으면 그쪽도 나쁜 이야기는 아니지 않아?"

상인은 웃었다.

"그야 그렇지. 은화 두 닢하고 대동화로 20닢이겠네."

"30닢!"

"25닢!"

두 사람이 그런 교섭을 해서, 결과적으로 젤피 씨는 은화 두 닢과 대동화 25닢을 획득했다.

은화나 대동화를 받은 우리는 그대로 마석을 팔기 위해 길드 직원이 있는 곳으로 향했다.

젤피 씨는 주변을 돌아보며 말했다.

"방금 그 아저씨는 그나마 말이 통해. 다른 곳에는 좀 더 심한 녀석들도 있으니까, 다음번에는 거기서 팔아볼까. 지역에 따라서 다르지만, 이런 교섭술은 어디든 통해. 그리고, 상인의 말을 그대로 믿지 말 것. 알았지?"

들은 대로 끄덕이자 모험가가 나란히 선 줄이 있었다. 거기에 서자, 젤피 씨가 노웹에게도 말했다.

"너희도, 라이엘에게 맡겨두기만 해선 안 돼. 이럴 때는 모두가 하지 않으면 안 되니까. 제대로 기억해두도록."

그리고 젤피 씨의 시선이 내게 돌아왔다.

"그리고, 말이지. 마침 잘 됐으니까 앞쪽 녀석을 봐봐."

시선 끝에는 길드 직원에게 마석 매입을 교섭하려는 모험가가 있었다.

"부탁할게. 대동화 40닢이라면, 그냥 은화 한 닢을 줘도 되잖아?"

"그러니까, 그럴 수는 없습니다. 매입하는 금액은 제대로 정해져 있으니까요!"

대화를 나누는 두 사람을 바라보면서, 젤피 씨가 내게 말했다.

"잘 들어, 라이엘. 마석 매입 때는 거기서 세금도 빠져. 그게 다리온의 방식이야. 그리고 길드 직원은 상인이 아냐. 그러니 값을 더 받아달라는 교섭은 할 수 없어."

나란히 늘어선 모험가들이 짜증을 내며 교섭 중인 모험가를 보고 있었다.

소재를 매입하는 상인과 마석을 다루는 길드는 입장이 다른 거겠지.

"기억해 둘게요."

그렇게 말한 나는 내 차례가 오기를 기다렸다.

—여성진은 길드 1층 근처에 있는 목욕탕으로 향했다.

장비나 몸은 슬라임의 체액으로 더러워졌고, 땀도 흘렸다. 진흙도 묻어서 정말로 심각한 상태다.

많은 모험가는 길드에서 소재나 마석을 팔면 목욕탕에서 더러워진 몸을 씻는다.

노웸이나 아리아, 그리고 소피아도 젤피에게 끌려와 목욕탕 욕조에 잠겨 있었다.

"이야, 정말이지 이 순간은 최고라니까. 이후에 짐을 놓고 술집에 나가는 것도 최고지. 너희들, 술은 마실 수 있어?"

노웸은 고개를 내저었다. 아리아는 술에 그리 좋은 이미지가 없어서 시선을 내렸다. 자신의 아버지가 술에 찌든 생활을 보냈기 때문이다.

소피아는 반대로 아무런 생각도 없었다. 없었지만…….

"요리에서 쓰는 정도입니다만?"

젤피가 머리를 눌렀다.

"그건 마시는 게 아니라, 조리에 사용하는 것뿐이잖아."

욕조에 잠긴 네 명 주변에서는 다른 여성 모험가들도 몸을 씻고 있었다. 햇살에 탄 피부. 머리는 상했다. 피부는 상처도 많고, 젤피도 마찬가지였다.

반대로 노웸 일행은 피부가 하얗고 예뻤다.

그것만으로도 주변은 노웸 일행이 신인이라 판단했다. 다만, 젤피가 있기에 이상한 시비를 걸어오지는 않았다.

한 여성 모험가가 젤피에게 다가왔다.

"언니, 신인들 지켜주고 있다는 게 사실이었네요."

젤피의 지인인 여성 모험가는 슬렌더한 몸을 갖고 있었다. 타월을 머리에 두르고 있지만 몸은 가리지 않았다.

주변도 마찬가지였다.

"맞아. 건드리기라도 하면 그냥 안 넘어갈 거야."

"언니한테 거스르는 녀석은 다리온에는 없다고요. 그보다도, 하나 물어도 될까요?"

"뭔데?"

여성 모험가는 노웸 일행에게 시선을 보내며 말했다.

"언니한테 지도를 받고 있는 게, 그「바람둥이」가 맞는 거죠?"

아무래도 라이엘에 대해 묻는 모양인지 노웸은 욕조에 잠겨서 귀를 쫑긋 세웠다. 아리아도 신경 쓰는 모습이었다.

분명 주변이 라이엘을 어떻게 생각하는지 알고 싶은 것이리라. 소피아 쪽은 은혜를 갚기만 하면 되는 건지, 라이엘의 별명이나 여성관계에는 흥미를 보이지 않았다.

"……맞아."

"아, 역시! 조금 묻고 싶었다고요. 역시, 밤이 더 굉장한가요? 그 있잖아요. 나긋나긋한 남자인데 그쪽으로 주변 여자를 잇고 있다든가! 어떤 느낌인가요?"

그 발언에는 소피아 역시 얼굴을 붉혔다. 아리아도 새빨개져서 노웰 쪽을 봤다. 그러나 노웰은 냉정한 미소를 지으며 고개를 가로저었다.

이야기가 성적인 화제로 흘러가자 주변 여성 모험가들도 귀를 쫑긋 세웠다. 젤피는 탄식을 내쉬었다.

"너, 그런 말을 당당히 묻지 말라고."

"괜찮잖아요. 줄어드는 것도 아니고, 게다가, 우리 파티에서도 화제에 올랐다니까요. 이런 이야기는 흥겨워지잖아요."

남성 모험가가 동업자인 여성 모험가에게 연애 감정을 갖지 않는 이유— 그것은, 여성 모험가들의 남성화 때문이었다. 야영하면서 일을 하는 경우 목욕탕에 들어가지 못하는 시기도 있다. 피부나 머리 손질도 할 수 없다.

남녀가 따로 행동을 할 수 없는 경우도 있거니와 피부를 동료 앞에서 드러내는 경우도 있다. 그렇게 되면 수치심이 흐려진다.

젊은 남성 모험가라면 흥분할지도 모르지만, 자기 앞에서 부끄러운 낌새도 보이지 않는 여성진 주변의 동료는 언제부턴가 여성이 아니라 그저 동료라고 인식하게 된다.

당연히 성적인 이야기도 하게 된다.

이렇게 되면, 동업 여성을 도저히 이성으로 볼 수 없는 남성 모험가가 늘어난다.

"너는 그러니까 남자들이 달아나는 거야."

"언니 너무해요! 자기는 아무것도 모르는 일반인 남자를 잡아놓고서!"

그러자 젤피가 일어나서 여성 모험가를 손가락으로 찌르며 큰소리를 질렀다. 물보라가 솟고, 소피아의 얼굴에 물이 튀었다. 소피아는 그것을 손으로 닦았다.

"남 듣기 안 좋은 소리 하지 마! 동업자 남자는 포기하고, 다른 곳에서 찾으면 되는 거잖아!"

상대도 일어나서 반론했다.

"비실비실한 건 싫다고요! 게다가, 동업자끼리 결혼하는 경우도 있잖아요!"

주변 여성 모험가들은 말다툼을 시작한 두 사람을 깔깔 웃으며 바라봤다. 부끄러움이라는 게 없었다.

소피아는 그런 주변을 보며 중얼거렸다.

"정말이지. 조금은 수치심이라는 걸 가져야 해요."

아리아 역시 그 의견에 동의했다.

"그, 그러네. 나도 저 분위기는 이해 못하겠어."

다만, 노웰만큼은 이렇게 생각했다.

'의외로, 두 사람 다 곧바로 물들 것 같은데요.'

라고―.

목욕탕 입구에서 짐을 든 나는 밤에 접어든 도시를 걷는 사람들을 보며 시간을 때우고 있었다.

"네 사람 다 늦네."

더러운 몸을 씻으려고 목욕탕에 잠겨 있었지만, 주변의 시선이 신경 쓰여서 빨리 목욕탕을 나온 나는 여성진을 기다리고 있었다.

4대가 내게 말했다.

『여성은 여러모로 시간이 걸리는 법이니까요. 라이엘, 표정에 드러내지는 마세요. 여성은 날카롭습니다. 이쪽이 조금이라도 불만으로 생각하면 문답무용으로 물어뜯을 겁니다.』

5대가 4대에게 코웃음을 쳤다.

『공처가인 누구 씨다운 말이네.』

보옥 안이 다시 찌릿찌릿한 분위기에 휩싸여서 나는 탄식을 내쉬며 거리를 바라봤다.

목욕탕 입구에서 모험가들이 나와 바깥에서 기다리던 동료와 합류해서 돌아갔다. 웃는 얼굴을 보이는 사람이 있었고 침울한 사람도 있었다.

돈벌이가 좋았고 나빴다는 게 일목요연하다. 개중에는 멍하니 있는 사람도 있었다. 목욕탕에 들어간 후에 길드로 향하는 모험가도 있다.

목욕탕에서 도구 등을 씻는 곳만 빌리고 돌아가는 모험가도 있었다. 다양한 사람들이 출입을 반복하고 있다.

그리고, 네 사람이 불쾌해 보이는 젤피 씨를 선두에 세우고 나왔다.

짐을 들고 도시 바깥으로 나갈 때보다 얇게 입었다. 약간 좋은 냄새가 났다. 게다가 네 사람의 차림새에 조금 두근두근했다.

보옥 안의 일곱 명이 흥분했다. 전원 남자라서 이런 성적인 이야기가 자주 나온다.

『목욕탕에서 막 나올 때는 왜 이렇게 좋은 거지. 특히 가슴이 확 온다니까.』

『모험가는 좋군. 역시 허리가 잘록한 게 좋아.』

『에이~ 엉덩이 아냐? 그렇게 생각하면, 네 명 중에서는 노웸일까?』

『뭘 모르시는군요. 가슴도 엉덩이도 장식입니다. 슬렌더한 게 최고라고요!』

『밸런스가 중요하잖아?』

『가슴입니다, 가슴! 그렇다면, 큰 쪽은 노웸과 소피아로군요.』

『나는 목덜미가…… 로브로 평소에 숨기고 있는 소피아의 목덜미도 좋군요.』

어째서 나는 역대 당주의 취향을 듣고 있어야 하는 걸까? 도저히 여성진에게는 들려줄 수 없는 내용이다.

로브로 피부를 드러내지 않는 소피아 씨는 목욕탕에서 나와서 그런지 머리를 한데 모았다. 확실히 목덜미가 들여다보여서 조금 두근두근했다.

아리아 씨도 얇게 입어서 피부 노출이 많아 눈 둘 곳이 곤란하다.

"무슨 일이신지?"

"왜 그래? 라이엘."

소피아 씨와 아리아 씨가 내 시선을 눈치챈 모양이다. 보옥 안에서는 역대 당주들이 자기들의 취향에 대해서 열변을 토하고 있었다. 내게 조언을 줄 여유는 없는 모양이다.

『바보 자식! 아리아의 가슴에는 미래가 있어! 아직 커질 가능성이 있다고!』

『저 연령으로는 커진다고 해도 노웸이나 소피아는 못 넘습니다. 포기하는 것도 중요합니다, 초대.』

초대와 6대가 여성의 가슴에 대해 열변을 토하고 있었다. 이런 대화, 절대로 들려주고 싶지 않다.

"아, 아니, 아무것도 아니, 에요."

그러자 젤피 씨가 짐을 짊어지고 우리에게 해산을 선언했다. 젤피 씨는 보고할 게 있어서 길드로 돌아가는 모양이다.

"자, 오늘은 여기서 해산하자. 내일은 휴일이지만, 모레는 지각하지 말 것. 그럼, 나는 길드로 돌아갈게."

떠나가는 젤피 씨를 넷이서 배웅하자 노웸이 내게 다가왔다. 목욕탕에서 막 나온 좋은 냄새가 났다.

"라이엘 님. 짐을 놓으면 바깥에서 식사를 하시지 않겠어요?"

쓰고 있는 여관에는 식당이 있다. 평소에는 그곳을 이용하지만 노웸이 외식을 권했다. 아니, 여관에서 먹어도 외식이 되지 않을까? 그런 아무래도 좋은 일이 머릿속에 떠올랐지만 일단 끄덕여뒀다.

"바깥에서? 노웸이 그렇게 말한다면야."

"네. 모처럼 모험가 파티가 됐으니까, 이쯤해서 친목회라도 열까 해서요."

확실히, 지금까지는 해산하면 각자 따로 행동했다. 아리아 씨는 젤피 씨가 추천해준 여관에서 묵고 있고, 소피아 씨도 우리와는 다른 여관을 잡고 있다.

파티 동료가 한 지붕 아래에서 지내는 것도 못 들어본 이야기는 아니다. 그쪽이 효율도 좋지만, 역시 사생활이라는 걸 원하는 모험가가 많다.

게다가 완전히 일 관계로만 엮여있는 파티도 존재한다.

굳이 따지자면 우리는 일 관계로만 엮인 것에 가까운 파티다. 뭐, 갑자기 동료가 늘었으니까.

어울리는 방법을 모르겠다. 어울리는 거리감을 모르겠다.

"그러, 네. 가끔은 좋을지도."

아리아 씨가 머리를 매만지며 살짝 뺨을 물들였다. 현기증이라도 났나? 소피아 씨는 덤덤했다.

"그럼, 집합장소와 시간을 정할까요."

노웰이 소피아 씨의 반응에 조금 곤란한 표정을 지었지만, 둘이서 상의해서 시간과 장소를 정했다.

떠들썩한 가게를 골라 들어간 우리는 식사를 마치고 해산했다.

아니, 해산이라기보다는 두 사람을 배웅하고 지금은 노웰과 밤길을 걸으며 여관으로 돌아가는 중이다. 허리에는 사브르를 차고 일단 주의는 기울이고 있다.

다리온은 치안이 좋다고 하지만 방심은 할 수 없다. 가급적

인파가 많은 길이나, 밝은 길을 골라 걸었다.

노웰이 내게 말을 걸었다.

“오늘 요리는 맛있었네요. 평소와 다른 맛이라 신선했어요.”

“그러게.”

“하지만, 별로 대화가 없었네요. 그게 조금 아쉬워요.”

“처음이니까, 이런 법 아닐까?”

“저로서는, 조금 더 친해지고 싶었는데요.”

노웰의 곤란한 미소에 나는 왠지 질책을 받는 기분이 들었다. 좀 더 대화를 잘 하는 편이 나았을까?

보옥 안에서는 4대의 불만스러운 목소리가 들려왔다.

『하아, 라이엘…… 좀 더 대화의 폭을 넓히려면, 화제를 상대 쪽에서 들고 나오는 걸 기다리는 게 아니라, 이쪽에서…….』

초대가 그런 4대의 말을 가로막았다.

『……왠지, 언제나 호화로운 식사잖아. 어디를 가더라도 내 시대보다는 반찬 수나 양이 많아. 그런데 가격도 싸고. 이게 지금의 보통인 건가?』

그에 대답한 것은 6대였다.

『반세임에도 이런저런 것들이 들어오게 되었으니까요. 농법도 변하고, 게다가 감자도 들어와서 수확량도 늘었죠. 옛날에 비하면 받쳐줄 수 있는 인구가 배가 되었다고 들었군요.』

확실히 농법의 개혁이나 황무지에서도 자라는 작물이 들어와서 식량사정이 개선되었다고 책에 적혀있었다. 그 무렵부터 마구 등의 개발로 인해 보다 발전되었다고 들었다.

5대가 그리운 듯이 말했다.

『내 시대, 아니 4대의 시대에 우리 쪽에도 들어왔다고 했던가. 뭐, 거기서부터 여러모로 특산물을 만들어서 돈벌이에 정력을 쏟던 누군가 덕분에 우리 재정은 어떻게든 돌아가게 됐지만.』

4대가 자랑스럽게 설명했다.

『식량이 늘어나면 식량의 가치는 내려가니까요. 여러모로 노력을 했죠.』

4대는 내정수완이 높다는 평가를 받고 있었지만, 설마 돈에 관해 시끄러운 사람일 줄은…… 아니, 이런 사람이라 내정에 성공을 거둔 걸지도 모른다.

『그런가……. 지금은 배불리 먹으려고 하면 먹을 수 있는 건가.』

초대가 그렇게 중얼거렸다. 왠지 조금 기쁜 목소리다.

『뭐, 우리 시대는 고생했으니까. 자손이 그런 고생을 하지 않아서 다행이라 생각하기로 하자고.』

2대는 조금 복잡한 듯이 중얼거리자 4대가 조금 지친 듯이 말했다.

『하지만, 덕분에 다른 문제도 나오긴 했지요.』

그러자 다시 초대가 말했다.

『그래도, 배를 곯는 것보다는 나아. ……라이엘, 오늘도 잠깐 얼굴 내밀어라.』

초대의 호출을 받았다.

보옥 안.

그곳은 초대의 기억의 방이었다. 원탁의 방에서 초대의 의자 뒤에 있는 문을 빠져나가자, 그곳에 펼쳐진 광경은 어딘가의 마을이었다.

한가로운, 이라는 말이 딱 어울리는 곳이고 주변에는 대자연이 펼쳐져 있었다.

내 앞을 걷는 초대는 그런 광경을 보며 내게 들리는 목소리로 중얼거렸다.

『10년 정도 지난 무렵이군. 이때는 주변에 있던 야만족들을 복속시키던 시기야. 저쪽, 저기 있는 녀석들이지. 밭일을 가르치고 있지? 사냥밖에 못하던 녀석들인데, 겨울이 되면 식량이 없다고 떠들어대더라고. 그럼 밭을 갈라며 두들겨 팼지.』

확실히 초대가 가리킨 방향에는 마을사람과는 차림새가 다른 집단이 있었다.

곤란한 표정으로 괭이를 들고 밭에 대해 듣고 있었다.

하지만 초대가 더 야만족처럼 보이는 건 기분 탓이 아니라고 생각한다.

"꽤 규모가 커졌네요?"

내 말에 초대가 머리를 긁적였다.

『뭐, 처음에는 100명 정도 되는 규모였지만, 확실히 늘었지. 애들도 늘었고, 주변 야만족들도 복속시켜서…… 300이나 400이었던가? 하지만 대부분 밭을 갈지 못해서 수렵을 하던 녀석들이야. 마물이나 도적이 오면 도움이 되지만, 그것 말고는 정말 아무것도 못한다니까.』

고생했던 거겠지. 밭을 가는 야만족— 지금까지 반세임 왕국의 지배하에 있지 않았던 사람들은 고생하며 밭을 갈고 있었다.

『내가 독립한 건 첫사랑 상대였던 아리아 씨를 맞이하러 가기 위해서였어. 하지만, 그 이외에도 이유는 있었다고.』

"그 이외의 이유, 인가요?"

『그래, 맞아. 나는 궁정 귀족의 삼남. 후계자의 예비의 예비였어. 이해가 가냐?』

무슨 말을 하는 건지 짐작하지 못해서 나는 고개를 수그렸다. 하지만 초대는 웃었다.

『신경 쓰지 마! 너는 여동생이 한 명뿐이었으니까. 그, 뭐냐. 대우 같은 게 뒤떨어졌다는 소리야. 먹는 데는 곤란하지 않았던 너와 나, 누가 더 힘들었는지는 모르겠다만.』

초대의 소년 시절은 위에 있는 두 명의 형보다도 대우가 더 안 좋았다고 한다. 게다가 식사도 곤란해서 배를 곯는 생활을 했다나.

『어린 시절, 주변 꼬마들하고 바깥으로 나가서 마물을 쓰러뜨리고 마석을 길드로 가져갔지. 조금이나마 배를 채우려고 해서. 그게 부모님한테 들켜서 얻어맞았다고. 「수치」라면서. 반세임에서는 귀족이 모험가 흉내를 내기만 해도 바보 취급을 받아. 그게 극단적인 시대였어.』

궁정 귀족이라고 해도 말단이고, 벼슬도 없었던 월트가.

수입도 적었을 것이다. 궁정 귀족은 왕궁에서 연금으로 돈을 받는다. 다만, 무직인 가문은 그리 많이 받지 않는다. 세습할 수 있는 귀족 가문이라 해도 무직이라면 생활이 힘들다.

『배불리 먹고 싶었어. 그래서 영주가 되기로 결심했을 때는, 밭을 잔뜩 만들어서 배불리 밥을 먹을 수 있을 줄 알았지.』

그러나 현실은 달랐던 셈이다. 초대는 야만족들을 팔 하나로 복속시켰지만, 그들에게 작물을 기르는 법을 알려주는 건 무척 큰일이었으리라.

『조금 먹을 수 있게 되니까, 친가에서 나한테 돈을 내놔라, 식량을 내놔라 그러더군. 모여든 야만족도 밭보다는 사냥감이라고 떠들어대고. 아무도 내 말을 들어주질 않았다니까.』

나는 주변 광경을 보면서 의문을 느꼈다.

“어? 하지만, 왠지 잘 되는 것처럼 보이는데요?”

『아아, 그건 이것 때문이지.』

주변이 잿빛으로 물들자 경치가 변했다. 그곳에는 황량한 토지가 펼쳐져 있었다. 밭은 마물의 거대한 앞발에 밟혀버렸다.

네 발로 서서 바위 같은 머리를 휘두르며 포효를 내지르는 건 하늘을 날지 못하는 【랜드 드래곤】— 드래곤이라 불리는 마물 중에서는 비교적 쓰러뜨리기 쉽다고 일컬어지는 부류다.

다만, 그건 「드래곤이라는 마물 중에서는」 이라는 전제가 붙는다.

상반신이 튼실한 것에 비해, 하반신은 꽤 작다. 상반신과 하반신을 떼어놓으면 전혀 다른 마물처럼 보인다.

잿빛의 딱딱한 표피. 그리고 해머 헤드라고도 불리는 모양의 머리가 특징적이다.

주변 경치가 색을 되찾기 시작하자 랜드 드래곤이 마을을 유린하며 돌격해왔다.

"책에서 읽은 것보다 크네. 게다가 보통은 좀 더 갈색이라고 들었는데…… 혹시, 아종인가요?!"

내 말에 초대가 단언했다.

『낸들 알겠냐! 다만, 내가 이때 생각했던 건—.』

바라보는 사이, 무기를 든 야만족이나 주민들이 드래곤에게 맞아 날아갔다. 울부짖는 목소리나 비명이 마을에 울려 퍼졌다.

그곳에, 마치 쇳덩어리 같은 외날 대검을 어깨에 짊어진 초대— 버질이 나타났다. 아종인 랜드 드래곤의 크기는 머리부터 꼬리까지 30미터를 넘는 것처럼 보였다.

그런 거대한 마물을 앞두고, 버질은 웃고 있었다.

『이놈은 내 사냥감이야. 손대지 마!』

그리고는 대검을 양손으로 거머쥐었다. 대검의 크기는 초대의 몸과 비슷한 정도였다. 대체 무슨 생각으로 이런 무기를 만든 걸까…… 아니, 떠오르는 무기가 있었다.

"참마도(斬馬刀)인가요? 책에서 읽은 적이 있어요."

기사가, 기승한 상대를 말과 함께 통째로 양단하기 위한 무기다. 다룰 수 있는 인간이 적은데다 꽤나 중량이 나가기 때문에 옮기는 것조차 힘든 무기다.

초대가 씨익 웃었다.

『쌌으니까. 내가 샀지.』

길이는 사람만하고, 폭도 60센티미터를 아득히 넘었다. 두께도 있는 무기다. 저런 무기를 어째서 만들었는지 장인에게 물어보고 싶었다.

하지만 그런 쇳덩어리를 양손에 잡고 겨눈 버질이 랜드 드래곤을 베기 위해 덤벼들자 상대의 돌진이 멈췄다.

랜드 드래곤과 비교하면 매우 작은 초대가, 정면에서 맞상대하고 있었다.

"저기…… 보통은 빙 돌아가서 뒤에서 쓰러뜨린다고 책에서 읽었는데요?"

초대는 옛날의 자신을 보면서 턱에 손을 댔다. 『힘으로만 밀어붙이고 있네』라든가 『좀 더 관절을 노리라고』 등등, 옛날의 자신에게 불만을 쏟아놓고 있었다.

『으응? 그랬냐? 하지만…… 드래곤이라고? 남자라면 정면에서 싸우고 싶잖아!』

크하하하 웃는 초대를 보고 나는 머리가 아파졌다.

한가로운 마을에서 랜드 드래곤과 싸우는 버질도 웃고 있었다. 이윽고 몸에서 새파란 빛이 방출됐다. 내가 배웠던 아츠【리미트 버스트】를 사용한 거겠지.

대검을 휘두르며 랜드 드래곤을 압도하고 있었다.

그러나 랜드 드래곤의 표피는 베더라도, 안쪽 살까지 베지는 못했다. 뒤로 돌아가서 공격한다면 바로 끝났겠지만…….

그럼에도 정면에서 싸우고 있었다. 랜드 드래곤이 머리를 망치처럼 바닥에 내리치자, 버질은 뒤로 뛰었다.

랜드 드래곤의 눈동자가 버질을 노려보고 있었다. 지면은 마구 파여서, 두 사람의 전투가 격렬했다는 것을 알려주었다.

버질은 대검 끝을 랜드 드래곤에게 겨눴다. 숨을 헐떡이고, 땀으로 범벅이 되었다. 그러나 버질은 여전히 웃고 있었다.

『좋다 이거야, 도마뱀 놈아! 비장의 수를 보여주마아아아!!』

조금 신경이 쓰였는데, 이때의 버질— 초대는, 어쩌면 상대를 드래곤이라고 인식하지 못한 게 아닐까? 아, 아니, 아무리 그래도 그렇지는 않을……거다.

버질의 몸에 떠오른 문장이 날아가고, 새파란 빛이 불꽃처럼 몸을 둘렀다.

"3단계, 인가요? 하지만, 그렇게 달라지나요?"

푸른 보옥에 기억되어 있는 것은 지원계로 불리는 아츠다. 직접 공격에는 그다지 관여하지 않지만, 편리한 것이 모여 있는 게 지원계다.

다만, 초대는 내게 단언했다.

『어떤 아츠라도 그렇지만, 극치에 이르면— 세 번째에 도달하면 쓸 만한 아츠가 돼. 뭐, 이 녀석을 쓰려면 조금 문제도 있지만…….』

초대는 그 문제에 대해 말하지 않았지만, 기억 속의 버질이 움직였다.

대검을 짊어지고 뛰어오르자, 그 충격으로 지면이 파였다.

직후, 랜드 드래곤의 왼쪽 앞발이 잘려나가 공중을 날았다.

초대가 상공을 올려다봤고, 나도 뒤늦게 하늘을 보니 그곳에는 버질의 모습이 있었다.

『그 목을 내 저택에 장식해주마!』

대검을 치켜들고, 낙하하는 속도를 실은 버질이 대검을 랜드 드래곤에게 내리쳤다. 지면에 대검이 꽂히자, 랜드 드래곤이 머리를 때려 박았을 때보다도 지면이 크게 파였다.

몸에 감싸인 새파란 빛의 불꽃이 잦아들자 버질은 대검을 짊어졌다. 랜드 드래곤의 머리가 지면에 떨어지며 솟구친 피가 버질에게 쏟아졌다.

버질은 왼손으로 얼굴을 닦고, 지면에 떨어진 머리 위에 올라탔다.

대검을 치켜들자, 주변 주민들이나 야만족들이 환성을 내질렀다.

『내가 힘을 드러냈지. 그래서 주변 녀석들은 나를 따르는 거야. 뭐, 간단하지.』

"네, 네에. 그런가요. 그보다, 저기…… 오늘 보여주고 싶었던 건, 혹시 「드래곤 슬레이어」라도 되어라, 라는 건가요?"

나보고 똑같이 드래곤을 쓰러뜨리라고 말해도 곤란하다. 지금의 나는 드래곤과 정면에서 싸울 만큼 강하지 않다.

그러나 초대는 어이없어했다.

『바보, 그런 게 아냐. 뭐, 남자라면 드래곤 정도는 쓰러뜨릴 수준이 되어두는 게 손해는 없겠지만.』

초대의 기준으로 말하는 남자는 전원이 강자일 것이 필요조건인 것처럼 보였다. 환성을 내지르는 주민 중에서 한 소년이 뛰쳐나왔다.

모습을 보건대 2대— 크라셀이겠지.

『아빠 대단해! 나도 아빠처럼 되고 싶어!』

신나게 돌아다니는 크라셀을 보고 버질이 조금 쑥스러운 표정을 지었다.

『그, 그러냐.』

그런 장면에서 경치가 다시 잿빛으로 물들며 시간이 멈췄다.

그리고, 초대는 팔짱을 끼고 하늘을 올려다보며 말했다.

『이때는 말이지. 나는 나 스스로 배불리 먹고 싶다, 라는 것보다는…… 배불리, 먹여주고 싶다고 생각하게 됐어. 지금까지 그저 정신없이, 실연을 당하고 날뛰었었는데……. 정말이지, 이때는 어떻게 돼버린 걸까.』

초대의 말이 이어졌다.

『라이엘, 너는 배불리 먹었지?』

"네? 아, 네. 배불리 먹을 수는 있었지만……."

그건 분명 행복한 일이었겠지. 지금까지 깨닫지 못했지만 나는 풍족하게 보낸 것이다.

『그러냐. 그럼 됐어. 그럼…… 된 거야. 그러니까, 주변 녀석들은 배불리 먹여줄 수 있게 되라고.』

주변 녀석들이란 아리아 씨나 다른 사람들 이야기겠지.

초대가 전하고자 하는 바는 알겠지만, 나는 솔직한 마음으로 대답했다.

"솔직히, 받아들일 마음이 되어 있지는 않아요. 노웰만으로도 어렵다고 생각했는데 두 명이라니……. 게다가 지금은 소피아 씨도 있고요."

초대가 웃었다.

『하긴! 그건 놀랐지. 너, 내 자손 주제에 여자가 꼬이다니 어떻게 된 거야?』

웃던 초대가 조금 진지한 말투로 변했다.

『아리아에 대해서, 부탁할 수 없겠냐?』

"모험가가 되고 싶다고 했으니까, 소피아 씨랑 마찬가지로 한 사람 몫을 할 때까지는 함께 행동할게요. 하지만, 제 목적에 말려들게 해도 될까, 하는 생각이 들어서요."

모험가가 되겠다는 말을 꺼낸 것도, 그리고 결의한 경위도…… 다른 쪽에서 보면, 분명 칭찬받을 일은 아니다.

그저, 돈을 벌기에는 가장 간단했다는 이유였다.

그러나 초대는 내 어깨를 두드렸다.

『바보! 그런 건 상관없어! 나 같은 놈은 첫사랑 상대가 돌아봐줬으면 했고, 밥을 배불리 먹고 싶었던 게 개척단에 지원한 동기야. 하지만, 남자라면 거기서부터 무엇을 하는가, 그걸로 이후가 정해진다고.』

"제가 무엇을 하는가, 인가요?"

여동생인 세레스에게 패하고, 친가에서 쫓겨난 내가 뭘 할 수 있을까? 그리고 내가 하고 싶은 건 대체 뭘까?

초대는 내 어깨를 탁탁 몇 번이고 두들겼다.

『그래! 자기가 하고 싶은 일을 찾아. 그리고…… 그리고, 말이지. 아리아를 행복하게 해줘. 나로는 못하니까 말이지.』

기억에 지나지 않는 지금의 역대 당주들이 바깥 세계와 얽히려면 반드시 내 도움이 필요하다. 자기들만으로는 어찌 할 수가 없다.

"……할 수 있는 일은 할게요."

초대는 납득하지는 않은 모양이지만, 웃었다.

『그러냐. 하지만, 지금은 그거면 되겠지.』

제20화 의뢰

—그날.

다리온 영주인 벤틀러 로베니아는 저택 집무실에서 그다지 읽고 싶지 않은 편지봉투를 뜯고 있었다.

밤이 되어 시간도 생겼기에 이제야 확인하려고 하는 이유는, 그 편지를 보낸 사람이 벤틀러가 그리 좋게 생각하는 인물이 아니기 때문이었다.

아니. 개인적이 아니라, 영주로서 좋아하는 상대가 아니라는 의미다. 보낸 상대는 20대 전반의 청년【데일 페이건】이었다.

남작인 벤틀러의 양자인 페이건가는 작은 영지를 다스리는 영주로서 기사작 가문이다.

다만 대가 바뀌고 나서는 교류가 없었고, 벤틀러 입장에서는 어떤 이유 탓에 그저 관계를 유지하는 것에 지나지 않았던 가문이었다.

선대인 페이건가 당주와 그 적자는 로베니아가의 요청으로 출병을 해서 전사했고, 결국 데일이 뒤를 이었다.

그로부터 노골적으로 간섭을 꺼리게 되었다. 확실히 데일의 아버지와 형이 전사한 전쟁의 책임은 벤틀러에게도 있었다. 반세임 국내 영주들 간의 분쟁으로 서로 꽤 많은 피해를 입었던 전쟁이다.

센트럴의 국왕 폐하에게 중재를 의뢰해서 덕분에 적잖은 지출이 있었다.

관계를 끊어온 지 3년.

갑자기 편지를 보내온 페이건가.

벤틀러는 꺼림칙한 기운을 느끼고 있었다.

편지 내용을 확인하자 벤틀러의 눈썹에 주름이 잡혔다. 다정해 보이는 통통한 영주의 표정에 그늘이 진 것을 보고 근처에 있던 가신이 입을 열었다.

“영주님. 왜 그러십니까?”

벤틀러는 편지를 책상 위에 놓고 깍지를 껴서 입가를 가렸다.

“정말이지. 지금까지 아무런 연락도 보내지 않아놓고선 갑자기 보냈다 했더니만…….”

반세임 왕국에서 양자라는 것은, 그 지방에서 힘을 가진 영주인 양부모를 따르는 소영주들을 의미한다. 같은 반세임 왕국을 섬기는 동등한 영주이기는 하나, 역시 영지 규모에 따라 상하관계는 존재했다.

양부모가 될 수 있는 것은 남작가 이상이며 양자를 관리하는 것도 양부모의 역할이다. 따라서 벤틀러는 데일에게서 온 편지를 무시할 수 없었다.

벤틀러가 한숨을 내쉬었다.

“……이웃 영지와 충돌을 일으킨 모양이군요. 사망자가 나왔고요. 배신 기사의 가신인 모양인데, 상대가 안 좋군요. 병사를 빌려달라는 요청이 왔습니다.”

"그건 참……."

가신이 복잡한 표정을 지었다.

페이건가의 영지와 인접한 곳은 다른 지방의 영주가 다스리는 토지였다.

반세임에서 배신 기사란, 왕이 아니라 영주를 섬기는 기사다. 격으로 따지면 페이건가 쪽이 위지만 상대의 영지 규모가 크기 때문에 승부가 되지 않는다.

그런 상대와 충돌을 일으키고 만 것이다.

배신 기사는 평범한 귀족들에게는 격이 낮다고 여겨진다. 하지만 그 중에는 귀족보다도 힘을 가진 배신 기사도 많다.

마침 페이건가와 영지가 인접한【마이니가】가 그랬다.

게다가 같은 벤틀러의 양자가 아니라 다른 영주의 배신 기사다.

실랑이가 벌어지면 귀찮다는 것이 벤틀러의 솔직한 의견이었다.

"자칫 병사를 내주었다가는 그쪽을 자극하게 될 테니까요. 하지만 방치해서 살육전이라도 된다면 양부모가 나가지 않을 수도 없겠죠. 정말이지, 이런 귀찮은 문제를 가져오다니……."

평소 교류도 없고 얼굴만 아는 정도의 상대다.

데일 개인에게는 정이 없다. 하지만 전사한 선대와 적자와는 교류도 있었다. 그런 데다, 양자를 버렸다는 소문이라도 퍼지면 벤틀러가 곤란해진다.

벤틀러를 따르는 다른 양자들이 불신감을 가지기 때문이다.

벤틀러는 자신의 통통한 턱을 매만지면서 고민했다.

그러다가, 뭔가 번뜩였는지 편지를 들어서 확인했다.

"흠. 어떻게 될지도 모르겠군요."

가신이 의아해하며 벤틀러에게 물었다.

"뭔가 묘안이라도 있으십니까? 저는 상상도 가지 않는군요."

벤틀러는 종이를 꺼내서 펜을 들었다.

"자식의 싸움에 부모들이 끼는 것도 귀찮습니다. 그건 상대도 이해하고 있을 터. 그렇다면, 먼저 손을 써두기로 하죠."

벤틀러는 분쟁의 상대인 배신 기사의 주군에 해당하는 영주에게 편지를 쓰기 시작했다. 편지에는 파견하는 인물에 대해 적혀있었다.

가신은 그 이름을 보고 고개를 갸웃했다.

"영주님. 정말로 괜찮으신지?"

"네. 이걸로 이쪽의 의도를 짐작해 줄 겁니다. 괜찮아요, 이웃 영주의 됨됨이는 알고 있으니, 이걸로 충분히 이쪽의 마음도 알아줄 겁니다."

인근 영주들과는 파티 등에서 몇 번 얼굴을 마주하고 있다. 그리고 벤틀러는 자신이 파견하는 인물의 이름을 상대가 본다면, 이쪽의 의도를 알아줄 거라고 확신하고 있었다.

벤틀러는 가신에게 명령했다.

"젤피를 부르세요. 그리고, 길드 쪽에도 아침 일찍 의뢰를 내기로 하죠."

편지에는 파견하는 인물로, 라이엘의 이름이 적혀있었다—.

흔들리는 짐마차 짐받이.

천으로 지붕이 쳐져 있어서 햇살을 신경 쓸 필요는 없다.

한가로운 풍경이 이어지는 가도를 천천히 나아가던 우리는 마부를 맡은 젤피 씨의 뒤편에서 질문을 이어가고 있었다.

"젤피 씨, 이 의뢰는 분명 예정 밖이죠?"

내 질문에, 젤피 씨의 어깨가 움찔 반응했다.

"아, 아니, 그게…… 이런 의뢰도, 역시 받아두는 편이 낫잖아?"

아리아 씨는 조금 기뻐 보였다.

"그렇지! 역시 이런 의뢰를 받으면, 모험가! 라는 느낌이 든다니까!"

아무래도 겨우 이미지에 딱 맞는 일을 할 수 있는 게 기쁜 모양이다.

보옥 안에서는 초대와 2대가 정반대의 반응을 보였다.

『의욕적인 아리아는, 귀엽구나아.』

『좀 더 긴장감을 가졌으면 좋겠다만. 영지간의 문제라고. 자칫하면 사람이 죽을지도 모르는데?』

그랬다. 어째서인지 길드에 집합한 우리는 준비를 마친 젤피 씨에게 의뢰를 받았으니 현지로 나가자는 말을 들었다.

받은 의뢰의 내용은 영지간의 미묘한 문제를 가진 곳에 증원으로 파견되는 것이었다.

그냥 다리온의 병사를 보내라고 하고 싶었다. 5대 이후의 영주들도 반응이 차가웠다.

『양자가 다른 영지와 문제를 일으켰으니, 그 처리라. 정말이지, 귀찮은 일이야.』

『그렇지요. 울면서 달라붙기 전에 스스로 어떻게 해줬으면 좋겠군요.』

『양부모에게 울면서 달라붙으면, 상대도 부모에게 울면서 달라붙을 텐데……. 문제를 키워서 어쩌고 싶은 건지…….』

세 사람은 양자인 영주의 요청에 부정적이다.

반대로, 초대부터 3대의 의견은—.

『바보 자식! 문제가 있다면 힘을 빌려주는 게 양부모잖아! 양자도 여러모로 양부모를 위해 힘내고 있다고!』

『그래! 믿음직하지 않은 양부모 같은 게 있겠냐!』

『뭐, 이럴 때는 서로 돕는 거지.』

변함없이 일곱 명은 의견이 모이지 않았지만 이번에는 4대가 미묘한 위치에 서 있었다.

『……저는, 양쪽의 마음을 다 이해하니까 뭐라 말할 수가 없군요.』

짐마차 안에서는 노웸이 물자를 확인하고 있었다. 짐마차 안에 있는 것은 식량만이 아니다. 여러 도구들도 실려 있었다.

다만, 다른 영지와 문제를 일으킨 현장으로 가는데 무기가 쌓여있지 않았다. 가지고 온 무기는 우리의 무기뿐이다.

"무기 같은 게 없는데, 저희는 뭘 하러 가는 거죠?"

소피아는 미묘한 표정을 짓고 있었다.

"……싸우고 있다는 상대인 마이니가의 당주님은 저와 면식이 있습니다. 축하선물 같은 것도 받은 적이 있기 때문에 참가하고 싶지는 않은데요. 그보다, 그분이 다른 영주와 문제를 일으켰다고는 도저히……."

젤피 씨가 소피아 씨에게 일갈했다.

"안 되는 게 당연하잖아! 파티라고. 운명공동체잖아. 게다가, 나만 가지고 어떻게 되는 것도……."

후반의 투덜거리는 목소리가 본심인 모양이다. 아무래도 젤피 씨의 고용주가 이 의뢰에 얽혀있는 것 같다.

노웸이 짐마차 안에서 천장을 올려다봤다.

"젤피 씨가 아니라, 라이엘 님이 가시는 것에 의미가 있는 것 같네요. 대충은 예상이 가지만……. 라이엘 님, 귀중한 경험을 쌓으실 수 있겠어요."

그러자 이야기를 듣던 3대가 말을 꺼냈다. 분명 시커먼 생각을 하고 있을 게 틀림없다.

『호오, 그렇다면 상대인 이웃 영지는 저번 도적단 토벌에 얽혀있던 영지겠네. 아니, 양부모 쪽이 관련되어 있는 걸까? 과연, 지도원인 젤피를 파견한다기보다는 라이엘을 파견하고 싶었던 거겠네.』

6대도 즐거운 목소리로 말했다. 이 사람들, 조금 무섭다.

『좋군요. 이걸 이유 삼아 보수를 추가로 받을 수 있겠어요.』

4대가 돈 관련 화제에 달려들었다.

『추가 보수! 좋은 말이군요. 과연, 상대에게도 은혜가 있는 라이엘을 파견해서 다툴 의지가 없다는 것을 상대에게 드러낸다, 이겁니까. 당사자끼리 해결하는 걸로 유도할 생각이군요.』

과연, 상대방 영지는 내게 은혜가 있는 것 같다.

이웃 영지에서 날뛴 도적단이 다리온에 잠복해 있어서 손을 댈 수 없었다. 그걸 내가 신병을 구속, 그리고 건네줘서 여러모로 복잡했던 사정이 해결됐었다.

……어라? 그 의도를 상대가 파악해주지 않으면, 무의미한 것 아닐까?

내가 머리를 감싸 쥐자 아리아 씨가 걱정스레 내게 말을 걸었다.

"괘, 괜찮아? 라이엘."

"네, 괜찮아요. 괜찮긴 하지만…… 젤피 씨. 벤틀러 씨는 뭐라고 말씀하셨죠?"

입을 닫고 있던 젤피 씨는 잠시 뒤 탄식을 내쉬며 사정을 설명해주었다.

"문제가 생긴 건 몇 주일 전의 일이야. 배신 기사의 가신들이 마물을 쓰러뜨리기 위해 장비를 갖추고 영지 안을 돌아다니고 있었어. 그러다 한 가신이 행방불명이 되었지. 결국 찾지 못해서 동료들은 물러났어. 그런데 그 가신이 자기 영지를 넘어선 숲속에서 장비가 벗겨진 채 죽어 있었던 거야."

사망자가 나왔다면 아무래도 원만하게 끝내지 못할 분위기가 드는데.

3대가 휘파람을 불고는 진지한 말투가 되었다.

『이건 곤란하겠네. 이웃은 절대로 물러서지 않을 거야. 왜냐하면 가신이 죽었으니까. 물러섰다가는 가신들에게 모범이 되지 못해. 게다가 다른 영지에서 죽었다면……. 우와아, 얽히고 싶지 않은데.』

젤피 씨가 말을 이었다.

"그리고, 여기서부터가 중요한데…… 그 마이니가가, 페이건가를 의심하고 있어. 뭐, 가신이 상대 영지에서 죽었으니까 의심하고 싶어지기도 하겠지. 게다가, 아무래도 그 가신을 신용하고 있었던 것 같거든."

2대가 진지한 목소리로 내게 말했다.

『발견한 뒤, 시체는 어떻게 됐지? 라이엘, 확인해봐라.』

"저기, 시체는 누가 발견한 거죠? 뭐, 페이건가의 관계자겠지만요."

내 말에 젤피 씨가 대답했다.

"그거야. 찾아낸 것은 페이건가의 영지민이야. 근데 말이지, 어찌된 영문인지 마이니가가 바로 냄새를 맡고 찾아왔어. 어떻게 알게 됐는지도 신경이 쓰이고, 페이건가에서는 실은 마이니가가 계획한 게 아닌가 하고 생각하고 있는 것 같아."

7대가 어이없다는 목소리를 냈다.

『흐음, 귀찮군요. 뭐, 라이엘이 있다면 어느 정도는 그쪽도 배려를 해줄 테고, 상대방 쪽 두목이 나올 걱정도 없겠죠. 낌새가 있다면 못을 박아두기로 할까요. 그 벤틀러가 아무것도 하지 않을 거라고는 생각할 수 없습니다만.』

벤틀러 씨는 겉으로 봐서는 다정해 보이는 아저씨다. 영주로서의 평가도 높지만, 실제로 이야기를 해보니 엄한 사람이기도 했다.

여러모로 수배를 해줬을 거라 믿고 싶다.

젤피 씨가 어깨를 떨궜다. 이런 귀찮은 의뢰는 받고 싶지 않았을 것이다. 게다가 참가한 것은 우리 다섯 명뿐.

의욕이 있는 건 아리아 씨와…… 노웸 정도인가? 젤피 씨는 정말로 진저리를 치고 있었다.

"나도 귀찮은 의뢰 같은 건 받고 싶지 않아. 영지 관련 문제 같은 건, 뿌리 깊은 문제가 많아서 큰일이라고. 아아, 싫다……. 가고 싶지 않아."

그러자 2대가 젤피 씨의 의견에 동의했다.

『이해해. 이해하고말고. 이웃 영지하고는 반드시 실랑이가 벌어진다니까. 영지민이 경계를 넘어 상대 영지에서 야생초를 따왔다, 같은 거라든가. 정말이지, 그런 일이 많아서…… 점차 대립하게 되지. 아무튼 귀찮다니까.』

그런 상태에서 용케 이웃이었던 폭스즈가와 사이좋게 지낼 수 있었다는 생각이 들었다.

그러나 초대가 의아한 목소리를 냈다.

『실랑이가 벌어지나? 내 때는 그런 이야기 들어본 적 없는데.』

순간, 아무도 문제를 보고하지 않았던 게 아닐까? 라는 생각이 들고 말았다. 그러나 영주인 초대에게는 누군가가 꼭 보고를 할 것이다.

그러자 3대가 웃었다.

『아니, 아무도 야만족이나 드래곤을 자기 팔 하나로 쓰러뜨린 초대와 일을 벌이고 싶지 않았던 거겠죠. 이웃들은 분명 오들오들 떨었을 걸요. 실제로 양부모도 무서워하고 있었고.』

2대도 지금 막 깨달았다는 듯이 말했다.

『어, 그랬나? 내 때는 주변의 분위기가 차갑다고 생각하고 있었는데…….』

3대가 어이없어했다.

『응, 그건 말이지. 2대도 잘못한 거야. 이웃과의 관계를 경시했으니까. 덕분에 내가 양부모와의 관계에서 얼마나 고생을 했는지.』

3대도 고생했다고 하니까 의외다. 속이 시커먼 3대는 이런 문제는 잔머리로 뛰어넘을 것 같은 이미지가 있었는데 놀라웠다.

『뭐, 내 팔은 두 개 있긴 하지만.』

초대가 자신만만하게 그렇게 말했다.

팔 하나로 드래곤을 쓰러뜨렸다는 3대의 말에 대한 발언이겠지만 2대가 차가운 목소리를 꺼냈다.

『그만둬. 그거, 알고서 말한 거라도 부끄럽고 웃을 수 없다고. 게다가 모르고서 한 말이라면, 정말로 부끄럽고 웃을 수 없어. 어느 쪽으로 굴러가도 부끄러우니까 그만둬.』

2대가 퇴짜를 놓자 초대가 토라진 것 같은 기분이 들었다.

나는 짐마차에서 탄식을 내쉬며 고개를 수그렸다.

"저희는 뭘 해야 하는 거죠?"

젤피 씨도 곤혹스러워했다. 그저 벤틀러 씨에게 현지로 가라는 지시만 받았다고 한다.

“낸들 알겠어! 가보기만 하라고 들었을 뿐이라고!”

깊이 얽히지 말라는 벤틀러 씨 나름의 전언인 걸지도 모른다.

다만, 아무리 그래도 이번 건은, 내게는 짐이 무겁다는 느낌이 들었다.

며칠이 지나 우리는 페이건가 영지에 도착했다.

그러나, 아무래도 환영을 받지 못하는 것 같았다.

젤피 씨가 대표로 이야기를 하려고 했지만 모인 이들은 전원 젊었다. 10대 소녀가 한 명에 20대 청년이 두 명.

그 세 명이 우리를 맞이했고 다른 영지민들은 집 안에서 우리를 보고 있을 뿐이었다.

작은 목소리로 내가 「환영받지는 못하네」라고 중얼거리자, 노웸도 끄덕였다.

“어쩔 수 없다고 생각해요. 무장한 집단이 자신들 가까이에서 묵는다는 건 무서우니까요.”

보옥 안에서는 7대의 목소리가 났다.

『특히 모험가라면 무법자들이지. 라이엘, 이제 영지민의 반응이다. 기억해두거라.』

3대가 7대를 놀려댔다.

『그거, 분명히 개인적인 생각이 반영된 거지? 모험가가 아니라도 똑같아. 군대가 오더라도 무서워할 테니까. 뭐, 환영받지 못하는 건 어쩔 수 없다고 하고, 말이지. ……누가 대표인지 모르겠네. 감색(紺色) 머리를 한 아이라고 생각하는데.』

3대의 말 그대로였다.

중앙에 있는 것은 감색 머리를 한 키가 큰 청년이었다. 그 옆에는 흑발의 쇼트 헤어에 키가 큰 청년이 서 있었다.

반대쪽에는 갈색 머리를 뒤로 땋아서 모아놓은, 주근깨가 있는 소녀가 걱정스런 표정으로 서 있었다.

젤피 씨가 곤란해 하는 이유는 세 명의 차림새를 보면 상대가 누구인지 추측할 수 있기 때문이다.

“아~ 다리온의 영주님에게 의뢰를 받아서 온 모험가 파티야. 당신이 이 마을의 영주님, 인 게 맞겠지?”

감색 머리를 어깨까지 기른 청년은 날씬하지만 단련한 몸을 갖고 있었다. 딱 론도 씨 같은 호청년이다.

그러나 의상은 옆에 선 영지민 청년과 다르지 않았다. 허리에 검도 차고 있지 않고, 차림새로는 영주라고 판단이 되지 않았다.

“네. 제가 데일 페이건. 이 땅의 영주입니다. 그렇게 보이지는 않겠지만요.”

마지막의 빈정대는 말은 과연 필요했을까?

2대가 조금 수상해했다.

『묘하군. 이럴 때는 겉모습이라도 꾸미는 법인데……. 마치 농사를 막 마쳤다는 차림이잖아.』

옷을 보니 진흙으로 더러워진 부분도 있었다. 실제로 농사를 하고 온 이후일지도 모른다.

아리아 씨가 표정을 흐렸다.

"저런 말투라니……."

소피아 씨도 마찬가지 의견이었다. 눈을 감고 있었다.

"마중을 나오는 거라면 그에 맞는 차림이 있습니다. 얕보고 있군요."

그 의견에 초대가 반론했다. 어차피 소피아 씨에게는 들리지 않으니까 목소리는 억눌러줬으면 좋겠다. 마력이 더 많이 줄어드니까.

『인간은 옷차림이 아냐! 알맹이를 보라고, 알맹이를!』

5대가 나지막하게 중얼거렸다.

『야만족 같은 차림새인 초대는, 외모도 알맹이도 야만족이지만.』

3대가 웃었다.

『뭐, 겉모습은 중요하니까.』

젤피 씨가 봉투에 든 벤틀러 씨의 편지를 건넸다.

"남작님이 보내신 편지야. 우리 다섯 명이 이 마을의 방비에 들어가겠어. 허가를 받을 수 있을까?"

흑발의 청년이 날카로운 눈초리로 우리를 노려봤다.

"이런 꼬마들이 남작이 보낸 병사? 이봐, 이거 완전히 얕보고 있는 거 아냐!"

그러자 소녀가 제지했다.

"【재퍼】, 그만둬! 죄송합니다. 저는【파오라 칼스】. 이 영지의 조정을 맡는, 명사 대행을 하고 있습니다."

소녀가 이름을 대자 젤피 씨가 남성— 재퍼 씨에게 무례를 용서했다.

"마음은 이해해. 하지만, 얼굴을 맞대고 있는데 그렇게 말하니 기쁘지는 않네. 뭐, 서로 조심하자고."

재퍼 씨를 그다지 상대하고 싶지 않은 모습이었다. 편지를 읽은 데일 씨가 우리를 바라봤다.

"병사를 낼 수 없으니, 대신해서 당신들을 파견하겠다고 적혀있군요. 유감입니다. 남작님에게 이런 작은 마을은 아무래도 좋은 모양이군요."

젤피 씨가 머리를 긁적였다.

"하고 싶은 말은 알겠는데. 딱히 남작님이 여기를 버린 건 아니야. 우리 다섯 명을 파견하는 비용도 바보 취급 할 수는 없으니까."

데일 씨는 살짝 고개를 숙이며 입을 열었다.

"3년 전에 이 영지에서도 인원을 내서 전쟁에 참가했습니다. 제 아버지나 형, 그리고 파오라의 아버지는 전사했죠. 그렇게나 피해를 냈는데도 이런 대우라니……. 납득할 수 없습니다."

그게 사실이라면, 확실히 벤틀러 씨의 대응에는 문제가 있는 것 같았다.

5대가 어이없다는 말투로 말했다.

『위로금 같은 걸 이것저것 받았을 것 같은데. 게다가, 참가한 건 그 녀석들의 의지잖아? 양자라는 건 정말 귀찮다니까. 그보다, 왠지 인선이 이상하지 않아?』

『병사를 내서 전쟁이라도 하고 싶었던 걸까요? 좀 더 시야를 넓게 가졌으면 좋겠군요.』

6대도 5대와 마찬가지의 입장인 듯 했다.

7대는 격노하고 있었다.

『라이엘이 일부러 발을 옮겼는데 저 태도는 뭐냐!』

하지만 초대부터 3대는 데일 씨의 마음에 동정적이었다.

『돈으로 해결되는 문제도 아니잖아! 가족이 죽었단 말이다!』

『맞아. 이런 작은 영지에 그 정도의 피해가 나오면 얼마나 큰일인지…….』

『이러니까 남작 이상은 안 된다니까. 차가워. 사람으로서 차갑다고!』

누구의 의견도 이해가 가는 4대가 침묵하고 있어서인지, 여섯 명이서 말다툼을 벌였다.

젤피 씨가 허리에 손을 대며 말했다.

"가족이 죽은 건 동정하겠어. 하지만 우리도 의뢰로 온 거야. 모험가니까 의뢰는 확실히 달성하도록 하겠어. 게다가 여기 있는 라이엘은 예전에 도적단을 퇴치했지. 실전 경험도 쌓았고, 나도 나름대로 횟수를 쌓았고, 해를 끼치지는 않겠어. 영주님."

그러자 데일 씨는 의외로 순순히 사과를 했다.

"죄송합니다. 조금 신경이 곤두서 있었군요. 다섯 분이 이용할 오두막은 준비해놨으니, 오늘은 거기서 쉬어주세요. 내일에라도 향후 방침을 의논하도록 하죠."

그러자 파오라 씨가 데일 씨에게 따졌다.

"아, 안 돼, 데일! 아뇨, 데일 님! 바로 사정을 설명해야……."

"이분들도 이제 막 와서 지쳤어. 쉬게 해주자."

보옥 안에서 2대가 말했다.

『라이엘, 저 아가씨하고 나중에 접촉을 해봐라. 이야기를 들어두고 싶군.』

2대가 의욕을 보였다. 하지만 5대 이후부터는 흥미가 없어 보였다. 같은 월트가지만, 자기 입장에 따라서 명확하게 의견이 갈렸다.

의견이 모이지 않는 보옥 안을 그들답다고 생각하면서, 나는 나중에 파오라 씨와 이야기를 해보기로 했다.

—페이건가 저택.

밤이 되자 재퍼가 데일을 찾아왔다. 저택이라고 해도 다른 집보다 그럴싸할 뿐, 영주의 저택으로는 보이지 않았다. 하지만, 작은 영지를 다스리는 영주다. 커다란 저택을 지어봐야 유지할 수 없다.

저택 거실에서 데일이 재퍼와 마주 보고 앉아 있었다.

"재퍼, 너무 모험가들을 화나게 만들지는 말아줘. 상대는 무기를 갖고 있어."

"데일, 영주인 네가 그런 소리를 해서 어쩔 거야! 게다가, 무기라면 피니 녀석이 가지러 갔어. 조금만 지나면 손에 들어오잖아. 남작 녀석도 그런 의욕도 없는 꼬마들을 보내기는…… 우리를 아무렇지도 않게 생각하는 거라고. 그때 얼마나 고생했는지……."

과격한 말을 하는 재퍼는 데일에게는 형이나 다름없는 사람이다.

가문을 잇지 못하는 차남이었던 데일은 어린 시절부터 밭일을 해왔다. 그럴 때 마을 아이들과 알게 되어, 또래였던 재퍼, 파오라— 그리고 작고 뚱뚱해서 조금 미덥지 못한【피니】 등의 젊은 세대와 친해졌다.

3년 전 전쟁으로 아버지와 형, 그리고 명사였던 파오라의 아버지가 사망했다. 재퍼와 피니도 그 전쟁에 참가했었다.

"재퍼. 마음은 알지만 진정해줘. 그래도 다섯 명이나 인원이 모인 거야."

전력이 될지는 모르겠지만, 그래도 모험가다. 장비도 갖추고 있으니 없는 것보다는 나을 거라고 데일은 생각하고 있었다.

"사실은, 대화로 해결하고 싶었는데……."

데일의 소극적인 발언에 재퍼가 물어뜯을 기세로 반론했다.

"바보 자식! 영주인 네가 허리를 빼서 어쩔 거야! 잘 들어, 데일. 상대는 배신 기사고, 너보다도 격이 낮다고."

"재퍼, 상대의 마을은 500명 규모야. 단순하게 생각하면 우리의 다섯 배. 싸우는 건 무모해."

격으로 따지면 데일이 위지만, 실력이나 규모는 어딜 보나 상대가 더 위였다. 재퍼는 데일을 설득했다.

"잘 들어, 너는 대를 막 이었기 때문에 얕잡아 보이는 거야. 남작의 태도를 봤잖아? 원래대로라면 병사를 보내는 게 보통인데, 그런 꼬마들을 보내왔잖아. 이웃 영지도 마찬가지야. 네가 젊으니까 트집을 잡아서 구슬리려고 하는 거라고!"

데일은 곤란한 표정을 지었다.

실제로 남작의 태도나, 문제가 된 이번 사건— 자기 영지의 숲속에서 다른 영지의 가신이 죽었던 건 사실이다. 원래대로라면 상대방 측에 문제가 있다. 그런데도 자기들이 나쁘다는 식으로 주장하고 있는 것이다.

상대가 영지에 침입해서 죽었다. 그런데도 마이니가는 이쪽을 의심하고 있다. 그리고 양부모인 벤틀러는 도움을 요청했지만 제대로 응해주지 않았다.

데일에게도 생각하는 바는 있지만, 반박할 수는 없었다.

"재퍼, 시체를 발견했을 때, 정말로 이쪽 영지였던 거지?"

그러자 재퍼가 큰소리로 고함쳤다.

"당연하지! 나를 의심하는 거냐!"

"아, 아니…… 그런 건 아니야."

시체를 발견한 건 숲에 들어갔던 재퍼와 피니였다. 어째서 숲에 들어갔는지 묻자, 마물을 쓰러뜨리고 마석을 확보하려 했던 거라고 답했다.

행상인이 올 때 팔면, 값을 후려치기는 하지만 길드로 가져갈 수고를 덜고 어느 정도 돈을 받을 수 있다.

"이봐, 데일. 나는 내게 기대하고 있어. 이번 사건, 남작도 이웃 영지도 다시 보게 만들어주자고. 잘못한 건 저쪽이야."

"……하지만, 방법이 없어. 게다가, 상대가 진심으로 나서면 우리는 끝장이야."

재퍼가 의자에서 일어나서 데일의 어깨에 손을 올렸다.

"바보. 나를 믿어. 이웃 영지 녀석들 따위 네가 쓸어주겠어. 너는 마을을 크게 만드는 거나 생각해. 네 아버지나 형은 쓸데없이 돈을 쓰기만 하고 저축 같은 건 하지 않았어. 주변 영지와의 관계를 다져야 한다면서 우리의 세금을 쓸데없는 데 쓰고 있었잖아. 그러니까 이 영지는 커지지 못한 거야."

재퍼의 주장에 데일도 납득했다. 원래부터 차남이어서 밭일이 중심이었던 데일은 영지민에 가까운 생각을 갖고 있었다.

아버지나 형이 세금을 쓸데없이 이용하고 있었던 건 생전부터 데일도 알고 있었다.

"알았어. 이 건이 해결되면 본격적으로 밭도 넓히자. 재퍼 네가 말한 건도 파오라에게 확인을 해보겠어."

파오라의 이름을 꺼낸 데일은 조금 침울해져 있었다. 또래인 파오라는 데일에게도 가까운 여성이다.

다른 젊은 소녀도 있지만, 첫사랑 상대라고도 해도 좋았다.

"부탁 들어주는 거냐! 고맙다, 데일! 파오라 녀석, 내가 말을 걸어도 좋은 대답을 해주지 않더라고. 하지만 이걸로 나는 그 녀석의 집에 데릴사위로 들어갈 수 있어. 그러면, 나는 정식으로 명사가 되어 너를 뒷받침해 줄게."

데일은, 왼손으로 얼굴을 눌렀다.

"그래, 그러면 좋겠네. 재퍼……."

첫사랑 상대와 형 같은 상대의 결혼을, 영주로서 진행하고 있는 데일의 심경은 복잡했다—.

제21화 페이건가와 마이니가

영지에 도착한 날에 나는 파오라 씨를 초대하는 형태로 이야기를 듣기로 했다.

말을 걸자 스스로 우리가 있는 오두막까지 와 주었다.

거기서 사정을 들어봤는데…….

"저기, 그 재퍼, 라는 사람과 피니라는 사람이 숲속에서 시체를 발견했다는 건가요. 장비는 벗겨져 있었으니까, 노상강도의 범행이었다는 거죠?"

파오라 씨는 고개를 끄덕였다.

"네. 하지만, 시체가 누구인지는 몰랐어요. 하지만 바로 이웃 영지에서 사자가 와서……."

들어본 바로는, 이웃 영지가 수상한 기분이 들었다. 어째서 찾은 직후에 사자를 보낸 걸까?

또한—.

"게다가, 저희가 죽인 게 아니냐며 이웃 마을 영주님이 의심을 했어요. 아무래도 죽은 그분이 영지를 넘어서 뭔가를 저지르는 사람은 아니라는 이유로요. 게다가 처음부터 의심을 해서 이야기도 들어주지 않았어요. 사실은 중재를 의뢰하고 싶었지만, 중재를 하려면 그 비용을 양부모에게 지불할 필요가 있다고……."

의심하고 있다는 것도 놀랐다.

조사도 하지 않고 바로 의심한 걸까?

아리아 씨가 그걸 듣고 벌떡 일어섰다.

“이, 이상하잖아! 타이밍도 너무 좋고, 무엇보다 그런 일을 하는 녀석이 아니라는 이유로 의심하다니……. 그거, 분명히 상대가 뭔가 꾸미고 있는 거야!”

그러나 반론한 것은 같은 동료인 소피아 씨였다.

“그냥 넘길 수 없는 말이네요. 마이니가 당주님은 훌륭하신 분입니다. 그런 꿍꿍이를 벌일 이유도 없고요. 혹시, 사실은 이 마을 사람이 얽혀있는 것 아닙니까?”

파오라 씨는 묵묵히 고개를 숙였다.

그렇게 아리아 씨와 소피아 씨가 노려보는 사이, 보옥 안에서도 초대와 2대가 노려보고 있었다.

『아리아가 바보라고? 너, 아무래도 나를 화나게 만들고 싶은가보구나.』

『한쪽의 말만 듣고 믿어버리는 게 잘못이잖아. 이런 타입이 여러모로 문제를 일으킨다고. 참견하다 그 자리를 어지럽히는 전형이야.』

아리아 씨 지지파인 초대와, 평소에도 그와 대립하는 2대. 초대가 밉살스러워서 그런지, 2대는 아리아 씨를 조금 엄하게 대하고 있었다.

노웸이 파오라 씨를 위로했다. 그리고 다음 말을 듣기로 했다.

“그밖에 뭔가 눈치챈 점은 있으신가요?”

파오라 씨는 더듬더듬 말을 이었다.

"솔직히, 영지의 분위기가 좋지 않아요. 조정을 맡던 아버지가 전사하셨고, 영주님도 대가 바뀌어서……. 처음에는 다들 좋아했어요. 괘씸한 말이지만, 데일 님이 영주가 되면 조금은 자신들의 의견도 통할 거라면서요. 그런데…… 요즘은 예전보다 뭔가 안 좋아진 기분이 들어서……. 이번에는 저기…… 데일이 미덥지 못하다는 목소리도 나오고요."

3대가 하품을 했다.

『너무 추상적이네. 나쁜 일은 전부 영주의 책임이라는 건가? 뭐, 기대가 컸던 만큼, 실망도 컸던 거겠지.』

이 사람들, 자기들도 영주였으면서…….

내가 보옥을 건드리자 3대가 꺼리는 목소리를 냈다.

『왜? 해결해줬으면 좋겠어? 이런 아무 상관없는 남의 문제에 목을 들이밀라고? 민폐니까 그만둬. 게다가, 오랜 이웃사이라면 쌓이고 쌓인 관계라는 게 있어서 성가시거든.』

내가 이 사람들 도움이 안 되네, 라고 생각하자 3대가 어이없어하며 말했다.

『그리고 말이야, 라이엘……. 이 아이들이 사실을 말하고 있다는 보장은 어디에도 없어.』

다음날.

우리는 상의를 하기 위해 영주의 집에 와 있었다.

집이라고나 할까, 저택이라고나 할까……. 응, 친가에 비교하면 안 될 것 같다.

다만, 문제는 저택이 아니다. 상의하는 내용이 너무 심했다.

젤피 씨가 데일 씨나 자경단의 대표라는 재퍼 씨와 대화를 나누고 있었는데, 점차 뺨이 굳어졌다.

"즉, 뭐야……. 부른 건 좋지만, 그 이후에 대해서는 전혀 생각하지 않았다고?"

데일 씨가 변명을 했다.

"아뇨, 이쪽이 병사를 부르면 상대방도 압력을 걸어오는 일은 없을 거고, 그러면 이야기를 들어줄 것 같아서……."

확실히 병사가 증원되면 영지의 방어는 편해진다. 상대방도 무리하게 공격하지는 않겠지……. 그렇게 생각했던 모양이다.

그러나 초대는 짜증을 내고 있었다.

『웃기고 있네! 잘 들어, 자기 영지를 자력으로 지키지 않으면 어쩔 거야! 좀 더 패기를 보이라고!』

2대도 흥분한 모양이다.

『바보! 이 규모로 이웃 영지와 맞부딪칠 수 있을 리가 없잖아! 사람을 모아봐야 10명에서 20명 전후! 그걸로 대체 어쩌라는 거야. 증원을 요청하는 게 올바르잖아!』

3대는 폭소했다.

『왜 맞부딪치는 게 전제인데? 너무 혈기왕성하잖아. 그보다 말이야……. 병사를 부르면 저쪽도 가만히 있지 않을 텐데 그게 더 곤란하지 않아?』

젤피 씨가 곤란한 표정을 짓고 있었다. 하지만 내 쪽을 보며 어깨를 으쓱했다.

“이쪽에 인원이 있다는 걸 어떻게 알려줄 생각이었는데? 게다가, 상대와의 연락수단은?”

“아뇨, 다음에 올 때는 알 수 있으리라고—.”

데일 씨는 그에 대해서는 생각이 미치지 못했던 모양이다.

“아앙? 연락하다 싸움이라도 벌어지면 어쩔 거야!”

재퍼 씨가 우리를 바라봤다. 팔짱을 끼고 태도도 거창하다. 자경단을 인솔한다고 들었는데 솔직히 그렇게 강한 것처럼 보이지는 않았다.

“싸우는 건 너희들 일이잖아?”

젤피 씨가 머리를 헝클었다.

“이쪽에서 상대와 연락을 취하겠어. 싸울 준비를 하고 있다고 여겨지면 민폐니까. 영주님, 그거면 되겠지?”

데일 씨가 재퍼 씨의 안색을 엿보듯이 바라봤다. 재퍼 씨가 끄덕이자 데일 씨도 끄덕였다.

그런 행동을 보고 보옥 안에서 혀를 차는 소리가 들려왔다. 그게 누구인지는 모르지만 5대가 전원의 의견을 대변했다.

『……참 미덥지 못한 영주네.』

젤피 씨가 내게 말을 걸었다.

“라이엘, 이웃 영지로 갈 테니 따라와. 그리고, 소피아 아가씨도 데려가겠어. 면식이 있다면 문답무용으로 공격을 당할 일은 없을 테니까.”

확실히 그렇다.

소피아 씨가 있다면 대화할 기회 정도는 만들 수 있을지도 모른다.

우리는 노웸과 아리아 씨를 남기고 이웃 영지로 가보기로 했다.

—아리아는 노웸과 함께 영지에 남았다.

영지에서 조금 떨어진 광장으로 향하자, 그곳에서 노웸은 아리아에게 마법 훈련을 시키기 시작했다. 근처에는 짐마차가 있고 나무에 묶인 말이 풀을 먹고 있는 한가로운 경치가 펼쳐져 있었다.

아리아가 손을 들고 그루터기 위에 놓인 표적을 향해 마법을 쐈다.

"스톤 불릿!"

지면에서 튀어나온 돌이 호를 그리며 날아갔다. 그대로 표적을 넘어서 지면에 떨어졌다. 위력도 없거니와 정밀도도 없다.

그 모습을 본 아리아가 어깨를 떨궜다.

"역시 무리……. 난 마법 같은 건 특기가 아니고, 불릿계라도 이런 상태고."

노웸은 미소 짓고 있었다. 실제로 아리아의 마법은 참혹했다. 마법을 쓰기만 하는, 불릿계라 불리는 마법이라도 잘 다룰 수 있는 건 화속성 뿐이다. 다만, 그것들은 본인이 거북한 마음을 갖고 있음에도 일단 발동하고는 있다. 재능이 없는 건 아니고, 나머지는 본인이 거북한 마음을 극복하기만 하면 될

뿐이었다.

"괜찮아요, 아리아 씨. 발동은 하고 있으니까 끈기 있게 연습하면 바로 좋아질 거예요. 다행히 혈통 쪽은 문제가 없으니까 이후에는 아리아 씨 나름이에요."

혈통 쪽도 문제가 없다고 한 이유는, 마법을 다루는 데는 노력보다도 재능보다도 우선 혈통이 중요하기 때문이다.

일찍이 마법사였던 자들이 귀족을 자칭했다.

마법사의, 그리고 귀족의 핏줄. 그것을 이어받지 않으면 마법은 발동조차 하지 않는다.

"뭐, 친가는 몰락했지만 남작가였으니까. 그래도 나는 굳이 따지자면 창이 더 특기인데?"

바닥에 꽂힌 창을 보며 노웸이 곤란한 표정을 지었다.

"하지만, 할 수 있다면 선택지도 늘어나니까요……. 역시 모험가니까, 할 수 있는 일을 늘리는 것도 중요해요."

아리아는 노웸을 바라봤다.

은빛 지팡이는 아츠가 몇 가지 새겨진 마구라 불리는 도구로, 무척 비싼 물건이었다. 아츠는 한 명당 하나밖에 발현하지 않는다. 2단계, 3단계 같은 단계는 있지만, 기본적으로 그건 하나의 아츠다.

그런 것을 도구로 재현해내는 것이 마구였다.

아리아는 자신의 목에 걸린 붉은 옥을 봤다.

"노웸은 마법사니까 괜찮지만, 나는 아무리 생각해도 전위니까."

붉은 옥에는 전위계라 불리는 공격적인 아츠가 기억되어 있다. 라이엘의 푸른 보옥은 지원계. 그리고 그 외에 옥의 종류 중 노란 옥은 후위계라 불리는, 독자적인 마법을 기억하는 옥이다.

옥과 마구는 상성이 나빠서 동시에 사용하는 건 불가능했다.

노웸이 아리아에게 설명했다.

"확실히 그럴지도 몰라요. 하지만 쓰는 건 나쁜 일이 아니니까 열심히 익혀 봐요. 그런 것 있잖아요. 여행 중에 불을 붙인다든가, 물을 준비하는 데 편리하니까요."

아리아는 노웸을 보면서 어이없어했다.

"그거, 나한테 잡일을 시키려는 것뿐인 거 아냐?"

노웸은 웃으며 부정했다.

그때, 노웸이 놀란 표정으로 시선을 근처 덤불로 옮겼다. 아리아는 의아해했다.

"왜 그래?"

"……아뇨, 생쥐가 있었던 것 같아서요."

노웸은 그렇게 말하며 아리아에게 미소를 짓고 지도를 재개했다—.

페이건가 영지에서 강을 넘어간 근처에 마을이 있었다.

두 가문 사이에는 숲이 있고, 그 안을 강이 흐르는 토지다.

숲을 우회하면 시간이 걸린다. 그 때문에 나를 선두로 해서 아츠를 사용하며 숲을 가로지르기로 했다. 주변 지도를 5대의 아츠【맵】으로 확인하고, 주변의 적을 6대의 아츠【서치】로 탐색—.

이동속도를 4대의【스피드】로 상승시켜서 이동. 상상 이상으로 빠르게 숲을 빠져나올 수 있었다.

젤피 씨는 내게 아츠가 다수 있다는 걸 신경 쓰는 모양인지 나를 보며 어이없다는 목소리로 말했다.

"정말이지. 숲을 빠져나간다고 해서 바보인가 했는데, 확실히 이런 방식이라면 빠르겠어. 우회하면 하루 이상 시간이 걸리니까. ……근데, 익숙해지지 않으면 역시 힘드네."

다만, 세 사람 모두 진흙투성이였다. 게다가 아츠를 평소부터 사용하던 나는 괜찮지만, 갑자기 사용하게 된 다른 두 사람은 당혹감이 엿보였다. 숲에 들어가기 전에 다소 연습을 했지만 그럼에도 당혹스러워하는 모습이다.

"감각이 아무래도…… 빠른 건 빠르지만요."

4대가 말했다.

『제 아츠는 이래 봬도 나은 편입니다만.』

숲을 빠져나가기 위해 걸은 탓인지, 소피아 씨가 가장 심한 모습이었다.

로브가 가지에 걸려서 몇 번이나 넘어졌었다.

짊어진 배틀 액스도 여기저기서 나무에 걸려서, 평소에는 성실하고 똑 부러진 사람인데 숲속에서는 유감스러운 사람으로밖에 보이지 않았다.

그걸 자각하고 있는지 얼굴이 새빨갰다.

“소피아 씨. 괜찮나요?”

내가 말을 걸자, 소피아 씨는 머리에 나뭇잎이나 가지가 달린 모습으로 표정을 굳게 다졌다. 다만, 얼굴은 여전히 붉었다.

“괜찮습니다. 이 정도, 라우리가의 딸에게는 아무렇지도 않아요!”

“그, 그런가요.”

익숙하지 않은 숲속을 걷는 건 나도 지쳤다. 나무뿌리가 지면에 튀어나와 있기도 하고, 장소에 따라서는 진창도 있어서 발이 미끄러졌다.

그런 곳을 나아가자고 말했던 것은 2대다.

『익숙하지 않을 거라고는 생각은 했지만, 이렇게나 심하니 걱정이 되는군. 라이엘, 돌아갈 때도 숲으로 가라. 이것도 훈련의 일환이야.』

걷는 법을 가르쳐준 2대 덕분에 나는 수치를 겪지 않을 수 있었다.

하지만 숲속이 그렇게 걷기 힘들 줄은 몰랐다. 만약 그런 곳에서 전투라도 발생한다면 큰일일지도 모른다.

숲을 나오자 젤피 씨가 멀리 보이는 마을을 가리키며 말했다.

“저곳이 마이니가가 다스리는 마을이네. 소피아, 너는 면식이 있으니까, 몸단장을 해둬. 우선은 머리에 붙은 나뭇잎 같은 것을 떼어낼까.”

소피아 씨가 황급히 머리에 손을 올렸다.

얼굴을 붉히며 당황하는 모습이 평소의 성실한 모습과 달라서 재미있었다.

젤피 씨가 도와주는 사이 내가 중얼거렸다.

"그건 그렇고, 역대 당주들의 아츠는 편리하네요."

하지만 평소 상태에서 사용하는 건 힘들다. 초대의 아츠인 【풀 오버】라는, 능력을 끌어올리는 아츠를 사용해서 다른 아츠를 사용하고 있다.

내 마력이 버티지 못하기 때문에 잠깐잠깐 사용할 수밖에 없다. 하지만 그럼에도 상상 이상으로 빨리 목적지에 도착했다.

4대가 자랑스럽게 설명해주었다.

『뭐, 지원계 아츠는 이런 게 특기니까요. 눈에 띄지 않을 뿐, 성능은 파격적이라고 생각합니다. 특히 5대와 6대의 아츠는 비겁하다고 해도 좋죠.』

5대가 짧게 말했다.

『비겁? 좋네. 칭찬이야.』

4대가 키득키득 웃었다.

『그렇죠. 칭찬입니다.』

비겁이 칭찬…… 역대 당주의 감각은 이해를 못하겠다. 하지만 주변 지형을 파악하고, 적과 아군의 위치까지 알 수 있는 건 확실히 비겁하다고 해도 좋을 만큼 유능한 아츠다.

그걸 상시 사용할 수 없는 나는 보옥에 기억된 아츠를 잘 다루지 못하는 셈이다.

또한, 3대와 7대의 아츠도 사용할 수 없다.

초대의 아츠는 강화계로, 능력을 향상시키는 아츠다.

2대의 아츠는 타인에게 아츠를 사용할 수 있게 해주는 아츠. 단, 그걸 위해 타인과 자신의 위치관계를 정확하게 파악할 수 있게 해준다는 부차적인 효과가 굉장한 아츠다.

3대의 아츠는 정신에 작용한다고 들었지만, 나는 다루지 못한다.

4대는 이동속도의 상승. 일시적이거나 폭발적인 게 아니라 일정한 속도 상승을 유지할 수 있는 타입이다.

5대는 주변의 지형 파악.

6대는 색적.

7대는 공간계 아츠라고 들었다.

종류도 무척 풍부하고, 믿음직한 아츠가 갖춰져 있다.

"여기에 시끄럽지만 않았다면 최고였을 텐데……."

내가 중얼거리자 초대가 불만을 입에 담았다.

『정말이라니까. 이놈들 시끄러워서 못 써먹겠어.』

2대가 코웃음 쳤다.

『가장 시끄러운 녀석이 무슨 소리야.』

보옥 안에서 평소와 같은 대화가 들려왔다. 덕분에 마력이 깎여서 오늘은 더 이상 아츠를 쓸 수 없을 것 같다.

두 사람이 준비를 마치는 걸 확인하고 우리는 마을을 향해 걸어갔다.

우리는 소피아 씨의 이름을 써서 마이니가 저택으로 안내를 받았다.

마을 규모는 페이건가 영지의 거의 다섯 배는 컸다. 다수의 영지를 규합하는 마을이며 저택도 훌륭했다.

왠지 구질구질했던 페이건가와는 달리 마이니가는 착실했다. 아니, 엄숙한 느낌의 마을이었다. 우리가 영주의 손님이라는 걸 알자 영지민들은 길을 비키며 고개를 숙이고 실례되지 않는 태도를 취했는데— 어딘가 무서워하는 느낌이었다. 그게 당연하다는 느낌으로 길안내를 받아 저택까지 왔다.

저택에서는 더러워진 우리를 위해 물을 준비해줬다. 더러운 부분을 닦고 저택에 들어가자 마이니가 당주【메다르트 마이니】가 면회해주었다.

데일 씨와 비하면 모든 것이 반대였다. 키는 보통. 통통하지만 수트를 입고 있어서 몸가짐은 듬직했다. 회색 머리는 끄트머리가 바깥쪽으로 구부러졌고, 수염도 있는 30대의 남성이었다.

그리고 눈매가 조금 나빴다. 언뜻 보면 이야기에 나오는 악역 같다. 악덕 영주 역할로 나온다면 납득할 것 같았다.

그런 마이니 씨에게 소피아 씨가 웃으며 인사를 했다.

"메다르트 씨, 오랜만입니다."

메다르트 씨는 조금 안쓰러운 표정을 지었다. 소피아 씨의 환경을 알고 있기 때문이겠지.

"건강해 보여서 안심이군, 소피아 아가씨. 하지만, 라우리가의 일은 같은 배신 기사로서 뭐라 말해야 좋을지……."

소피아 씨가 살짝 고개를 숙였다.

"아뇨, 주어진 토지를 지키지 못했던 것은 사실이니까요. 그리고 라우리가에는 숙부님도 계시니, 명맥이 끊긴 건 아닙니다."

소피아 씨의 숙부가 이 지방의 양부모인 영주를 섬기고 있었다. 그러니 명맥이 끊긴 것은 아니다. 그저, 친가인— 본가 라우리가가 명맥이 끊겼을 뿐이다.

이유는 이 지방에서 날뛰던 도적단이 마을이 덮쳐서 당주와 일가가 도적에게 살해당했기 때문이다. 보통은 소피아 씨가 데릴사위를 들이는 이야기가 나올 것이었다. 하지만 지켜내지 못했다는 사실도 있어서 주어진 영지를 몰수당했다.

소피아 씨도 가혹한 인생을 걷고 있는 것처럼 보였다.

"확실히. 그럼. 오늘 이쪽에 찾아온 용건은……."

메다르트 씨가 나를 보며 복잡한 표정을 보였다. 그리고 다시금 등을 쫙 펴고는 말투와 표정을 진지하게 바꿨다.

"주군이신 영주님께 편지가 왔습니다. 라이엘 공에게는 가급적 배려하라고 적혀있더군요. 동시에 귀족의 이름이 몇 명 더 적혀있었습니다. 꽤나 은혜가 있는 모양이군요."

3대가 즐거워하며 말했다.

『도난품을 회수할 때 무료로 반환한 게 잘 통한 모양이네. 이야~ 좋은 일을 한다는 건 중요하다니까.』

3대가 말해도 설득력이 없다.

도적단을 쓰러뜨릴 때 그들이 가지고 있던 재산은 내게 소유권이 있었다. 그것들을 무상으로 반환한 경위가 있어서, 소피아 씨는 그 은혜를 갚기 위해 내게 찾아왔다. 그리고 지금은 그게 내 안전이 확보되는 요인이 되었다.

7대도 만족스러워 보였다.

『벤틀러 녀석, 제대로 뒷공작을 해두고 있었던 모양이군. 뭐, 하지 않았다면…….』

후반이 신경 쓰였지만 듣고 싶지는 않았다. 역대 당주 전원이 영주라는 지위에 있었던 만큼, 과격한 발언도 많았다.

나는 메다르트 씨를 보면서 곤란한 듯이 웃었다.

"아뇨, 제가 한 일은 도적을 쫓아냈을 뿐이니까요."

그러나 메다르트 씨는 사정을 짐작한 모양이다.

"그것만으로는 자작님이 이렇게까지 대응하시지 않겠지요. 배신인 나는 자작님의 명령을 따를 의무가 있습니다. 게다가, 그쪽 남작님은 사태를 발전시키지 않겠다는 생각이신 모양이고요."

이 지방의 양부모는 자작이었던가.

그런 생각을 하면서, 역대 당주가 말했던 대로 사태가 진행되는 것에 감탄했다.

내가 동요하는 모습이 없어서 메다르트 씨는 조금 재미없다는 표정을 지었다.

"사정을 들으셨는지?"

"아뇨, 예상은 하고 있었습니다."

젤피 씨는 안심한 모습이었다. 소피아 씨는 이해하지 못했는지 나와 메다르트 씨의 얼굴을 교대로 보고 있었다.

메다르트 씨가 소피아 씨에게는 편한 말투로 설명했다.

"아~ 다시 말해서. 이쪽에서는 손을 댈 수 없다는 뜻이지. 재미는 없다만."

메다르트 씨로서는 가신이 살해당했고, 수상하게 여기고 있는 페이건가에 손을 대지 못하는 상황은 재미있지 않다. 그러나 양쪽의 양부모가 다투고 싶지 않다는 자세고, 은인인 나라는 방패도 나타나서 메다르트 씨도 손을 대지 못한다는 뜻이다.

3대가 단언했다.

『뭐, 여기에 라이엘을 파견한 시점에서 전부 해결된 셈이지. 잘 됐군 잘 됐어, 라는 거야.』

……아무것도 해결된 것처럼 보이지 않는데?

그러자 소피아 씨가 메다르트 씨에게 물었다.

"저기, 메다르트 님. 이번 건은 대체 어떻게 된 겁니까? 그쪽에서는 일방적인 생트집이라고 말하고 있는데요?"

메다르트 씨의 표정이 험악해졌다.

"일방적이라고! 그놈들, 아직도 그런 소리를 하는 건가!"

그렇게 말한 메다르트 씨는 편지를 주머니에서 꺼냈다. 깔끔한 글자는 아니지만 정중하게 썼다는 것은 보면 알 수 있다.

보여준 편지에는 마이니가 가신의 시체가 페이건가에 있다는 이야기가 적혀있었다.

젤피 씨가 편지를 보고, 다시 메다르트 씨를 봤다.

"이건 대체……."

"행방불명된 가신을 찾으려고 준비를 하고 있던 차에 마을에 닿은 편지지. 보낸 사람은 모르겠지만, 바로 사자를 보냈다. 그랬더니 봐라. 정말로 페이건가에 내 가신의 시체가 있었던 거다."

젤피 씨가 뺨을 손가락으로 긁적였다.

"으음~ 저쪽의 주장으로는, 시체를 발견한 직후에 그쪽에서 왔다, 고 하던데요."

메다르트 씨의 분위기가 변했다.

"죽은 가신은 성실한 녀석이었다. 부지런하고, 전장에서도 용감한 전사였던 남자다. 시체를 봤는데, 심한 상처가 있더군. 확실히 마물에게 살해당했을지도 모르지. 하지만, 마물이 인간의 무기를 빼앗을까?"

젤피 씨는 「그다지 들어본 적은 없네요」라고 답했고, 나는 중간에 끼어들었다.

"저기, 나중에 벗겨졌다고는 생각해보지 않으셨나요? 그 이후에 시체가 회수되었다든가……."

메다르트 씨가 말했다.

"그 숲은 도적이 숨어있기에는 적합하지 않습니다. 이 주변도 마찬가지지요. 이 주변 영지에는 남작님이 자주 병사를 보내서 마물이나 도적 퇴치를 하고 있으니까 말입니다. 페이건가 녀석들은 아무렇지도 않게 생각할지도 모르지만, 남작님은 녀석들을 신경 써주셔서 이 주변까지 병사를 보내주고 계시는 것입니다."

2대가 점점 페이건가의 평가를 내려갔다.

『뭐야, 그 녀석들 항상 신세를 지고 있었던 건가? 그거라면 조금 이야기가 변하는데…….』

젤피 씨가 뭔가 떠오른 표정을 지었다.

"그러고 보니, 이 주변까지 병사를 내주고 계셨죠."

메다르트 씨가 끄덕였다.

"정중하게도 내가 있는 곳까지 사정을 설명하러 오시더군. 그 영지에 들르지 않은 것도 부담을 주지 않기 위해서야. 그렇게까지 받고 있는데도 도적이 있다고 할 셈인가? 타이밍 좋게 들렀을 가능성도 부정할 수는 없겠지. 하지만, 녀석들은…… 페이건가는 신용할 수가 없어. 시체를 발견하고 일부러 자기들의 마을로 가져갔을 가능성도 있지. 죽은 가신은, 스스로 영지를 넘어갔을 것이라고는 생각하기 힘들어."

즉, 페이건가의 영지에서 죽었다고는 생각하기 힘들다고 말하려는 거겠지.

"하지만, 일부러 시체를……."

옮기는 게 무슨 의미가 있는 걸까? 2대가 내게 사정을 설명했다.

『라이엘, 영지를 넘어버리면 이야기가 복잡해진다. 잘 들어. 영주에게는 영지의 모든 것이 자기 재산이다. 그건 마물에게서 빼앗는 마석이나 소재도 마찬가지지. 시체가 영지 바깥에서 발견된다면, 수세에 몰리는 건 마이니가가 된다. 불법으로 침입해서 뭔가를 했다는 공세를 받을 이유가 되니까.』

초대가 귀찮다는 듯이 중얼거렸다.

『복잡하네. 대표자가 나와서 치고받으라고. 그거면 해결되잖아.』

절대로 해결되지 않을 것 같다.

소피아 씨가 메다르트 씨에게 물었다.

"신용할 수 없다는 건 무슨 말씀이신가요?"

메다르트 씨는 뭔가를 떠올렸는지 짜증을 내고 있었다.

"페이건가의 선선대와 마이니가는 분쟁까지는 아니지만 다툰 적이 많았지. 숲의 이권 관계나, 강물 쟁탈. 세려면 끝이 없을 정도야. 하지만 그건 됐어. 문제는 선대야."

메다르트 씨의 말로는, 선대는 양 가문의 우호관계를 세우기 위해 접근했다고 한다. 주변 영주와의 관계를 넓히고, 그리고 숲을 지나는 가도를 설치하자는 이야기를 가져왔다고.

"양 가문 사이에 있는 숲은 일종의 벽 같은 역할을 했지. 하지만 마물이 살기 쉬워서 피해도 커. 개척하면 쓸 수 있는 토지도 늘겠지. 그러니 협력하자는 이야기를 가져왔었어. 하지만!"

가도 정비나 숲 개척 등등은 양 가문만으로는 어렵다며, 메다르트 씨에게 자금 조달을 부탁했다고 한다.

그래서 양 가문의 양부모나 주변에 사전교섭을 시작했지만…….

"결국, 숲이 현상유지인 것을 보면 알겠지? 계획은 조금도 진척되지 않았어. 페이건가 녀석들은 자금만 제공하게 만드는 게 목적이었던 거야. 덕분에 사전교섭을 했던 내 입장도 난처해졌지."

4대가 어이없다는 목소리를 냈다.

『그건 또, 저질러 버렸군요.』

젤피 씨가 미안해하며 말했다.

"저기, 페이건가는 대가 바뀌어서, 그런 사정이 잘 인계되지 못했던 게 아닐까요……."

"그래! 그건 알고 있다! 하지만, 뒤를 이은 애송이는 아무런 말도 하지 않았어! 인근에 인사조차 하지 않았단 말이다! 그보다도 심했던 게 페이건가 녀석들…… 당주와 적자, 그리고 명사를 데리고 전쟁이라고? 장난치는 건가?"

대신할 수가 없는 인재. 영지의 중심인물들을 데리고 참전해서, 당주와 적자, 그리고 명사까지 전사했다고 들으면 확실히 무슨 생각이었는지 묻고 싶어진다.

중요한 계획이었다. 그러나 그게 무너진 원인은 페이건가에 있다고 해도 과언이 아니다.

3대도 페이건가의 행동을 이상하게 생각한 모양이었다.

『어떤 의미로는 자멸할 생각이었느냐고 물어도 할 말이 없겠네. 명사의 딸이 대행을 맡고 있는 걸 보면, 후계자의 준비도 하지 않았던 것 같고.』

6대도 어이없어했다.

『있을 수 없군요. 마이니가 당주가 바보 취급 하는 거냐고 생각하는 것도 납득이 갑니다. 자멸한 걸로밖에 보이지 않는군요.』

소피아 씨가 메다르트 씨에게 동정하는 말을 보냈다.

“메다르트 님. 그러고 보니 3년 전에 돌아다니셨던 건…….”

“협력을 요청했던 영주들에 대한 사죄지. 대가 막 바뀌었으니 큰일이라고 생각해서, 이쪽에서 전부 수배했었지. 그런데, 그 애송이는…….”

아무래도 데일 씨는 그런 사죄의 인사도 거부했다고 한다. 성실해 보였는데, 의외였다.

소피아 씨는 고개를 수그리며 입을 열었다.

“역시, 페이건가의 잘못이군요.”

젤피 씨도 곤란한 표정을 지었다.

“마음은 이해하지만, 저쪽으로 돌아가면 얌전히 있어줬으면 좋겠어.”

메다르트 씨도 같은 의견이었다.

“그러는 편이 좋겠지. 그래도, 이쪽은 간단히 물러날 수 없다만.”

3대가 웃었다. 뭐가 즐거운 걸까?

『아하하, 뭐랄까 질척질척하네. 이크, 라이엘이 이해하지 못하는 표정을 짓고 있잖아.』

확실히 이해할 수 없다. 이번 문제나 이쪽 사정은 내겐 어려웠다.

2대가 탄식을 내쉬었다.

『아니. 괜찮다, 라이엘. 이런 건 복잡하니까. 아무튼 요점만 파악하자면…… 아아, 오늘이라도 이쪽에 얼굴을 내밀어라. 일단은 알기 쉽게 설명해줄 테니.』

나는 그냥 방패 역할이 아니었던가? 복잡한 문제를 앞에 두고 나는 앞으로 어떻게 해야 할지를 역대 당주들에게 물어보기로 했다.

밤.

우리는 마이니가 저택에서 자게 되었다.

나는 객실에 누워서 보옥 안으로 의식을 보냈다. 그곳에서 기다리던 역대 당주들이 이번 사건을 내게 설명해주는 흐름이 되었는데…….

"솔직히, 복잡하네요."

2대가 끄덕였다.

『그런 법이지. 아무튼, 요점만 정리하자.』

그렇게 시작된 설명은—.

『양 가문은 옛날부터 경계를 사이에 두고 실랑이를 벌이던 안 좋은 사이.』

『마이니가의 가신이 살해되고, 무구가 벗겨진 채 페이건가 영지에서 발견.』

『덤으로 이 시기에 편지가 마이니가에 당도. 가보니 사망한 가신이 발견.』

『마이니가는 페이건가를 의심.』

『페이건가는 무고함을 주장.』

『서로 긴장 상태가 이어짐.』

—흐름은 이해했다. 다만, 내게는 알 수 없는 부분이 많았다.

"장비가 벗겨진 게 문제가 아닌 거네요."

3대가 앞머리를 매만지면서 내게 설명해주었다.

『개인적으로는 있지 않을까? 하지만 중요한 건 어느 영지에서 죽었느냐, 그거겠지. 죽은 가신은 성실해서 영지를 넘을 만한 위인이 아니라고 했지만, 뒤에서 무슨 짓을 했는지까지는 알 수 없으니까. 다만, 편지가 굉장한 타이밍에 당도한 게 수상하네. 누구일까?』

초대가 머리를 감싸 쥐었다.

『찾아낸 직후에 사자가 왔으니까…… 편지는 그보다도 먼저 당도했었다는 거잖아? 보낸 놈은 누구야!』

2대는 이마를 누르고 있었다.

『알고 있다면 이렇게까지 곤란하지 않았을 거다. 아마 누군지 들키지 않도록 편지만 마을 어딘가 눈에 띄는 곳에 놓아둔 거겠지.』

나는 생각에 잠겼다.

내가 이해하지 못하는 부분을 3대가 설명해주었다.

『라이엘, 영지에 있는 모든 것은 영주의 소유물이야. 그건 마물도 같고, 마석이나 소재에 관해서도 당연히 영주에게 권리가 있어. 멋대로 들어가서 마물을 쓰러뜨리고 가지고 나오면 혼나는 거야.』

"저기, 저는 다리온에서 모험가로 지내며 마물을 사냥하고 있는데, 그건 괜찮은 건가요?"

『그건 벤틀러가 길드를 통해서 허가를 내렸고, 마석에는 세금이 붙잖아? 다리온에서는 그런 방식인 거야. 하지만 그건 다리온에서 통하는 규칙이지. 다른 곳에서는 다를 테니까 조심하도록 해.』

나는 뭔가를 깨닫고 놀랐다.

"그럼, 여행을 할 때 마물을 쓰러뜨리면, 반드시 보고할 의무가—."

2대가 고개를 가로저었다.

『라이엘…… 그렇게까지 신경 쓸 건 없어. 습격을 받으면 어쩔 수 없이 싸워야하고, 쓰러뜨리면 그대로 목적지에서 팔아라. 일일이 보고하면 끝이 없으니까. 그보다, 보고하면 괜히 일만 벌이는 꼴이야. 잠자코 넘어가면 되는 거야. 단, 그걸로 돈벌이를 하는 것을 목적으로 삼는다면 이야기는 다르겠지만.』

이번 사건, 그 사망했다는 마이니가 가신이 영지 바깥에서 죽었다.

보통은 마이니가의 메다르트 씨가 사죄해야 하는 입장이다.

그러나 아무래도 의심스럽게 생각하는 모양이다. 노상강도가 쓰러진 가신에게서 장비를 벗겨냈다면 이해가 가지만, 시신을 이동시킨 이유가 있다면 이야기는 다르다.

단순한 노상강도라면 그런 짓을 할 필요성이 없기 때문이다.

그 설명을 들은 나는 납득했다.

"아아, 그래서 수상하다고 의심하고 있는 거군요. 평범한 노상강도가 아니라고. 하지만 가신이 영지를 넘었을 가능성도 부정할 수는 없으니까……."

의욕이 없는 5대가 내게 말했다.

『라이엘, 너는 이 건에 깊이 얽히지 마. 네가 할 일은 달성한 거나 다름없고, 더 이상은 필요 없어.』

확실히, 벤틀러 씨는 양부모끼리 다투고 싶지 않기 때문에 나를 파견한 거고, 상대도 그 의도를 알아주었으니 내 일은 끝난 거나 다름없다.

"그래도 괜찮나요? 그리고…… 전 언제까지 이 지역에 있어야 하죠?"

2대가 턱에 손을 갖다 댔다.

『뭐, 라이엘이 중간에서 대화를 중개해야겠지. 어차피 결판은 나지 않을 테니, 양부모에게 이야기를 가져가서 중재를 해달라고 하는 형태가 될 거다.』

구질구질하게 보이지만 그런 법인 모양이다. 다만, 초대의 의견은 달랐다.

『뭐야? 자기 가신이 죽었는데 물러난다고? 게다가 페이건가도 얼간이들이야. 생트집을 잡아온다면, 무기를 들고 싸우면 될 거 아냐. 나라면 절대로 용서하지 않아.』

팔짱을 끼고 있는 초대라면 정말로 상대방 쪽으로 쳐들어갈 분위기였다.

"지금까지 주변과 싸우기만 했다는 분위기네요."

그러나 2대가 어깨를 으쓱했다.

『아니, 싸움 같은 건 없었다.』

"네?!"

이 혈기왕성한 초대가 싸우지 않았다는 게 놀라웠다. 3대를 보자 긍정하더니 당시 월트가의 사정을 설명해주었다.

『라이엘. 저번에도 말했지만, 초대는 드래곤 슬레이어야. 게다가 혼자서 쓰러뜨렸지. 주변의 성가신 야만족들도 힘으로 복속시킨 강자야. 누가 싸움을 걸겠어? 문제가 생겨도 상대방 쪽이 물러나고, 양부모도 정말 무서워했었다고. 거짓말이 아냐.』

월트가의 영지 주변은 사이가 좋은 폭스즈가 말고는 초대를 무서워하는 영지밖에 없었다고 한다.

초대도 처음 들은 모양이었다.

『어, 그랬어? 농담이 아니었던 거냐?』

왜 본인이 모르는 걸까?

3대는 진지하게 설명해줬다.

『2대는 조금 더 나았지만, 효율을 우선시해서 귀족인데도 활을 써서 마물이나 도적을 팍팍 쓰러뜨리며 돌아다녔거든. 내가 양부모나 주변 영지에 대가 바뀐 인사를 돌아다녔을 때는 놀랐다니까. 이야~ 고생했다고. 상대가 떨고 있는 걸 보니까 얼마나 무서워하고 있는 건지 이해할 수 있었어.』

2대가 다른 역대 당주나 내 시선을 보고 고개를 돌렸다.

『아, 아니. 그래도 양부모의 의뢰로 마물 토벌이나 도적 토벌에는 적극적으로 참가했다고. 그렇게 무서워할 일은…… 나는 제대로 인사나 관계도 다지고 있었고!』

3대는 조금 슬프게 웃었다.

『훗, 내가 당주가 될 때까지 주변 영주들하고는 최저한의 관계밖에 가지지 않았다고. 폭스즈가가 없었다면 완전히 고립되었을 걸. 애초에 양부모의 의뢰도 폭스즈가를 경유해서 전달될 정도였으니까.』

월트가는 폭스즈가에게 입은 은혜가 너무 많아서 셀 수도 없을 것 같다. 역대 당주 전원이 신세를 지고 있었던 것 같다.

그렇게 무서워하고 있었다는 건 놀라웠지만, 잘 생각해보면 초대가 저모양이다.

무서워하지 말라는 게 무리일지도 모른다.

이윽고 4대가 헛기침을 했다.

『자, 그럼 결론적으로 세 분의 의견은?』

그 물음에 초대부터 3대까지는 자신의 의견을 내놓았다.

『당연하지. 당사자끼리 치고받아서 해결하자고!』

『뭐, 얽혀봤자 별 도리가 없지. 이런 건 계속 쌓여왔던 불만도 있을 테니까. 딱히 이번 문제만 해결해봤자 의미가 없으니 방치야.』

『결론! 일주일 정도 체류하다 돌아가자! 그걸로 의뢰는 종료고, 벤틀러를 슬쩍슬쩍 찔러서 보수를 추가로 받자고!』

대놓고 내팽개친다고나 할까, 자기 일만 마치면 된다는 결론에 이른 모양이다.

4대도 안도하고 있었다.

『그렇긴 하죠. 라이엘이 얽혀봐야 어쩔 수 없으니까요. 하지만 그러면 체류하는 기간이 아깝군요. 근처에 숲이 있으니까 거기서 경험이라도 쌓을까요.』

6대도 팔짱을 끼며 끄덕였다.

『이의 없음!』

5대는 탄식을 내쉬었다.

『양자의 분쟁 같은 건 귀찮으니까. 나도 고생했어.』

7대는 불만인 것 같다.

『라이엘에게 이런 일이나 시키다니……. 벤틀러 그 애송이 놈. 나중에 두고 보자.』

이렇게 나는 이번 문제에 얽히지 않는 것으로 결정됐다. 정말 이래도 괜찮은 걸까?

제22화 고백

—라이엘 일행이 마이니가 영지로 향한 날 밤.

노웸과 아리아는 오두막에서 온수를 준비해서 몸을 닦고 있었다. 옷 같은 것도 빨고, 식사도 하고 말을 돌보는 것도 끝내니 한가로운 시간이 찾아왔다.

랜턴의 불빛 아래에서, 아리아는 라이엘 일행의 걱정을 하고 있었다.

"그 세 사람, 괜찮을까?"

노웸은 바닥에 앉아서 자신의 무기인 지팡이를 닦고 있었다.

"괜찮아요. 소피아 씨는 그쪽 영주님과 면식이 있고, 젤피 씨도 있으니까요."

소피아의 이름이 나오자, 아리아는 무릎을 끌어안으며 조금 고개를 숙였다.

"소피아라……. 역시, 라이엘은 그런 느낌의 아이가 좋은 걸까?"

아리아는 자신과 소피아를 비교해봤다.

긴 흑발은 살랑살랑하고 예쁘다. 게다가 자신과 달리 차분한 분위기도 있고, 가슴도 커서 여성답다.

노웸은 그런 아리아의 말을 듣고 답했다.

"라이엘 님은 아리아 씨를 싫어하지 않아요."

아리아도 짐작은 하고 있었다.

"하지만, 곤란해 하고 있잖아. 내 신병 인수 이야기도, 라이엘은 얽히지 않았었고. 도와준 건 기쁘지만, 왠지 내가 라이엘에게 빌붙어 있기만 하는 기분이 들어서…… 조금, 마음이 무거울, 지도."

노웸은 곤란한 표정을 지으며 조용히 라이엘의 옛날이야기를 시작했다.

"라이엘 님은 친가인 백작가에서 쫓겨나셨어요. 여동생인 세레스 님과 싸우고, 정말로 참혹하게 패하셨으니까요."

아리아는 그 이야기에 의문을 느꼈다. 듣기는 했지만, 도적단 수령에게 이겼던 라이엘이 약하다고는 생각할 수 없었다. 실제로 한동안 함께 보내보고 자신들과는 움직임이 다르다는 걸 알게 되었다.

그렇기에 더더욱 아리아는 침울해졌다.

라이엘의 도움이 되지 못하고 있기에.

"그거, 조금 신기하네. 라이엘이 지는 걸 상상할 수 없다고나 할까……. 게다가, 쫓겨날 정도로 심했던 걸로는 보이지 않고. 때때로 뭔가 묘한 부분에서 곤란해 하는 걸로 보이던데."

노웸이 단호하게 말했다.

"철부지, 이시니까요. 하지만 어쩔 수 없어요. 라이엘 님은 친가에서 가혹한 대우를 받고 계셨어요. 게다가 자신에게 가치를 찾아내지 못하고 계시니까요."

"자신에게 가치를? 그, 그래도, 라이엘은 마법도 쓸 수 있잖

아. 바로 쓰러지긴 하지만, 검 실력 같은 것도 차원이 다르고.”

노웸은 고개를 가로저었다.

“그럼에도, 자신을 인정하지 못하시는 거예요. 계속 패해오고, 냉대를 받아와서 자신감을 가지지 못하시죠. 비굴한 말을 하시는 건 그 때문이에요. 세상 물정을 모르는 건, 줄곧 저택에서 연금을 당하셨기 때문이에요. 인간관계도 서투시고요.”

“그, 그렇구나. 라이엘도 여러모로 고생이었네. 나 같은 애는 그나마 풍족한 편이었을지도…….”

아리아는 라이엘의 환경에 대해 생각했다.

‘연금 생활로 세상 물정을 모르고, 여동생에게 패해서 집에서 쫓겨난 건가. 조금 이상하지만, 젤피도 똑같은 말을 했으니까 사실이겠지. 하지만, 그러면…….’

아리아는 중얼거렸다.

“나, 라이엘의 도움이 될 수 있을까?”

노웸은 미소 지었다.

“네, 지금도 도움이 되고 있어요.”

“어떤?”

“라이엘 님은 아리아 씨와 대화를 하는 것만으로도 여러모로 배우고 계세요. 때때로 차가운 인상으로 느껴질지 모르지만, 라이엘 님은 인간관계를 이해하지 못하세요. 그러니까, 정말로 모르시는 거예요. 아리아 씨는, 그런 라이엘 님의 곁에 있어주셨으면 좋겠어요. 있어주시는 것만으로도 이미 도움이 되고 있으니까요.”

아리아는 노웰에게 의문으로 생각하던 것을 물었다.

"전부터 신기하게 생각하던 건데……."

"뭔가요?"

"어째서 노웰은 라이엘에게 그렇게까지 해주는데? 전 약혼자고, 사랑하고 있다면 나나 소피아는 곁에 두고 싶지 않은 거 아냐? 그도 그럴 게……."

노웰은 입가에 손을 대고 키득키득 웃었다. 그 순간, 랜턴의 불이 꺼지고 밝기가 사라졌다.

"신경을 써주셔서 고마워요. 하지만, 괜찮아요. 그게 라이엘 님이 바라시는 거고, 라이엘 님을 위하는 것도 되니까요."

창문에서 내리쬐는 달빛 덕분에 노웰이 미소 짓고 있다는 걸 알 수 있었다. 순간 표정이 보이지 않았지만, 아리아는 노웰이 진심으로 그렇게 생각하고 있는 것처럼 보였다.

"……여성에게 둘러싸이는 걸 바란다니."

노웰이 말했다.

"확실히 못 쓰겠네요. 하지만 본인은 그게 무슨 의미인지 그다지 알지 못하실 거라 생각해요. 게다가……."

"게다가?"

"라이엘 님께는, 저 말고도 받쳐줄 수 있는 사람이 필요해요."

그렇게 말한 노웰은 조금 슬픈 표정을 지었다.

—다음날 오후 무렵.

노웰과 아리아가 어제와 마찬가지로 영지에서 조금 떨어진 광장에서 마법 연습을 하고 있는데, 데일과 재퍼가 찾아왔다.
두 사람은 마법 연습을 중단하고 이야기를 들었다.
“저기, 무슨 일이시죠? 이곳을 사용할 허가는 받았는데요?”
노웰의 말에 데일이 조금 안절부절못하는 태도를 보였다.
“아, 아니, 그 건이 아니라…… 말이죠.”
데일이 또렷하지 않은 태도를 보이자 아리아도 고개를 갸웃했다.
“라이엘 일행이라면, 오늘 중에는 돌아올 거라 생각하니 이야기는 그때부터라도—.”
그러자 재퍼가 데일의 태도를 견디지 못하고 입을 열었다.
“아아, 답답하네! 저기 말이야, 조금 묻고 싶은데, 너희들 마법을 쓸 수 있는 거지?”
노웰이 긍정했다.
“네. 뭔가 도움을 원하시면, 가능한 범위에서 협력은 해드릴 텐데…….”
재퍼가 노웰의 말을 가로막고 데일의 등을 밀어서 아리아 앞으로 보냈다. 아리아가 한 발 물러나자 재퍼가 말했다.
“이봐, 당신— 데일과 결혼해주지 않겠어!”
갑작스러운 요청에 아리아가 놀랐다.
“……네?”
데일이 재퍼를 막으려 했다.
“재퍼, 역시 이런 건 좋지 않아.”
“왜 네가 소극적인 건데! 기회잖아! 마법을 쓸 수 있다는 건 귀족이라고. 네가 결혼해서 후계자를 준비하지 않으면 이 영지는 어떻게 되는 건데! 게다가, 귀엽잖아! 딱히 싫지는 않지? 안 그래!"

갑작스러운 요청, 그리고 무례한 태도에 노웹도 아리아도 곤혹감에 빠졌다. 다만, 노웹은 재퍼의 발언을 듣고 떠올렸다.

"어제 엿보던 사람은 당신이었나요. 그다지 칭찬받을 행동은 아니네요."

그러자 재퍼가 노웹을 노려봤다.

"뭐, 뭐가 어때서. 여기는 우리의 영지야. 게다가 모험가를 하고 있다는 건 그쪽도 뭔가 이유가 있는 거잖아? 지금이라면 페이건가의 본처라고. 모험가 같은 부평초 신세보다는 훨씬 장래성이 있잖아?"

그러자 아리아가 고개를 가로저었다.

"아, 안 돼. 게다가, 나는 라이엘에게 신병이 맡겨져 있으니까."

그러자 묵묵히 있던 데일이 놀라서 아리아 쪽을 바라봤다.

"그건 무슨 소리입니까?"

아리아는 노웹 쪽을 봤다. 노웹이 대답했다.

"사정이 있어서 지금의 아리아 씨는 라이엘 님이 신병을 인수하고 계세요. 게다가 같은 모험가 파티로서 일하는 동료죠. 그런 요청을 받아들일 수는 없네요."

재퍼는 계속 물고 늘어지려고 했지만— 그런 재퍼를 밀어낸 데일이 노웹과 아리아에게 강한 말투로 말했다.

"그런 건 잘못됐어! 신병을 인수했다니, 그쪽 사정은 모르겠지만…… 노웰이었지? 너는 그 라이엘의—."

"전 약혼자에요. 지금은 곁에서 모시고 있죠."

데일은 노골적으로 분개하고 있었다.

"이런 사람이 있는데도, 다른 여성의 신병을 인수하다니……. 아리아, 나라도 괜찮다면 너를 도와주겠어."

도와준다고 해도, 아리아에게는 난처한 이야기다. 도적단 토벌이나, 아리아의 아버지가 그 도적단에 협력했고, 라이엘이 그걸 구해줬다는 이야기는 하지 않았다.

그러니 데일은 라이엘이 비도덕적인 수단으로 아리아를 자기 것으로 삼았다고 생각한 걸지도 모른다.

"아뇨, 괜찮은데요. 저는 지금 이대로라도—."

아리아가 그렇게 말하려던 그때, 말다툼을 하던 네 사람 곁에 파오라가 달려왔다.

"데일, 재퍼! 세 사람이 돌아왔어. 어떻게든 싸움은 회피할 수 있을 것 같대!"

파오라는 라이엘 일행의 보고에 안도했는지 무척 좋은 미소였다. 빨리 두 사람에게 보고하고 싶었던 것이리라. 달려오면서 두 사람을 찾고 있었다.

그러나 데일의 진지한 표정을 보자 파오라는 놀랐다.

"왜 그래?"

재퍼는 어깨를 으쓱했고, 데일은 어깨를 들썩였다.

"……라이엘을 만나러 가겠어."

그렇게 말하며 그 자리를 떠난 데일의 등을 네 사람이 각자 다른 감정을 갖고 따라갔다—.

『웃기고 있어, 그 망할 애송이가아아아!!』

초대가 날뛰었다.

장소는 영지에서 조금 떨어진 광장이다.

광장은 바닥이 조금 파여 있어서, 마법 연습을 한 흔적이 엿보였다.

모여 있는 구경꾼은 영지의 주민들. 꽤 많은 숫자가 광장에 모여서 마주 보는 두 사람을 바라보고 있었다.

광장에서 대치하는 것은—.

"너, 절대로 용서 못해!"

—창을 든 아리아 씨와—.

"그건 제가 할 말입니다!"

—배틀 액스를 든 소피아 씨였다.

어째서 이렇게 된 걸까? 영문을 모르겠다. 옆에 선 노웸에게 시선을 보냈다.

"노웸, 어떻게 된 거야?"

노웸도 곤란해 보였고, 상황을 받아들이지 못한 젤피 씨도 노웸 쪽을 보고 있었다.

"나도 묻고 싶네. 왜 돌아오자마자 영주님이 라이엘에게 고함을 치고, 그대로 아리아와 소피아의 결투가 된 거야?"

영지에 돌아온 우리는 파오라 씨에게 회담이 성공했다고 전하고 데일 씨를 불러달라고 했다. 파오라 씨는 그걸 듣고 무척 기뻐하며 데일 씨를 찾으러 갔다.

잠시 뒤 데일 씨가 왔다. 어째서인지 무척 화를 내고 있었고, 내게 이런저런 불만을 토해냈던 건 기억하고 있다.

기억하고 있지만 그때 소피아 씨가 끼어들었다.

"작작 좀 하시죠! 이쪽은 당신들을 위해 무척 고생을 했는데……. 라이엘 공도 마찬가지입니다! 좀 더 단호하게 나서세요! 그런 태도면 어떻게 합니까! 좀 더 당당하게 행동해주세요!"

"네, 네에."

나의 우유부단이라고나 할까, 곤란해 하는 모습이 소피아 씨를 화나게 만들었다. 뭐, 확실히 못난 태도였다고 생각한다. 다만 갑자기 화를 내서 당황해버렸을 뿐이다.

뭔가 잘못이라도 저지른 걸까, 싶어서 말이다.

내게 화를 내는 소피아 씨에게 아리아 씨가 화를 냈다. 그러자 소피아 씨가 아리아 씨에게 반박을 하고, 두 사람이 더욱 끓어올랐다.

그 결과, 현재에 이르렀다.

노웸은 다시금 우리에게 사정을 설명했다.

"실은, 아리아 씨가 데일 씨에게 구혼을 받아서……. 저기, 본인의 입으로 고백을 받은 건 아니에요. 다만, 결혼 이야기를 하셔서."

젤피 씨가 끄덕였다.

"아니, 그건 들었어. 문제는, 왜 그런 이야기가 되었느냐는 것하고…… 왜 아가씨가 소피아와 서로 으르렁대고 있는 거야?"

뭐, 여기에 오고 나서 바로 그 이야기는 들었다. 데일 씨나 재퍼 씨가 보내는 날카로운 시선의 이유도 들었다. 내가 노웸이 있는데도 아리아 씨의 신병을 인수했다는 걸 용서하지 못하겠다는 모양이다. 모든 사정을 이야기한 건 아니므로, 오해가 있다고 생각한다.

그러나, 그걸 들은 초대가 거칠어졌다.

『갑자기 튀어나온 망할 애송이가, 도와주겠습니다? 웃기고 있어! 후려패! 두들겨 패버려! 내가 허락한다! 이놈은 적이야아아아!!』

아니, 두들겨 패면 이야기가 더 복잡해지니까 싫은데.

노웸은 곤란한 표정으로 사정을 설명했다.

“실은, 아리아 씨하고는 어젯밤에, 라이엘 님에 대해 이야기를 나눴었거든요. 그래서, 아리아 씨는 소피아 씨가 라이엘 님을 대하는 태도를 용서하지 못한 거라고 생각해요.”

나는 두 사람에게 시선을 보냈다.

초대는 우는 소리를 냈다.

『아리아, 어쩜 이렇게 착한 아이인지…….』

그러나 7대가 소피아의 편을 들었다.

『하지만 상대가 갑자기 고함을 질렀다고 소극적인 태도를 보인 라이엘에게도 잘못은 있지요. 라이엘, 저런 애송이에게 무슨 소리를 듣건 동요해선 안 된다. 소피아의 말에도 일리는 있어.』

뭐, 느닷없이 고함을 지르는 통에 안절부절못했던 건 사실이다. 그런 사정이라면 확실히 당당히 있는 편이 나았다.

초대가 7대에게 고함을 질렀다.

『너는 어차피 목덜미에 홀려서 그쪽 편을 들고 있을 뿐이잖아! 라이엘을 걱정해주는 아리아가 최고야!』

『목덜미가 뭐가 나쁘다는 겁니까! 게다가, 노웰의 헌신을 잊으셨습니까?』

수준 낮은 싸움이 시작되었기에 나는 두 사람에게 의식을 돌렸다.

마주 보는 두 사람은 각자 특기인 무기를 들고 욕설을 퍼붓고 있었다.

"조금은 신경 쓰라고! 너, 은혜를 갚으러 온 거라면서!"

"은혜를 갚으러 왔기 때문에, 주의를 줘야할 부분은 주의를 주는 겁니다!"

드디어 두 사람이 서로에게 발을 내딛고 그대로 싸우기 시작했다. 소피아 씨가 무거운 배틀 액스를 옆으로 휘두르자 아리아 씨가 간단히 피해버렸다.

"은혜를 갚는다는 말만 했지, 아직 아무것도 못했잖아!"

아리아 씨가 창으로 소피아 씨를 연속으로 찌르자, 소피아 씨는 배틀 액스를 방패삼아 공격을 막았다.

금속이 부딪치며 불똥이 튀었다.

"당신도 마찬가지잖아요! 발목을 잡아끌고 있다는 건 자각하고 있지만, 그건 당신도 마찬가지에요!"

소피아 씨가 억지로 접근해서 힘에 맡겨 배틀 액스를 휘둘렀

지만 아리아 씨가 간단히 공격을 흘려버리자 넘어지고 말았다.

"그런 건 알고 있어! 하지만, 하지만…… 말을 고를 수는 있잖아!"

5대의 목소리가 보옥 안에서 들려왔다.

『라이엘을 위해서, 라. 뭐, 착한 아이 아닐까?』

『그렇지! 착한 아이라고, 아리아는.』

동의하는 사람이 나오자 초대가 무척 기뻐했다.

그러나 2대는 불만스러워했다.

『그럼 여기서 문제를 일으키지 않았으면 좋겠는데. 게다가 소피아의 의견도 맞는 소리야. 오히려 노웸 말고도 응석을 받아주는 존재가 존재하는 게 더 문제라고. 엄한 인간도 필요해.』

『뭐, 여기에 엄한 사람들이 일곱 명이나 있긴 하지만 말이죠.』

6대가 농담조로 그렇게 말했다.

확실히 엄하다. 엄한 사람들이다. 당초에는 거리낌 없이 나를 질책하고 떠들어대서 내가 쓰러지는 원인을 만들기도 했다. 정말로 자중해줬으면 좋겠다.

소피아 씨는 일어나서 배틀 액스를 들어올렸다. 금속 덩어리인 배틀 액스는 무척 무겁다.

그걸 들고 아리아 씨와 마주 봤다.

"……당사자를 위해서라면 강하게 말해야 합니다. 게다가, 언젠가는 은혜를 갚을 셈이고요. 당신에게 지적받고 싶지는 않아요."

진흙투성이로 일어난 소피아 씨에게 아리아 씨가 눌렸는지 입을 닫았다. 그러나 무기를 거둘 생각은 없는 모양이다.

그런 두 사람을 보면서, 나는 무심코 중얼거렸다.

"저기, 저는 이럴 때 뭘 해야……."

보옥 안의 역대 당주들에게만 한 말은 아니다. 노웸이나 젤피 씨에게도 물은 말이었다. 그러나, 역대 당주들은 순서대로—.

『아리아를 응원해야지!』

『한쪽을 응원하면 거북해지잖아!』

『좋아, 알았어. 여기선 두 사람을 끌어안으며 어영부영 넘기자.』

『3대는 즐기고 있는 겁니까? 라이엘, 여기서는 두 사람을 설득하죠.』

『폭탄은 폭발할 때까지가 처리니까, 폭발한 뒤에는 다가가지 않는 게 좋을 거야.』

『떠올랐다! 양쪽 다 응원이다!』

『적당히 때를 봐서 끼어들면 되지 않을까?』

위험한 일이 벌어지기 전에 내가 끼어들면 그걸로 끝. 확실히 그럴지도 모른다. 언제라도 뛰어들기 위해 허리춤의 사브르를 봤다.

그러자 젤피 씨가 내 어깨에 손을 올렸다.

"나서지 말아줘. 아무래도 아가씨는 소피아에게 조금 울컥한 감정이 있는 모양이니까. 불만을 부딪치는 건 중요한 일이야."

노웸은 젤피 씨에게 물었다.

"그런 건가요? 하지만, 역시 위험하지 않을까요?"

시선 너머에 있는 두 사람은 서로의 무기를 휘두르며 문자 그대로 불꽃 튀는 싸움을 벌이고 있었다. 아리아 씨가 왼손을 들며 외쳤다.

"파이어 불릿!"

작은 화염구가 아리아 씨의 왼손에서 튀어나갔지만, 소피아 씨는 그걸 배틀 액스로 떨쳐냈다.

"그 정도로!"

그러나 떨쳐낸 빈틈을 찌르며 아리아 씨가 파고들었다. 두 사람의 창과 도끼자루 부분이 부딪치며 지근거리에서 서로를 노려본다.

소피아 씨는 조금 짜증을 내고 있었다.

"저도…… 도움이 되지 않는다는 건 알고 있다고요! 그러니까, 조금이라도 라이엘 공의 도움이 되고자 해서……!"

그러자 그때, 갑자기 소피아 씨의 분위기가 변했다.

초대가 뭔가를 깨닫고 소피아 씨에게 흥미를 드러냈다.

『헤에, 꽤 하잖아. 저 아가씨.』

2대도 동의했다.

『그래, 그렇군. 라이엘, 잘 봐둬라. 좀처럼 볼 수 없는 장면이니까. ……아츠가 발현한다.』

직후, 소피아 씨가 지금까지 무겁게 휘두르던 배틀 액스를 가볍게 한손으로 들어 올렸다.

튕겨나간 아리아 씨는 놀란 듯이 소피아 씨를 보고 있었다. 창을 다시 쥐고 소피아 씨를 응시했다.

소피아 씨도 오른손에 든 배틀 액스를 놀란 듯이 보고 있었다. 지금까지 양손으로 휘두르던 배틀 액스를 한손으로 들고 있었던 것이다.

그것도, 가볍게.

젤피 씨가 휘파람을 불었다. 그리고 즐거운 듯이 말했다.

"승부가 난 건가. 아츠가 발현할 줄은 몰랐어. 강화계인가? 하지만 이걸로 소피아는 단숨에 강해지겠네."

그러나 노웸이 즉답했다.

"아뇨, 강화계는 아닌 것 같아요."

근력이 증강된 것처럼은 보이지 않았다. 3대가 노웸의 의견에 동의했다.

『그러게. 굳이 따지자면…… 도끼 쪽이 가벼워진 것처럼 보여. 재미있는 아츠네.』

3대의 말 그대로였다. 소피아 씨에게 변화는 없다.

도끼를 휘두르는 감촉을 확인하던 소피아 씨는 배틀 액스를 들고 아리아 씨에게 돌격했다. 조금 전과는 달리, 가벼워졌기 때문에 움직임이 날카롭고, 그리고 빨라졌다.

"이거라면!"

이번에는 아리아 씨가 방어전에 전념하게 되었다. 배틀 액스를 피하기만 할 뿐 접근할 수 없어서 곤란해 하고 있었다.

젤피 씨가 어깨를 으쓱했다.

"승부가 났네. 라이엘, 두 사람을 막으러 들어갈까."

내가 끄덕이고 끼어들려고 했지만 노웸에게 소매를 잡혀서 멈쳤다. 노웰의 눈동자는 아리아 씨를 똑바로 바라보고 있었다.

"아직이에요."

"어?"

그러자, 초대가 외쳤다.

『왔다! 왔다, 왔다! 왔다고오오오!!』

흥분한 초대의 목소리를 들은 나는 아리아 씨에게 뭔가 생겼다는 걸 깨닫고 그쪽을 바라봤다. 아리아 씨의 목에 걸린 붉은 옥이 빛을 발하고 있었고, 그리고 아리아 씨의 몸도 붉게— 옅게, 빛을 발하고 있었다.

6대가 신음했다.

『이걸로 모르게 되었군. 자, 문제는 어떻게 막으러 들어갈까, 인데…….』

지면을 박차는 아리아 씨의 모습이 순간 사라진 것처럼 보였다. 그러나 그렇지는 않았다. 지금까지 보이지 않던 속도로 움직인 것이다.

소피아 씨가 배틀 액스로 방어 자세를 취하자, 불똥이 튀면서 아리아 씨의 모습이 드러났다.

"너한테만큼은!"

재빠르게 움직이는 아리아 씨의 아츠…… 분명, 붉은 옥에 기억되지 않은 아리아 씨만의 아츠다.

두 사람이 조금 전보다도 격하게 싸우게 되며 불똥이 격하게 튀겼다. 움직이며 공격하는 아리아 씨에게 소피아 씨가 배틀 액스를 휘두르며 방어했다.

그런 싸움이 계속되자 3대가 탄식을 내쉬었다.

『응, 여기까지네. 라이엘, 슬슬 막을까. 두 사람이 떨어진 타이밍에 아츠를 써봐. 2대의 아츠로, 초대의 아츠를 두 사람에게 거는 거야.』

그러면 두 사람이 강화되어 큰일이 벌어질 것 같았지만, 2대도 찬성했다. 다른 역대 당주들도 반대하지 않았다. 그렇구나, 4대의 아츠를 사용했을 때와 똑같은 건가.

『아아, 그런 수가 있었지.』

『야, 대체 어떻게 된다는 건데?』

그러나 초대만큼은 이해하지 못했다.

나는 아츠를 사용하는 타이밍을 가늠했다. 두 사람이 한 번 크게 불똥을 튀긴 직후에 서로 거리를 벌렸다. 아니, 아리아 씨가 크게 거리를 벌렸다.

서로 숨을 헐떡이며, 땀범벅이 되어 있었다.

『라이엘, 지금이야. 그리고, 잘 봐두도록 해……. 갑자기 타인에게 아츠를 걸리면 어떻게 되는지.』

나는 3대의 신호를 받아 아츠를 사용해서 두 사람을 강화했다.

그러자—.

"이걸로 끝장—으을?!"

"저도—오?!"

서로 뛰쳐나가려 했던 두 사람이 지면을 박차자, 다음 순간 화려하게 넘어졌다. 아리아 씨는 앞으로 거꾸러졌고, 소피아 씨는 뒤로 자빠졌다. 두 사람은 마치 상의한 것처럼 동시에 넘어지고 말았다.

주변은 격투의 결과가 어이없게 끝나버려서 왠지 김이 샜다는 분위기였다. 탄식을 내쉬는 목소리나 야유가 날아왔다.

3대가 웃었다.

『아하하하, 재미있지? 자신의 감각과 다르니까, 아무리 용을 써도 넘어지거나 실패를 하는 거야. 상대에게 아츠를 걸어줄 때는 어느 정도 연습을 하는 게 필요할 거야.』

2대가 웃는 3대에게 주의를 줬다.

『바보, 갑자기 힘이 강해지면 누구나 당황해. 그게 타인에 의한 영향이라면 더더욱 그렇지. 뭐, 그런 셈이다. 라이엘, 이해했겠지?』

이해는 했지만, 이걸 해버린 게 나라는 걸 알면 혼나지 않을까? 그보다도 넘어진 두 사람을 도와주러 가야겠다.

"젤피 씨, 두 사람을 도와주러 가죠. 그리고 노웸…… 상처 치료의 준비와, 온수를 가져다줘."

"네, 라이엘 님."

노웸은 미소를 지었다.

젤피 씨는 묘하게 끝나버려서 의문을 가진 모양이었다.

"라이엘, 너 뭔가 했구나."

의심을 받은 나는 해명하려다가 포기하고 두 사람에게 향했다.

우리는 숙박하는 비좁은 오두막으로 돌아왔다.

노웸은 마법으로 두 사람을 치료하고, 온수를 준비해서 더러워진 곳을 닦았다. 이럴 때 남자인 내가 있어서는 방해되므로 나는 오두막 바깥에서 나무상자 위에 앉아있었다.

하늘을 올려다보자 저녁놀이 져서 보고 있기만 해도 질리지 않았다.

멍하니 바라보고 있자니 젤피 씨가 밖으로 나왔다.

"두 사람의 상태는 어떤가요?"

"몸을 닦고 치료도 마쳤으니까, 밥을 먹고 그대로 잠들었어. 꽤나 무리를 하고 있었던 것 같으니 내일은 몸이 아파서 큰일일지도 몰라. 어쩌면 「성장」을 할지도 모르니까 내일은 틀어박혀 있을지도 모르지만."

"틀어박혀요?"

성장하면 틀어박힌다는 걸 이해할 수 없었다. 그러자 젤피 씨가 나를 보면서 고개를 갸웃했다.

"당연하지. 기분이 고양될 때는 위험하니까. 가능한 한 바깥으로 나가지 않는 법이야. 뭐, 그럴 수 없는 경우도 있지만."

거기까지 할 필요가 있는 「성장」이란 대체 어떤 것일지 신경이 쓰였다. 역대 당주의 말로는, 흥분해서 평소에는 하지 않는 실수를 한다고 한다.

젤피 씨가 웃었다.

"그런 건 개인차도 있긴 하지만. 네 때는 어땠는데?"

"아, 아뇨, 저는—."

"숨기지 말라고. 아니면, 부끄러운 실패라도 했던 거야?"

그런 대화를 하던 와중에 파오라 씨가 오두막에 찾아왔다. 아무래도 미안하다는 표정이다.

젤피 씨는 팔짱을 끼고 굳은 표정으로 맞이했다.

"저, 저기, 오늘 일은 정말 죄송했습니다!"

파오라 씨가 고개를 깊이 숙이자 젤피 씨가 불만을 토로했다.

"당신의 동료가 누구에게 구혼하든 상관은 없지만. 이쪽의 인간관계를 알고, 그럼에도 말을 걸었던 건 과연 괜찮은가 싶은데. 사람에게는 파고들지 말아줬으면 하는 부분도 있으니까. 그 도련님에게 그런 부분을 제대로 설명해주는 게 좋을 것 같은데 말이야."

파오라 씨는 울상이었다.

무려 영지의 안전을 확보하러 온 내 동료에게 영주가 구혼을 한 것이다. 그것도 내가 몸값을 내서 신병을 인수한 입장인 아리아 씨에게 말이다.

"죄송합니다. 정말로 죄송합니다!"

아직 젊은데도 참 고생이라고 생각한 내가 그만 용서해주려 하자 2대가 제지했다.

『라이엘, 용서해주지 마라. 이런 건 본인이 와서 사죄하는 거다. 너는 네 일을 했어. 그걸 그 애송이가…….』

역대 당주들 쪽에서 보면 대부분의 상대가 애송이다. 보옥 안의 모습은 전성기의 젊은 모습이지만, 실제로는 젊은 연령이 아니다.

아니, 전사한 3대만큼은 겉모습과 비슷한 연령에서 죽었을 테니 젊은 걸까?

초대가 격노했다.

『주먹을 한 방, 안면에 꽂아버려! 그러면 용서해주마!』

내가 때리는 걸까? 솔직히 내키지 않았다. 그냥 이대로 별일 없이 일을 마치고 돌아가고 싶었다.

나는 눈앞의 파오라 씨를 바라봤다.

"저기, 본인은 뭐라고 하시죠?"

파오라 씨가 더욱 울상을 지었다.

"저, 저기…… 화내지 마시고 들어주셨으면 하는데요."

제23화 다정한 영주

보옥 안.

역대 당주들은 어이없어했다. 영주라는 입장이었던 역대 당주들이 보기에는 페이건가의 당주인 데일 씨가 너무 못난 모양이다.

나와 두고 보았을 때 어느 쪽이 더 못난 걸까? ……비교해서 져버리면 어째서인지 분할 것 같으니까 역대 당주들에게는 묻지 않기로 했다.

2대는 무척이나 어이없어했다.

『처음 봤을 때부터 그랬지만, 최악이군.』

일곱 명은 데일 씨의 반응에 어이없어했다. 각자 이유는 다르지만 데일 씨를 최악이라 평가하고 있었다.

3대가 약간 거들어줬다.

『개인적으로는 호감을 갖고 있긴 해. 그래도 그건 개인적으로서야. 영주로서 보면 최악이라고밖에 할 수 없어.』

파오라 씨가 내게 전했던 사실.

그것은, 데일 씨가 사죄를 파오라 씨에게 맡겼다는 것이었다. 영주인 데일 씨가 우리 같은 모험가에게 고개를 숙일 필요는 없다고 말했던 인물이 있던 모양이다.

뭐, 재퍼 씨겠지만.

"하지만, 확실히 저는 모험가니까요. 게다가 영지민의 의견을 잘 들어주는 거라고 생각하면…… 좋은 영주 아닌가요?"

5대가 나를 보며 눈살을 찌푸렸다.

『라이엘, 너는 아무것도 모르네. 개인으로서의 데일은 딱히 문제없다고 생각해. 실제로 평범한 친구라면 좋은 녀석이야. 하지만, 그 녀석은 영주에는 어울리지 않아.』

7대는 흥미를 잃고 있었다.

『의견을 듣는 것과 시키는 대로 따르는 건 다르니까요. 뭐, 데일이라는 애송이의 경우는 그 이전의 문제입니다.』

6대도 수긍했다.

『차림새나 태도를 보더라도 그렇지. 그야말로 영지민의 편입니다, 라는 게 노골적인 느낌이라 마음에 들지 않아.』

평소에는 다정한 6대가 마음에 들지 않는다는 말을 썼다. 조금 의외였다.

내 쪽에서 보면 영지민과 함께 일하는 호청년이다.

게다가 데일 씨가 처음에 당주를 이었을 때는 영지의 영지민도 기뻐했다고 들었다.

초대가 원탁을 양손으로 몇 번이나 두들겼다.

『차림새 같은 건 아무래도 좋아! 아리아를 도와주겠다고? 게다가, 모험가보다도 좋은 생활? 웃기고 있네! 이 영지는 어딜 봐도 빈곤하잖아! 내 시대보다도 빈곤하다고!』

나는 그걸 듣고 고개를 갸웃했다.

"어? 그래도, 역시 모험가인 저보다 빈곤하지는 않잖아요?

그럼, 아리아 씨가 바라기만 하면……."

초대가 나를 보며 아연실색했다.

『거기서는 좀 노력해 봐라! 아리아가 그 애송이하고 이어진다니, 악몽이잖아아아아!!』

4대가 안경을 손끝으로 들어 올리며 내게 설명해주었다.

『라이엘, 영주란 확실히 세금을 백성들에게서 걷고 있습니다. 빈곤하지 않다고 생각할지도 모르겠으나…… 영지 영주는 규모에 따라 다르지만, 확실히 말해서 빈곤합니다.』

내가 돌아보자, 이런 쪽 사정에 자세해 보이는 3대도 수긍했다.

『맞아. 뭐, 상황에 따라 다르긴 해. 특산품이 있으면 다른 쪽 수입으로 돈벌이도 가능하고. 하지만 기본적으로 영주란 저택에서 고용인 같은 걸 고용해. 인건비라든가, 기타 교제비 같은 것도 있고. 그리고, 낭비라고 생각하겠지만 신분에 맞춘 몸단장도 필요해. 지출도 바보 취급 할 수는 없어.』

『그건 낭비가 아닙니다. 필요경비니까요.』

4대가 3대의 의견을 정정하면서 데일 씨에 대해 이야기했다. 이것도 내 사회공부의 일환인 모양이다.

『세금을 내리고, 저택의 고용인을 해고하고 홀로 살이. 자신도 밭일에 힘쓰고, 영지민과 함께 친근한 관계. 부지런하고 누구에게나 다정한 호청년. 같은 세대와도 친하고, 솔선해서 일도 한다. 멋지군요! 영주가 아니라, 영지민이라면 완벽했겠죠.』

그건 안 되는 건가?

"저기, 역시 여러분의 말투로 보면…… 안 되는 건가요? 어느 부분이 안 되는 건가요?"

그러자, 2대가 단언했다.

『전부.』

"전부?! 어, 조금도 좋은 부분이 없나요?"

2대가 이마에 손을 대며 내게 말했다.

『이봐, 라이엘. 세금을 거두는 이상, 영주에게는 의무가 있어. 그걸 포기하는 게 용납되리라 생각하는 거냐?』

5대도 같은 의견이었다.

『때때로 있지. 그 입장에 서 보지 않으면 모른다는 녀석. 데일도 마찬가지야. 영지민이었다면 그 녀석은 믿음직한 녀석이야. 하지만, 영주로서는 최악이지.』

3대는 웃고 있었지만 조금 무서운 웃음이었다.

『솔직히, 그 녀석이 하는 일은 이 영지를 자멸시키고 있다고 생각해. 지금까지는 상속을 못 받는 차남이었던 데다, 적자의 예비였을지도 몰라. 영지의 주요 인사였던 이들이 전사했으니, 동정할 수 있는 부분도 있지만…… 그래서 뭐? 라는 느낌이네.』

2대가 팔짱을 끼며 나를 봤다.

『그럴 마음이 있었다면, 벤틀러에게 도움을 요청해도 좋았을 거다. 주변 영주들과 어울리기도 했었고. 실제로 그 메다르트가 그랬었지? 대가 바뀌어서 큰일이니까, 혼자서 주변 영주들에게 고개를 숙이고 다녔다고 했었잖아?』

“하지만, 그렇게까지 무리를 해서 주변 사람들과 어울릴 필요가 있는 건가요…….”

4대도 그에 동의했다.

『뭐, 확실히 지나친 건 좋지 않죠. 실제로 영지민을 괴롭히는 나쁜 영주는 있습니다. 아니, 많지요.』

역시 많은 건가.

3대가 등을 펴면서 말했다.

『태어나면서부터 그 지위에 있으면 착각도 하는 법이니까. 아, 딱히 영주라고나 할까, 귀족만 그런 건 아니야. 영지민도 똑같아.』

“영지민도?”

5대가 덤덤히 대답했다.

『영지민이 세금을 내는 건 안전을 확보하기 위해, 그리고 또 하나는 커다란 권위를 이용하기 위해서야. 예를 들어…… 오늘처럼 아리아와 소피아가 싸운다고 치자. 아무리 지나도 결판이 나지 않을 것 같고, 혹은 결판이 나면 곤란하니까 네가 중재를 한 거잖아.』

“네, 네에.”

『그 두 사람의 불만이 사라졌다고 생각해? 사라지지 않았어. 그럼에도 따르는 건 네가 파티의 리더이기 때문이야.』

6대가 재미있어 하는 표정으로 너스레를 떨었다.

『아니, 라이엘에게 반해서 따르고 있을지도 모르죠.』

『어떻든 간에 상관없어! 집단 중에서는 누군가가 중재를 맡게 돼. 이럴 때에, 말이지. 소피아의 말대로 너는 좀 더 단호하게 나서지 않으면 안 돼. 그 세 사람의 목숨을 맡고 있는 거니까.』

확실히 그렇다. 그렇게 생각하면 나의 소극적인 태도는 소피아 씨가 보기에는 용납할 수 없는 것이겠지.

5대가 헛기침을 했다.

『잘 들어, 라이엘. 때로는 동료 내부에서도 의견이 갈라져. 그럴 때, 판단을 내리는 건 너야. 누군가가 불안하게 생각할지도 몰라. 그래도, 파티가 살아남기 위해, 돈을 벌기 위해서는 네가 결단을 내릴 필요가 있어.』

7대가 내게 조언을 주었다.

『노웸에 아리아, 그리고 소피아…… 전원의 의견을 듣고, 전원을 만족시키는 건 어렵다고 생각하지 않느냐? 그래. 지금은 세 명이라 괜찮지만, 이게 다섯 명, 여섯 명으로 늘어나면 어떨까?』

6대는 단언했다.

『누군가가 불만을 가질 거다. 어쩌면 멋대로 행동할지도 모르지.』

3대는 5대가 하고 싶었던 말을 정리해주었다.

『라이엘이 영주, 다른 세 명이 영지민이겠네. 라이엘이 집단을 살아남게 만들고자 한다면 다른 세 명을 따르게 해야 해. 네 명이 같은 입장이고 의견이 각각 나뉜다면, 한데 뭉치지 못하는 집단이 돼버려. 지금 이상으로 살아남기 힘들 거고,

돈도 벌 수 없겠지.』

왠지 모르게 이해가 갔다.

영주는 책임이 있는 입장이고, 영지민은 판단을 맡기는 것이다.

“어라? 그래도, 영지민은 태생을 고를 수 없잖아요? 고를 수 있는 입장인 저희하고는 상황이 다른 것 같은데…….”

4대가 고개를 내저었다.

『예를 들어서 한 이야기입니다. 게다가, 영주도 태생을 고를 수 없어요. 뭐, 누구든지 사람은 태생을 고를 수 없긴 하지만요.』

2대가 결론을 내렸다.

『다시 말해서. 영지민 전원을 만족시키는 일은 처음부터 불가능해. 그래도, 데일은 그 영지를 조금이라도 나은 방향으로 이끌기 위해 움직일 필요가 있는 거다. 설령 주변이 이해하지 못하더라도, 말이지. 영지민이 원하는 건 좋은 친구가 아냐. 자신들을 지켜주고 이끄는 존재다. 조금이라도 생활을 좋게 만들기 위해 판단을 맡기지. 뭐, 어느 쪽도 그걸 잊어버리기 십상이지만.』

그걸 항상 의식하는 영주가 얼마나 있을까? 게다가, 영지민보다는 태생부터 권력을 가진 영주 쪽이 부패하기 쉬울 거다.

영지민에게서 세금을 거둬들이고, 그리고 괴롭히는, 영지민을 살피지 않는 영주— 데일 씨의 행동은 그것과 행동이 비슷하다는 느낌이 들었다. 아니, 모든 책임을 포기한 것처럼 보이는 만큼 좀 더 나쁠지도 모른다.

3대가 검지를 세우며 내게 미소를 보냈다.
『참고로 말인데, 영지민이 원하는 최고의 영주는—.』
초대가 단언했다.
『강한 녀석이지!』
2대는 자조하듯이 웃었다.
『세금을 징수하지 않는 녀석, 이겠지.』
4대는 잠시 고민하며 답했다.
『……자신들의 안전을 최우선으로 지켜주는 사람, 이겠죠.』
5대는 덤덤히 말했다.
『영주 쪽에서 간섭하지 않는 사람.』
6대는 수염을 매만지며 말했다.
『하지만, 도와주길 바랄 때나 구해주길 바랄 때는 무상으로 도와주는 사람.』
7대는 팔짱을 끼고 복잡한 표정을 지었다.
『……전쟁은 하지 않는 사람, 이겠죠.』
3대가 양팔을 펼치며 말했다.
『반대로, 영주가 원하는 최고의 영지민은, 세금을 많이 내고, 문제를 일으키지 않고, 거스르지 않고 뭐든 따르는 존재야. 양자의 의견은 처음부터 엇갈려 있는 셈이지!』
꽤나 싫은 엇갈림이다. 다만, 어느 쪽도 존재하지 않는다는 점에서는 일치한다는 기분이 들었다.
세금을 거두지 않는 영주는 없고, 영지민도 그저 세금을 거둬가기만 하는 존재는 원하지 않는다.

3대는 살짝 웃으면서 한숨을 돌리고는 진지한 표정을 지었다.
『서로가 그래서는 성립되지 않으니까, 타협점을 찾을 수밖에 없는 거야. 모두가 다른 방향을 바라보며 살고 있어. 하지만 그래서는 제대로 살아갈 수 없지. 힘들겠지만, 누군가가 방향을 정해줘야만 해.』
모두가 다른 방향을 바라보며 살고 있다.
그 말을 듣고 나는 일곱 명에게 시선을 보냈다.
"……이 자리에 있는 일곱 명도 그러네요."
같은 일족인데도 의견이 전혀 모이지 않는다는 점을 보면 얼마나 의견이 모이는 것이 어려운지 이해가 갔다.
5대가 코웃음 쳤다.
『그야말로 그 말대로네. ……빈정대는 말이 나오는 걸 보면 이해했나 보지? 영주는 각자 방식은 다르더라도 그 집단을 인솔할 책임이 있어. 그렇기에 세금을 거두지. 때로는 미움 받지만 그것도 업무의 범주야. 다만, 때로는 자기 멋대로 움직이더라도 사람들이 따라오는 녀석이 있는 것도 확실해.』
4대가 끄덕였다.
『아아, 이해합니다. 있죠. 매력이라고나 할까, 카리스마라고나 할까. 그저 움직이는 것만으로도 사람이 따라붙는 부러운 타입의 인간이 말입니다.』
초대와 6대가 의아한 표정으로 말했다.
『헤에, 그런 녀석이 있는 거냐?』
『부러운 이야기군요.』

두 사람의 말을 듣고, 2대와 5대, 그리고 7대가 머리를 감싸 쥐었다.

『젠장, 왜 이런 녀석이…….』

『본인이 깨닫지 못하다니 최악이네.』

『그 뒤를 이어받은 고생이 얼마나 심했는지 알아줬으면 좋겠군요.』

의외로, 월트가도 카리스마가 있는 영주들이 있었다. 그게 초대와 6대였던 모양이다.

"……그렇게는 안 보이는데."

3대가 내 말에 수긍했다.

『뭐, 그때까지 해온 행동도 관계가 있지만. 그래도, 때때로 그런 매력을 가진 인물도 있어. 모두가 그 사람을 따른다는 느낌.』

나는 그때, 세레스의 얼굴을 떠올렸다. 누구나 매료시키고, 그리고 그 말을 따르게 하는 존재—.

그다지 인정하고 싶지 않았다.

3대가 말을 이었다.

『다만. 그 데일은 그런 카리스마성도 없어. 기껏해야 우수한 인물이라는 게 끝이야. 이대로 가면 조만간 문제가 일어날 거고…… 대처할 수 있을지는 알 수 없어.』

3대의 진지한 표정.

그리고 4대가 매듭을 지었다.

『뭐, 이 이야기는 여기까지로 하고, 저희가 말하고 싶은 건—.』

“말하고 싶은 건?”

『남의 집안 사정에 목을 들이밀지 말 것, 입니다. 라이엘도 자기 파티를 품고 있습니다. 남의 집안 사정에 얽힐 여유는 없고, 여러모로 문제도 많으니까요. 여기서는 무시하죠. 일은 완수한 셈이나 다름없으니, 그게 제일입니다. 그보다…… 귀찮으니까요. 못난 영주인 데일과 얽혀봤자 이익이…….』

역대 당주 전원이 같은 의견이었다.

……여기까지 와서, 역시 그런 흐름인 건가. 이 일곱 명이라면 뭔가 해결책을 갖고 있을 것 같은데.

그러나 도와줄 생각은 없는 모양이다. 조금 차갑다고 생각하면서도, 그렇게 생각하는 나야말로 아무것도 못한다는 사실을 깨달았다.

결국, 나는 이야기에 나오는 주인공 같은 활약은 할 수 없다는 것을 깨달았다.

다음날.

“요즘, 보옥 안에 계속 불려가고 있네.”

불만을 늘어놓으면서 일어난 나는 오두막 안에 마련된 칸막이를 봤다. 나와, 그 밖의 여성진을 가르는 천이다.

일어나서 바깥으로 나가자 아침 일찍부터 아리아 씨가 창을 지팡이 대신 삼아 바깥으로 나와 있었다. 몸이 아픈지 다리가 떨리고 있었다.

“……괜찮나요?”

"어?! 아, 아얏!"

나를 돌아본 아리아 씨가 아픈 몸을 견디다 못해 그 자리에 주저앉고 말았다.

달려가서 어깨를 안고 부축하자 그것도 아픈지 비명 같은 소리를 질렀다.

"히익!"

"미, 미안해요!"

허둥지둥하고 있다 보니 보옥 안에서 2대의 목소리가 들렸다.

『「성장」은 아니군. 아츠가 발현한 직후에 너무 과하게 썼어. 라이엘, 오늘은 누워있게 해줘라.』

아리아 씨는 울상을 짓고 있었다.

"미안해. 어제보다도 몸이 아파서……. 잠깐 아침부터 어제의 느낌을 시험해보려고 했는데, 온몸이 아파서……."

4대가 그것도 어쩔 수 없다는 목소리로 말했다.

『그렇겠죠. 저와는 달리, 전투에 특화된 과격한 가속이었으니까요. 뭐, 하루…… 아니, 이틀 정도 안정을 취하면 괜찮을 겁니다.』

3대가 부러운 목소리를 냈다.

『좋겠네에. 전위계 아츠는 폭발력이 있어서, 발현하면 한 단계 넘어서 확실히 강해진다니까. 내 아츠는 수수하고.』

4대가 어이없어하며 말했다.

『거짓말은 하지 말아주세요. 이 중에서도 가장 심하지 않습니까.』

역대 당주들의 목소리를 흘려들으면서, 아리아 씨를 부축해서 오두막으로 돌아가려고 했다.

"어깨 빌려드릴게요."

아리아 씨는 매우 괴로운 듯이 비지땀을 흘리며 필사적으로 아픔을 참고 있었다. 나는 그다지 자극하지 않도록 안아들어서 어깨를 부축했다. 오른손은 허리에 돌려서 끌어당겨, 확실히 몸을 고정했다. 아리아 씨의 안색이 조금 좋아진 것 같았다. 파란색에서 살짝 붉은색으로 변했다.

"고마워, 라이엘."

그렇게 천천히 걸어가자 오두막 쪽으로 달려오는 인물이 있었다. 두 청년의 모습은 데일 씨와 재퍼 씨다.

"데일, 틀림없어!"

"너라는 녀석은!"

재퍼 씨가 데일 씨를 데려온 것처럼 보였다. 데일 씨는 느닷없이 주먹을 쥐어서 내게 휘둘러 왔고—.

『누구한테 싸움을 거는 거냐, 이 망할 꼬맹이가아아아!!』

초대의 고함을 듣고, 나는 의식을 되찾아서 데일 씨의 주먹을 왼손으로 쳐냈다.

데일 씨의 주먹이 그대로 흘러갔다. 꽤 전력으로 후려쳤던 모양이다.

"아니, 뭐하는 짓인가요?"

내가 움직이자 아리아 씨가 울상을 지으며 떨었다. 몸이 아파서 견딜 수 없는 거다.

데일 씨와 재퍼 씨가 나를 노려봤다.

"그 아이를 울렸잖아! 내가 보고 있었다고!"

재퍼 씨가 아리아 씨를 가리키며 외쳤지만, 아리아 씨는 그럴 경황이 아니었다. 온몸의 통증 탓에, 본인은 조금이라도 빨리 눕고 싶은 모양이다.

"정말로 좀 그만해. 아프다고. 엄청 아파. 그러니까, 이제 정말…… 아아, 왠지 이상한 땀이 나와."

목소리도 떨리고 있었지만, 작은 목소리였기 때문에 두 사람에게는 닿지 않았다. 땀의 양이 늘어나서 아무래도 이대로 가면 안 될 것 같았다.

재퍼 씨가 내 쪽으로 와서 히죽히죽 웃으며 주먹을 쥐었다.

"도회지에서 자란 도련님에게 현실이라는 걸 가르쳐주마! 여자에게 둘러싸여서 으스대지 말라고!"

나를 눈엣가시로 보고 있는 건가? 솔직히 말해서 민폐지만 3대가 웃었다.

『동네 골목대장이 말 한 번 잘하네~. ……라이엘, 가르쳐줘. 현실, 이란 녀석을.』

어쩐지 마지막 부분은 목소리가 낮았다.

재퍼 씨가 나를 향해 주먹을 크게 휘둘렀다. 데일 씨보다 기세도 위력도 있어 보이지만, 피하는 건 간단하다. 왼손으로 팔을 잡고 그대로 다리를 걸어서 넘어뜨렸다.

"이 자식! 건방 떨기는!"

응, 왠지 무섭지 않다. 이거라면 친가에서 가신에게 얻어맞았을 때가 훨씬 주먹도 매서웠다. 말처럼 강하지는 않은 모양이다.

일어서려는 재퍼 씨에게 데일 씨가 다가갔다.

울상을 지은 아리아 씨가 내 옷을 강하게 움켜쥐며 거친 호흡을 내쉬고 있었다. 바로 오두막으로 데려가서 눕게 해주고 싶다.

"저기, 서둘러야 해서 이야기는 나중에 들을 테니 상대는 그때 부탁드릴게요."

데일 씨가 내 어깨를 잡았다. 나를 노려보고 있다.

"기다려! 대체 아리아에게 무슨 짓을—."

데일 씨가 내 몸을 흔들었다. 그러자 아리아 씨에게 흔들림이 전해져서 몸이 아픈 아리아 씨가 격하게 흔들렸고—.

"—시끄럽다고. 이 바보 놈들아!"

꽤나 낮고 음산한 목소리가 나와서 우리 세 명은 아리아 씨의 얼굴을 봤다. 한쪽 눈썹이 실룩실룩 위아래로 움직였고, 웃고 있는 건지 화내고 있는 건지 모를 표정으로 데일 씨와 재퍼 씨를 노려보고 있었다.

"아침부터 잘도 낯짝을 내밀었네. 이 자식들아. 이쪽은 어제 일을 잊지 않았거든! 둘이서 면상을 들이밀 거라면, 사죄 정도는 하라 이거야! 그 텅텅 빈 대가리를 바닥에 대고 문지르기라도 해보라고!"

아리아 씨의 음산한 목소리를 듣고 보옥 안의 역대 당주들이 조용해졌다. 아니, 초대만큼은—.

『……아리아, 그럼 안 돼. 여자아이가 그런 말투를 쓰면…… 안 된다, 고…… 생각해.』

생각해?! 여기서는 단언하라고! 그보다, 역대 당주들도 침묵할 정도로 지금의 아리아 씨에게는 박력이 있었다.

나도 너무나 충격적이라 말이 나오지 않았다. 그리고 연상인 두 청년도 아리아 씨 앞에서 입을 뻐끔거리고 있었다.

"아, 아니, 우리는 비명이 들려서, 달려왔—."

두 사람은 얼굴을 마주하며 「드, 들렸어. 그래서 말을 걸었던 거야」라는 소리를 하며 몇 번이나 고개를 수그렸다.

그길 듣고 아리아 씨가 다시 고함을 쳤다.

"몸이 아프단 말이야! 이상한 착각을 해서 주먹질하기 전에, 눈치 있게 당장 꺼지시지! 도움도 안 되는 멍청이들이!! 안 불렀다고! 분위기 좀 읽어! 아니면 여기서 창의 과녁으로 삼아줄까, 아앙!!"

두 사람이 황급히 돌아가자— 아니, 달아나자, 아리아 씨는 호흡을 가다듬었다. 심호흡을 하고는, 내 쪽을 바라보며—.

"가, 갑자기 주먹질을 해서…… 무, 무서웠네. 나도, 왠지 무아지경으로 소리를 질러버렸어."

아픔을 참으며 미소를 지은 아리아 씨에게 나는 동의할 수밖에 없었다.

"……그러네요. 무서웠어요."

결코, 아리아 씨가 무서웠다고는 말할 수 없었다. 하지만, 응…… 무서웠다. 미안, 역시 아리아 씨가 무서웠어요.

오두막으로 돌아와 아리아 씨를 눕히자, 다른 이불 위에서는 소피아 씨가 끙끙대고 있었다.

움직이려고 하면 아픔이 느껴지는지 때때로 움찔움찔 경련하고 있었다.

"아윽!"

노웸이 그런 소피아 씨에게 다가가서 말했다.

"괜찮아요. 한동안 누워 있으세요. 용건이 있으시면 저와 젤피 씨에게 말해주시고요."

……들리고 있었겠지만 아무래도 바깥의 사건은 건드리지 않기로 한 모양이다. 내가 영주와 다퉜던 것도, 아리아 씨의 고함소리도, 건드릴 생각이 없는 것 같다.

누운 두 사람을 돌봐주던 노웸에게 내가 살짝 손을 들었다.

"아, 나도 뭔가 도와줄까?"

그러자 젤피 씨가 머리를 긁적였다. 노웸은 곤란한 표정을 짓고는 부드럽게 내 제안을 거절했다.

"아뇨, 괜찮아요. 라이엘 님께는 다른 일을 부탁드려도 될까요?"

4대의 탄식이 들려왔다.

『라이엘. 여성을 돌보는 건 여성에게 맡기고, 라이엘은 바깥일을 합시다. 이성에게는 말하지 못하는 일도 있을 테니까요.』

그런 건가? 그렇게 생각한 나는 밖으로 나왔다.

한가해서 영지 안을 돌아다니기로 했다.

첫날, 둘째 날에는 바빠서 느긋하게 영지를 보지 못했었다.

그러자 무거운 짐을 든 노파를 돕고 있는 데일 씨를 발견했다.

"할머니, 도와줄게."

"고맙습니다."

데일 씨는 싹싹하게 무거운 짐을 옮기는 것을 도와줬다. 주변 영지민들도 데일 씨에게 웃으며 인사를 했다. 웃으며 답하는 데일 씨의 곁에 아이들이 몰려들었다.

"저기, 형. 놀자!"

"야야, 지금부터는 밭일을 해야 해. 나중에 하자."

곤란한 표정으로 웃고 있어서 영지민들에게 신망이 있는 것처럼 보였다.

내 눈에는 도저히 못난 영주로는 보이지 않았다. 그래도 역대 당주들에게는 못나게 보이는 모양이다. 멀리서 바라보던 나는 중얼거렸다.

"좋은 사람인 것 같네요."

나를 때리려 한 것도 아리아 씨가 울고 있던 것을 들었기 때문이다. 그걸 생각하면 확실히 개인으로서는 좋은 사람일지도 모른다.

다만, 영주로서 어떤지는 나로서는 잘 모르겠다.

2대가 조금 기뻐하며 중얼거렸다.

『신망은 있군. 확실히, 이거라면 당초에 기대를 받은 것도 이해하겠어.』

"그럼, 괜찮지 않을까요? 게다가, 어떻게든 해나가는 것 같은데요."

초대는 짜증을 내고 있었다. 아리아 씨에게 결혼을 신청한 게 화가 난 모양이다.

『그딴 걸 알까보냐! 나는 저 녀석이 싫어. 아리아에게 무슨 짓을…… 저 녀석 탓에 아리아가 그런 말을…….』

3대가 조금 기겁하며 말했다.

『아니, 분명히 원래 성격이 그런 거라고 생각해. 그렇잖아. 본인도 몸을 움직이는 걸 좋아하고, 세밀한 일은 서투른 면이 있었으니까. 게다가 바로 손이 나가는 타입이지? 분명 그게 본성인 거야.』

초대가 울 것 같은 목소리로 변했다. 아무래도 좋지만, 아저씨가 우는 모습은 좀 버거웠다.

『아니야! 아리아는 아가씨고…… 빌어먹을!!』

그런 역대 당주들의 대화를 들으면서, 나는 한가로운 풍경과 그곳에서 사는 웃는 얼굴의 영지민— 그리고 영주인 데일 씨를 바라보고 있었다.

제24화 친해지다

—라이엘 일행이 묵고 있는 작은 오두막.

오후가 지나도 몸의 아픔이 전혀 가시지 않은 아리아와 소피아는 이불 위에 누워 있었다.

노웸이나 젤피는 바깥으로 나가서 지금은 둘뿐이다.

아픔에 잘 듣는다는 야생초를 빻아서 만든 약을 노웸이 몸에 발라줬기에, 두 사람은 야생초의 조금 심한 냄새가 나는 오두막 안에서 천장을 올려다보고 있었다.

한동안 침묵이 이어지던 중, 아리아가 입을 열었다.

"저기."

"……뭔가요. 힉! 아우우우……."

바로 소피아가 아리아 쪽을 보려고 했지만, 몸이 아파서 살짝 비명을 질렀다. 발현한 자신의 아츠를 억지로 사용한 탓에 두 사람의 몸은 너덜너덜했다.

아리아는 소피아의 아파하는 얼굴을 보려고 목을 돌렸지만—.

"아흐악!"

전신에 아픔이 스쳤다. 그 목소리를 듣고 소피아가 살짝 웃었다. 그 탓에 복근이 아파져서 다시 꿈틀댔다. 그걸 견디면서, 아리아가 물었다.

"우우우, 뭐, 뭔가요. 묻고 싶은 게 있는 거겠죠?"

"그, 그랬지! 너, 왜 라이엘에게 그렇게 엄한 소리를 하는 거야. 조금은 신경 좀 쓰라고."

소피아도 라이엘의 사정은 노웸에게서 들었다. 그걸 알고 있는 상태에서 소피아는 아리아에게 반론했다.

"확실히 동정할 만한 점은 있죠. 하지만 그게 어쨌다는 겁니까? 엄하게 하는 편이 라이엘 님을 위해서도 좋아요."

"너—! 우우우우……."

무심코 소리를 지르자 다시 아픔이 스쳤다. 아리아는 어떻게든 식은땀이 가시는 걸 기다렸다.

몸을 조금이라도 움직이면 아파오는 두 사람. 때때로 오두막 속에서 「아흑」, 「하으윽!」 하는, 요염하게 들릴 수도 있는 소리가 들렸다.

노웸의 말로는 몸이 아츠를 사용하기 위한 최적의 상태가 되어가고 있다고 한다. 아츠를 사용하려면 발현한 아츠 전용으로 육체를 적응시킬 필요가 있다는 이야기다.

두 사람은 그런 이야기를 처음 들었다.

두 사람이 다시 호흡을 가다듬고 대화를 재개했다. 두 사람 모두 누워있는데도 땀범벅이었다.

소피아가 아리아에게 말했다.

"……계속해서 응석을 받아주는 건 본인을 위해서도 좋지 않아요."

"갑자기 엄하게 대하는 것도 과연 괜찮은가 싶은데."

아리아의 즉답에, 소피아는 작은 목소리로 「그럴지도 모르겠네요」라고 답했다. 하지만 태도를 고칠 생각은 없는 모양이다.

그녀는 조금 슬픈 듯이 말했다.

"저는 다정하게 대한다는 걸 잘 모르겠어요. 친가에서는 할아버님이 엄하셔서 바로 혼이 났었죠. 그게 평범하다고 생각하던 시기도 있었고요."

아리아는 자신의 아버지를 떠올렸다.

'어린 시절에 아버지는 다정했으니까 혼난 적은 없었네.'

그렇게 생각하니 아리아는 소피아를 질책할 수가 없게 되었다. 소피아가 말을 이었다.

"과보호라고나 할까, 생각이 낡은 타입이셨던 거겠죠. 덕분에 저는 거의 저택 뜰에서 보냈습니다. 가끔 아버님이 바깥으로 데려가면 할아버님이 아버지께 고함을 치셨으니까요. 그걸 보는 게 싫었죠. 정신이 들자 또래와 이야기를 하는 일도 그다지 없게 되었죠. 시집가지 않은 여자니까, 라는 말을 계속 들어왔죠."

아무래도 주변 사람 모두가 엄했던 건 아닌 모양이다. 다만, 소피아의 생활도 꽤 힘들었던 것 같았다.

"왠지 묘하게 딱딱하다 했더니 그것 때문이었구나."

아리아가 그렇게 말하자 소피아는 한동안 침묵하다가 나지막하게 말했다.

"솔직히, 당신이 부럽네요."

"어째서?"

소피아가 부럽다고 말하자 아리아는 의문으로 생각했다. 자신은 몰락한 록워드가의 딸이다. 아버지는 도적단에게 협력해서 벌을 받았다.

아리아 자신도, 형식상으로는 창녀가 된 몸이다.

"……도적단에게 납치를 당했는데 도움을 받았잖아요. 그게 부럽네요."

소피아가 쑥스러워하며 그렇게 말하자 아리아는 의표를 찔려서 숨을 삼켰다. 그러나 다음 순간 소리를 내서 웃고 말았다.

"아하, 아하하하…… 히끄으으윽!!"

웃고 말아서 복근이 아팠다. 그 아픔으로 몸이 움직여서 전신이 아파왔다. 아리아가 비명을 지르며 비둥거리자 비웃있다고 생각하게 된 소피아가 화를 냈다.

"뭐, 뭐가 그리 웃— 하햐아아악!!"

두 사람은 아픔이 가시는 것을 기다리고 대화를 재개했다. 두 사람 모두 호흡이 거칠었다.

아리아는 몸의 통증에 울상을 지으며 말했다.

"도, 도움을 받긴 했지만, 그리 의식하는 것 같지는 않고, 네가 생각하는 관계는 아닌, 데……."

목소리를 내는 것도 큰일이었다. 소피아는 그것에 대해 대답했다.

"겨, 결과적으로는 똑같죠. 게, 게다가…… 구, 구혼까지 받았다던데요. 다수의 남성에게 호감을 사다니, 부, 부럽네요…… 아얏……."

소피아도 몸이 아파서 눈물이 나왔다.

그러자 아리아가 말했다.

"딱히 기쁘지는 않아. 데일 씨는 달리 좋아하는 사람이 있는 것 같고."

"그런가요?"

"그래. 그, 파오라 씨였던가? 데일 씨가 때때로 복잡한 표정으로 보더라고. 나는 그냥 마법을 쓸 수 있는 핏줄이 목적인 것 같았어. 바보네. 록워드의 피 따위는, 이제 가치도 없는데."

소피아는 록워드의 이름을 듣고 아리아의 사정을 떠올렸는지 침묵했다. 그리고, 잠시 뒤에 사죄의 말을 입에 담았다.

"죄송합니다. 당신의 사정도 생각하지 않고 부럽다고 해서……."

아리아가 대답했다.

"괜찮아. 지금은 라이엘 덕분에 이렇게 모험가를 할 수 있으니까. 그러니까, 감사를 표하고 싶은데…… 난 아무 도움도 못 되니까. 적어도, 다정하게 대해주자고 생각해서."

소피아도 아리아에게 가슴속 이야기를 털어놓았다.

"솔직히, 저는 라이엘 공을 이용하고 있는 게 아닐까, 하는 생각이 항상 들어요. 은혜를 갚기는 고사하고, 발목을 잡아끌고 신세까지 지고 있죠. 너무 한심해서, 그렇다면 할 수 있는 일을 해야지, 라고 생각했더니 엄한 태도밖에 취하지 못해서……."

두 사람 모두 같은 생각을 하고 있었다는 걸 알자, 웃음이 나왔다. 하지만 바로 다시 아픔에 신음했다―.

나는 통에 담은 물을 들고 오두막 바깥에 서 있었다.

역대 당주들이 지금은 들어가지 말라고 했기 때문이다.

"……이제 들어가도 되겠죠?"

2대가 조금 어이없어하면서 내게 허가를 냈다. 단, 조금 더 기다렸다가, 라는 말을 덧붙였다.

『라이엘. 이 타이밍이라면 두 사람이 이야기를 들었을 거라 생각할 것 아니냐.』

"아니, 실제로 들었잖아요."

그랬다. 오두막 바깥까지 이야기소리가 들렸다. 괴성을 섞어가며 들려오는 대화는 나에 대해 이야기하고 있었다.

4대가 내게 주의를 줬다.

『라이엘. 저 두 사람 앞에서 이야기를 들었다는 말은 하지 말도록 하세요. 알겠습니까?』

"……네."

험담을 당하는 건 익숙해서 뒤에서 속닥거리는 건 별로 개의치 않는다. 다만, 이번에는 묘하게 쑥스러운 느낌이 있었다.

이런 식으로 화제가 되면 소중히 여겨지고 있다는 기분이 든다. 지금까지는 저택에서 가신이나 고용인들이 일상적으로 험담을 해왔다. 험담 중에서는 항상 세레스와 비교를 당했고 그것에도 점차 익숙해졌다. 아니, 일부러 들으라고 했던 걸지도 모른다. 내가 지나가는 곳에서 일부러 대화를 하고 있었으니까.

기다리고 있는데 초대의 울먹이는 목소리가 들려왔다. 의외로 눈물이 많은 걸지도 모른다.

『아리아……. 라이엘에 대해서 그렇게까지 생각하고 있었던 거냐.』

3대는 초대에게 질색한 모양이었다.

『딱히 울지 않아도 되잖아요. 그보다도 라이엘…… 다행이네.』

그 말을 듣고 고개를 갸웃했다.

"뭐가요?"

5대가 탄식을 내쉬었다.

『서툴긴 해도 착한 아이가 주변에 있어주는 것, 말이야. 나는 아내로 들이라는 소리까지는 하지 않겠지만, 소중히 대해줘.』

그러자 초대가 5대에게 반론했다.

『아니, 여기선 들이라고 해야지! 이렇게 착한 아이라고!』

6대가 곤란한 목소리를 냈다.

『아니, 뭐…… 하지만, 라이엘 쪽에 문제가 있으니까요. 각오가 없다고나 할까, 그런 이야기를 할 단계가 아니라고나 할까…….』

확실히, 지금의 나는 역대 당주 쪽에서 보면 미덥지 못하겠지.

그게 불안한 걸지도 모른다.

"뭐, 노웸 한 명조차 행복하게 해줄 수 있을지 모르니까요. ……아, 조용해졌으니 들어갈게요."

나는 오두막 안으로 들어갔다.

두 사람은 이야기하다 지쳤는지, 아파서 지친 건지, 조용한 숨소리를 내며 잠들어 있었다.

영지에 와서 나흘이 지났을 무렵이다.

아리아 씨와 소피아 씨도 회복되었기에 우리는 근처 숲에서 마물과 싸우기로 했다.

단, 여기는 데일 씨의 영지다. 그 때문에 허가를 받으러 왔는데…….

"안 돼. 소재와 마석은 마을의 물건이야. 8할은 이쪽의 몫으로 가져가겠어."

영주의 저택으로 찾아가서 데일 씨에게 이야기를 하자 청년단을 인솔하는 재퍼 씨가 찾아왔다. 젤피 씨와 이야기를 하던 데일 씨를 밀어젖히고 소재나 마석의 몫에 대해 말을 꺼낸 것이다.

데일 씨도 곤란해 하고 있었다.

"재퍼. 쓰러뜨리는 건 이 사람들이야. 절반이면 되잖아. 나로서는 마석을 건네주고 소재를 받을 수 있다면……."

재퍼 씨가 고함을 쳤다.

"왜 그렇게 소극적인 건데! 남작의 병사에게도 똑같아. 그녀석들, 쓰러뜨린 마석하고 소재를 다 가져간다고. 그렇게 소극적인 태도니까 얕잡아 보이는 거야!"

재퍼 씨의 말에 데일 씨는 반박하지 못했다. 나는 보옥을 만지며 바라봤다.

그러자 초대가 꺼림칙한 소리를 냈다.

『자기가 쓰러뜨리지도 않았는데 절반을 내놓으라니 웃기고 있네! 라는 느낌이구만. 나는 저런 놈이 정말 싫어!』

『여기는 데일의 영지야. 결정권은 데일에게 있지. 하지만…… 전부터 생각하던 건데, 명사들이 제대로 된 놈이 없군.』

2대가 초대의 말을 무시했고 4대가 내게 설명해주었다.

『라이엘, 명사란 마을 관리에 빼놓을 수 없는 이들입니다. 영지민 중에서도 성을 가진 자들이 있죠? 촌장이나 관리…… 그리고, 재퍼 같은 청년단 단장 같은 이들을 말합니다.』

뒤이어 3대가 졸린 목소리로 설명해주었다. 흥미가 없어 보였다.

『명사라고 불리는 이들이 실질적으로 마을을 관리하고 있는 건데, 그들이 제대로 맡아주면 영주는 편해. 실질적으로 영주보다 일을 잘 하는 명사도 있으니까. 그런 곳은 편해서 부럽기 짝이 없단 말이지.』

4대가 지친 목소리로 말했다.

『반대로, 명사가 글러먹으면 이런 상태가 됩니다. 원래대로라면 영주가 단호하게 재퍼의 의견을 밀어낼 필요가 있는데 말이죠.』

5대가 차가운 말투로 단언했다.

『이 녀석을 명사로 삼은 데일의 잘못이야. 이걸로 이 이야기는 끝이지.』

나는 이 영지의 명사를 떠올렸다. 파오라 씨와 데일 씨…… 젊고 미덥지 못하다. 젊으니까 미덥지 못한 게 아니라, 정말로 연령에 상관없이 미덥지 못하다. 내가 할 말은 아니지만 말이다.

짜증이 난 젤피 씨가 데일 씨에게 말했다.

"알겠습니다. 어차피 이쪽은 네 명의 교육도 겸하고 있는 거니까. 보수는 전체의 2할. 전부 옮기기 편한 마석으로 부탁하죠."

데일 씨는 미안한 듯한, 그리고 재퍼 씨는 의기양양한 표정을 지었다.

2대가 그걸 보고 낮은 목소리를 꺼냈다.

『……바보 같은 놈.』

재퍼 씨가 아니라 데일 씨에게 하는 말로 들렸다.

재퍼 씨는 데일 씨보다 연상이고, 형이나 다름없는 존재인 모양이다. 그 때문에 데일 씨도 반박하지 못한다나.

이 대응, 어쩌면 나에 대한 앙갚음도 포함되어 있는 걸까?

그건 모르겠지만, 역대 당주들은 재퍼 씨를 신경 쓰면서 휘둘리는 상태를 그리 마음에 들어 하지 않는 것 같았다.

숲 근처까지 이동했다. 우리는 평소보다 가벼운 장비를 입어서 움직이기 쉬웠다.

영지에서 조금 떨어진 곳에 있는 숲.

우리 근처에는 짐을 실은 짐마차도 있었다. 영지에 짐을 남겨놓고 오지는 않았다.

젤피 씨는 왼손에는 방패를 들고, 오른손에는 한손검을 쥐고 어깨에 올려놓고 있었다. 가죽제 갑옷을 입고, 주변을 둘러보며 우리에게 설명을 했다.

"잘 들어. 멀리 나왔을 경우, 어딘가의 영지나 마을— 성채를 거점으로 할 경우와 야영지를 준비할 경우가 있어. 어느 쪽에서도 할 수 있는 말이지만 짐은 무조건 자신들이 관리해야 해. 이탈할 경우에는 가져가든가, 지켜줄 사람을 남겨둘 필요가 있어.

소피아 씨가 조금 고개를 숙이며 말했다.

"뭐, 슬픈 일이지만 어디든 손버릇이 안 좋은 사람은 있으니까요."

젤피 씨가 끄덕였다.

"이건 서로를 위해서야. 도둑질을 할 경우, 모험가의 도구 중에는 비싼 물건도 있으니까. 경우에 따라서는 엄한 벌이 내려져. 그런 피해를 막기 위해, 도둑질을 당하지 않기 위해 스스로 짐을 관리하라고. 때때로 공연히 친절하게 짐을 맡아주겠다고 말하는 녀석도 있으니까 주의할 것. 이크, 나왔네."

숲 근처에서 이야기를 나누고 있던 중, 덤불에서 곤충형 마물이 뛰쳐나왔다. 크기가 60센티미터 정도 되는 나방이었다.

파닥파닥 날면서 입에서 군침을 흘리며 당장 물어뜯으러 달려들 것 같았다.

젤피 씨가 한손검으로 벤다기보다는 후려쳐버렸다. 검신으로 찰싹, 하고!

마치 파리채 같았다.

"자. 이렇게 후려치는 게 효과적이야. 찔러버려서 체액 같은 게 튀는 것보다는 나아. 게다가 숫자가 많으면 찔렀다가 빼는 게 귀찮고."

젤피 씨는 재주 좋게 장갑을 끼고는 나방 같은 마물에게서 소재로 깃털을 뽑고, 몸속에서 마석을 꺼냈다.

"그리고…… 설마 그러지는 않을 거라 생각하지만, 절대 숲 속에서 화속성 마법이나 뇌속성 마법을 쓰진 말라고. 불이 붙으면 큰일이니까. 때때로 바보가 마물과 함께 숲을 태워버리는데, 숲에 사는 마물이 주변으로 도망쳐버려서 큰일이 벌어지거든."

숲이 타버리면 그곳에 사는 마물들이 주변으로 흩어져서 피해가 나오는 모양이다. 숲에 잠복하는 마물의 숫자는 꽤 많은 것 같다.

때로는 흉악한 마물도 있어서 주변 마을을 파괴하며 돌아다니기도 한다. 노웸은 주변을 보면서 뭔가 깨달은 것 같았다.

"그러고 보니, 이 숲에는 엘프가 없네요. 너무 우거져서 들어가기 힘든 느낌이에요."

엘프— 아인종 중에서도 외모가 아름다운 그들은 정착하지 않는 아인종으로 유명하다. 엘프는 크게 나눠 두 종류. 숲속을 이동하며 사는 수렵민족 같은 엘프와 각지를 이동하는 여행자 같은 엘프가 있다.

어느 쪽도 정착하지 않는 엘프다운 삶이다. 보통은 숲에서 살지 않는 종이 그나마 볼 기회가 많고, 노래나 춤을 공연하는 예술인 같은 인식이 강했다.

젤피 씨가 마석이나 소재를 정리하면서 말했다.

"있었으면 마물 같은 게 극단적으로 적어지고, 좀 더 관리

된 숲이 되어 있었을 걸. 뭐, 있으면 여러모로 귀찮은 일도 있지만.”

아리아가 고개를 갸웃했다.

“그래도 아인종은 기본적으로 인간에게 우호적이잖아……아니, 우호적이잖아요? 문제가 있나요?”

아리아 씨가 업무 모드의 젤피 씨에게 말투를 고쳤다.

“……예술인인 엘프는 괜찮지만, 숲속의 엘프는 혈기왕성하거든. 뭐, 이상한 일을 하지 않는다면 우호적이고, 괜찮아. 하지만…… 바깥일을 이것저것 물어보려고 하니까 붙잡히면 좀처럼 풀어주지 않지.”

노웸이 키득키득 웃었다.

“엘프는 노래나 이야기를 좋아하니까요. 숲에 사는 엘프들은 그런 화제에 굶주리고 있다고 들었어요.”

소피아 씨가 중얼거렸다.

“……꽤나 귀찮군요.”

젤피 씨가 수긍하면서 장갑을 벗었다.

“귀찮다니까. 체력도 좋고, 숲속은 엘프의 안뜰이니까 도망칠 수 없어. 재미있는 이야기를 알고 있다고 여겨지면 며칠은 구속당해 있을 걸. 뭐, 사람 보는 눈은 있으니 위험한 녀석에게는 다가가지 않지만.”

왠지 의외인 것 같은 엘프 이야기를 들으면서 우리는 숲으로 들어갔다.

곧바로 아리아 씨와 소피아 씨가 앞으로 나섰다.

"여기는 맡겨줘. 지금까지는 쓸모가 없었지만, 아츠가 발현했으니 지금부터는 도움이 되어 보이겠어!"

"겨우 은혜를 갚을 수 있겠군요. ……갑니다!"

두 사람이 숲속으로 돌격했다.

"저기, 단체행동을…… 가버렸네요."

노웸은 그런 두 사람의 등에 말을 걸었지만 들리지 않는 모양이다.

젤피 씨가 이마에 핏대를 세우고 있었다.

"저 녀석들을 데리고 돌아가면 한 대 때려줄까."

결국 두 사람을 찾으러 가보았더니 아리아 씨는 숲속에서 아츠를 사용하다 나뭇가지에 걸리는 바람에 축 늘어져 있었다. 머리를 부딪쳐서 기절한 것 같다. 소피아 씨는 나무에 깊이 박힌 배틀 액스를 뽑으려고 버둥거리고 있었다.

2대가 그런 두 사람에게 내린 평가는—.

『……바보.』

바로 이것이었다.

두 사람을 회수한 우리는 숲 바깥으로 나왔다.

그 후, 젤피 씨에게 설교를 듣는 두 사람을 두고 나는 혼자 숲속에 들어왔다.

노웸이 숲 바깥에서 대기하고, 나는 마물을 유도하는 역할이다.

마물을 끌어 모으고, 밖으로 나와 노웸이 마법으로 단숨에 날려버리는 작전이었다.

나는 준비해둔 손도끼를 휘두르며 숲속을 나아갔다. 끄트머리에는 네모난 칼날. 조금 구부러진 손잡이. 방해되는 가지나 풀을 베어버리면서 나가기 위해서는 단검보다 이쪽이 다루기 쉬웠다.

그러자 2대가 좋아했다.

『어떠냐, 라이엘! 손도끼는 쓰기 쉽지?』

"그러네요. 이럴 때는 단검보다 좋은 것 같아요."

확실히 이런 곳을 나아간다면 단검보다 다루기 쉽다.

주변 지형을 5대의 아츠【맵】으로 확인하며 나아가서, 6대의 아츠【서치】로 적의 위치를 찾았다.

이렇게 적의 반응을 바라보면서 나는 2대의 지시를 들었다.

『소리를 내지 않도록 조심해라. 적이 보이나?』

천천히 적이 있는 방향으로 나아갔다. 바닥을 확인하면서, 가능한 한 소리를 내지 않고 나아가자 육안으로 적이 보이는 위치까지 왔다.

그곳에는 중형 개 정도 크기의 토끼가 있었다. 아니, 토끼라기보다는…… 호칭은 많지만, 킬러 래빗이나 일각토끼, 뿔 달린 토끼로 불리는 마물이다.

이마에 특징 있는 원추형 뿔이 나 있고, 붉은 눈동자는 날카롭고 호전적으로 보였다. 풀을 뜯고 있지만, 앞니는 날카롭고 다른 이빨도 마치 육식동물 같다.

하얀 모피에 감싸여 있어서 몽실몽실하게 보이지만 마물이다. 사람이 접근하면 덮치지만, 접근하지 않으면 괜찮다고 일컬어진다.

내가 손도끼에서 사브르로 바꿔 잡자 2대가 『엑?!』하고 놀란 소리를 냈지만 무시하고 접근했다. 손도끼를 쓰지 않는 것에 놀란 거겠지.

그러자 5대가 조금 당황한 목소리를 냈다.

『이, 이봐. 그 녀석은 딱히 접근하지 않으면 문제없잖아. 노, 놓아주자고.』

그러자 6대가 5대에게 어이없는 목소리로 말했다.

『5대…… 또 그 병입니까?』

『병이라고 하지 마! 불쌍하잖아!』

마물에게 불쌍하다니……. 5대가 그런 말을 할 줄은 몰랐다. 평소에는 냉정하고 말수가 적으며 가장 인간미가 느껴지지 않는 게 5대다.

그러자 초대부터 3대까지가 분개했다.

『불쌍하다고오오오?! 저놈을 보면 증오밖에 솟구치지 않는다고! 지금 당장이라도 뭉개버리고 싶을 정도야!』

『저 모피를 보고 있으면 짜증이 나. 지금 당장 활로 쏴죽여서 벗겨버리고 싶어.』

『발견 즉시 죽이는 게 월트가의 방식이야. 서치 앤 디스트로이!』

평소에는 가벼운 태도인 3대까지도 진심으로 화내는 모습이었다.

보옥 안의 소란이 들린 건지— 마물이 나를 눈치챘다.

“눈치챘어?! 설마 목소리가—.”

보옥 안의 대화가 들렸나 싶었지만 초대가 내게 조언해주었다.

『라이엘, 그놈은 짐승이야. 냄새를 맡은 거다. 바람 부는 방향은 조심하라고. 저기 봐, 뛰어든다!』

초대의 목소리는 즐거워 보였다.

뿔 달린 토끼는 일직선으로 내게 다가왔다. 이마의 뿔을 내밀고 있다. 내가 있는 위치를 향해 뛰어오르기 위해 한층 깊이 발돋움을 하고는—.

『지금이다. 옆으로 이동해서 그대로 사브르로 베어!』

초대의 말대로 왼쪽으로 피하자 뛰어오른 뿔 달린 토끼는 공중에서 목표를 잃었다. 스쳐 지나가는 순간 사브르로 베어버리자 피가 주변에 튀고, 나무나 푸른 잎이 붉게 물들었다.

숲의 녹색 속에서 그 색은 선명하게 비쳤다. 나무들의 냄새가 피 냄새로 덧씌워졌다.

뿔 달린 토끼가 바닥에 쓰러져서 그대로 구르자—.

『안 돼에에에!』

5대의 비명이 보옥 안에서 들려왔다.

“잠깐만요. 진심으로 외치지 말아줘요……. 마력이 줄어드니까.”

숲속에서 쓰러지면 위험하다. 내가 5대에게 잠자코 있어주길 부탁하자 세 명의 기뻐하는 목소리가 들려왔다.

『훗, 밭을 어지럽히는 가증스러운 마물이 사라졌구만.』

『속이 시원하네.』

『밭의 적이니까. 이 녀석들, 먹지 않아도 되는데 밭을 어지럽히고 돌아다닌다고. 게다가…….』

3대는 게다가, 의 다음 말을 하지 못했다. 5대가 반론했다.

『쓰러뜨릴 필요가 있었냐고! 접근하지 않으면 되잖아!』

『5대, 이제 조용히 있어주세요.』

6대가 드물게도 5대에게 항의했다. 그건 그렇고 5대는 왜 이렇게까지 마물을 감싸는 걸까?

"5대한테 무슨 일 있었나요? 그보다, 다른 마물을 쓰러뜨릴 때는 아무 말도 하지 않았었는데."

6대가 꺼림칙한 목소리를 꺼냈다.

『그게. 5대는 동물을 좋아하거든. 특히 몽실몽실한 녀석이라든가 귀여운 느낌의 녀석을 말이야.』

의외다. 무슨 일이건 흥미가 없어 보이는 사람이었는데.

5대는 드물게도 감정적으로 반론했다.

『문제 있어?! 그게 문제 있냐고?!』

6대가 웃었다.

『문제가 있는 게 당연한 것 아닙니까. 자기 자식보다 기르는 동물을 더 귀여워하는 건 잘못되었으니까요.』

"……어? 그게 무슨 소린가요?"

5대도 6대도 이야기를 하고 싶지 않은지 침묵해버렸다. 아무래도 평소에는 5대를 존중하는 6대도 뭔가 부자간에 문제를 안고 있는 모양이다.

2대가 덤덤히 말했다.

『라이엘의 양식이 된 거다. 좋은 일이잖아. 자, 바로 다음으로 가자. 다음.』

마물을 쓰러뜨리면 성장이 빨라진다. 그걸 실천하려는 거지만, 아무래도 내 성장이 찾아올 기색은 없었다.

뿔 달린 토끼에게 다가가자 초대가 처리 방법을 가르쳐주었다.

『우선 피 뽑기를 해야겠지.』

"이곳에서요?"

『피 냄새로 다른 마물이 모여든다면, 그대로 끌고 밖으로 나가면 되잖아. 자, 싹둑 잘라.』

예전에는 이런 일도 못했지만, 모험가가 되고 나서 이런저런 일이 있었기에 익숙해졌다. 뿔 달린 토끼의 고기는 먹을 수 있기 때문에 소재 취급이다. 더러워지면 안 되므로 사브르는 바닥에 꽂아두고 깨끗한 나이프를 꺼내서 그대로 피 뽑기를 시작했다.

아츠로 주변 적의 움직임을 보자, 확실히 피 냄새를 맡고 모여들고 있었다.

"이대로 밖으로 나갈게요."

한손으로 뿔 달린 토끼를 들고, 사브르를 칼집에 넣고는 손도끼를 꺼내서 이동을 개시했다. 적이 내게 모이도록 거리를 조정하며 밖으로 향했다.

숲 안을 달리자 몇 번 진창에 다리를 붙들렸다.

어슴푸레한 숲속에서 밝은 바깥으로 나오자 대기하던 노웸이 가보인 지팡이를 들고 마법 준비를 시작했다.

나는 노웸에게 외쳤다. 시야에는 바닥 위에 무릎을 꿇고 있는 아리아 씨와 소피아 씨의 모습이 보였다.

"숫자는 일곱! 움직임이 빨라. 한꺼번에 태워줘!"

숲속에서는 화속성 마법을 쓸 수 없다. 그러나 지금은 바깥이다. 게다가 마법 제어는 노웸에게는 간단한 일이다. 숲이 타오르지 않게 하는 것 정도는 쉽다.

노웸이 지팡이를 들고 영창했다.

"……파이어 스톰."

내가 노웸의 옆을 지나가자, 숲에서 나온 나방 무리가 노웸을 향해 몰려왔다. 그리고, 일곱 마리의 나방을 중심으로 바람이 소용돌이치며 불꽃이 발생했다.

일곱 마리를 깔끔하게 가둬버린 불꽃의 폭풍은 불기둥이 되어 타올랐다.

주변 온도가 단숨에 상승했고, 나는 손도끼를 바닥에 던지고 오른손으로 얼굴을 가렸다. 아무래도 마법의 범위에서 도망친 마물은 없는 것 같다.

"역시 대단하네."

칭찬을 하자 노웸은 가볍게 감사를 표했다.

"라이엘 님도 수고하셨어요."

젤피 씨가 박수를 치며 우리에게 다가왔다.

"훌륭해. 소재는 타버렸지만 문제없어. 우리하고는 상관없으니까. 자, 두 사람도 타버린 마물에게서 마석을 회수!"

무릎을 꿇고 있던 두 사람이 일어서더니 다리가 저릿한지 각자 창과 배틀 액스를 지팡이 삼아 마석을 회수하기 위해 나아갔다.

"……열심히 했는데."

"분합니다."

뭐, 열심히 하려고 한 건 좋지만 느닷없이 숲에 들어가서 아츠를 사용하다가 움직이지 못하게 되면 곤란하다.

나는 회수한 뿔 달린 토끼를 젤피 씨에게 보여줬다.

"아, 이건 도중에 쓰러뜨렸어요."

"피 뽑기는…… 끝났네. 알았어. 두 사람에게 손질해달라고 할까."

아리아 씨와 소피아 씨가 움찔 어깨를 떨었다. 두 사람 모두 평소에는 슬라임의 상대밖에 하지 않았다. 뿔 달린 토끼에게서 소재를 벗겨내는 건 처음이다.

역시 이만큼 커다란 마물을 손질하는 건 아직 저항감이 있는 거겠지.

노웸은 입가에 손을 대고는—.

"뭐, 딱 좋은 벌이네요."

그렇게 말했다.

2대가 탄식을 내쉬고는, 뿔 달린 토끼에게서 소재를 벗겨내는 작업을 앞두고 울상을 지으며 싫어하는 두 사람을 보면서 말했다.

『……이 바보들이.』

초대는 아리아 씨만 비호하고 있었다.

『바, 바보 자식! 귀엽잖아! 울상인 아리아 귀엽다고! 하지만 이렇게 척척 뭐든지 할 수 있게 되어도 괜찮나? 나는 다른 의미로 걱정이 되는데? 너무 듬직해지면 안 되잖아. 지금이 귀여운데.』

듬직해진 아리아 씨를 상상하자 어째서인지 머릿속에 선명하게 그려졌다.

하지만 지금은 울상을 지으며 뿔 달린 토끼에게서 소재를 벗겨내는 본인에게는 도저히 말할 수 없어서, 그건 비밀로 해두기로 결심했다.

제25화 진상

나흘째 저녁.

소재를 받기 위해 동석한 재퍼 씨는 마석과 소재의 숫자를 보며 거칠게 외쳤다.

"수, 숫자가 안 맞잖아!"

젤피 씨는 히죽히죽 웃으며 어깨를 으쓱했다. 어차피 8할이나 뺏긴다면 억지로 벌 필요도 없다. 소재 따위는 무리해서 회수할 의미가 없다.

"아니, 타버렸거든. 회수할 수 없었어. 그래서 이것뿐이야. 자, 우리의 몫은 여기서 2할이네. 어이쿠, 의심한다면 탄 자국이 숲 근처에 있을 테니까 보러 가보지 그래?"

3대가 재퍼 씨를 비웃었다.

『8할이나 가지려고 하니까 이렇게 되는 거야. 5할, 6할이었다면 소재도 귀중하게 회수했을 텐데. 과욕을 부리니 이렇게 되지.』

뭐, 이번에 우리는 마물을 쓰러뜨리고 돈을 벌자고 생각하지 않았던 것도 이유다.

재퍼 씨의 꿍꿍이는 훌륭하게 빗나가버린 셈이다.

"웃기지 말라고. 그럼 마석은 전부 우리 차지야!"

"호오, 그런 소리를 하는 거구나. 그럼, 그 건네준 마석을 제대로 길드에 파는지, 내가 길드에 확인하라고 전달하겠어. 어느 정도라면 눈감아주기도 하겠지만…… 이만한 숫자야. 길드도 잠자코 있지는 않을걸."

젤피 씨가 마석의 수를 보고 재퍼 씨에게 웃으며 협박했다.

"이, 이 자식……."

재퍼 씨가 분한 표정을 지었다. 데일 씨가 제지했다.

"이제 됐어, 재퍼. 2할은 건네드리죠. 그리고 소재는 이쪽으로."

그렇게 교환을 하고 있는데 파오라 씨가 달려왔다. 저녁놀 탓에 잘 몰랐지만, 다가와서 보니 새파란 표정을 짓고 있었다.

"데일 님! 재퍼! 마이니가에서 사자가……!"

파오라 씨의 안색을 보고 데일 씨와 재퍼 씨가 뛰쳐나갔다. 우리도 따라가자 영지 입구에는 다섯 명의 무장한 마이니가 가신들이 살기등등하게 기다리고 있었다.

다섯 명의 사자와 함께 저택으로 가서 사정을 들었다.

그러자 사자의 입에서는—.

"우리 쪽 영지의 숲에서 전투의 흔적이 발견되었습니다."

사태의 발단인 마이니가 가신이 죽었다고 여겨지는 위치가 발견되었고, 게다가 전투의 흔적으로서 피가 대량으로 남아 있었다. 또한 장비의 일부와 가신의 물건이 덤불이나 수풀에 숨겨진 채 발견되었다.

그것도, 숲속— 강가 건너편에 있는 마이니가 영지에서.

"……발견자를 넘겨주셨으면 좋겠군요. 자세하게 조사해볼 필요가 있으니까요."

재퍼 씨는 침묵했다. 이마에 땀이 흐르고 있었다. 보통은 이런저런 트집을 잡았을 텐데. 의아하게 생각하던 와중에 데일 씨가 말했다.

"기다려주세요. 그래서는 의심하고 있는 것 같잖습니까!"

사자는 데일 씨를 노려보며 당장 베어버릴 것 같은 분위기를 냈다.

"있는 것 같은 게 아니라, 의심하고 있습니다. 경우에 따라서는 여러모로 배상을 해주셔야 할 겁니다. 이쪽은 주군이신 자작님께. 그쪽은 양부모이신 남작님께 사정을 설명 드려야 하지 않겠습니까."

배상이라는 말에 데일 씨가 고개를 수그렸다.

"……얼마입니까."

사자는 「확실하게 정해진 건 아닙니다만」 하고 전제를 두며 말했다.

"금화로 1천 닢은 받아야겠군요."

상상 이상의 금액에 내가 놀라자 6대가 침착한 목소리로 설명해주었다.

『놀라지 마라, 라이엘. 이런 건 처음에 뻥튀기를 하는 법이다. 거기서부터 서로 타협점을 모색하는 거지. 상대도 이런 영지에 그런 거금이 있다고는 생각하지 않아.』

데일 씨가 고개를 들었다.

"그런 거금, 있을 리가 없습니다!"

사자는 데일 씨에게 차가운 태도를 보였다.

"그래서요? 도적이라면 일부러 무거운 시체를 옮길 이유가 없습니다. 게다가, 옮긴다면 들키지 않는 곳으로 옮기지 않을까요? 그게 페이건가 영지에서 발견됐다…… 수상하군요. 마치 이쪽에 배상을 요구하려고 했다는 걸로밖에 보이지 않습니다."

"그런 짓을 했을 리가 없어요!"

데일 씨는 흥분했고, 그 옆에서는 파오라 씨가 안절부절못하고 있을 뿐이었다.

3대가 느긋한 목소리로 말했다.

『흐름이 이상해졌네. 이거 혹시, 한동안 체류가 늘어날 기색?』

역대 당주들은 여전히 얽히려 하지 않는 자세였다. 확실히 남인 내가 끼어들어서는 좋지 않은 걸지도 모른다.

갑자기 기척을 느낀 나는 시선을 돌려 바깥을 봤다. 창밖에서 건물 안을 들여다보는 작은 체구의 남성이 있었다. 어디서 봤는데—. 그렇게 생각하던 중에 다리온에서 사브르를 사러 갔었던 때가 떠올랐다.

그때, 여주인과 대화를 나누던 작은 체구의 청년이다.

2대도 떠오른 모양이다.

『그때, 방어구 정비를 의뢰했던 녀석인가? 수상하잖아……. 라이엘, 붙잡아라. 이런 곳에서 한동안 묶여있는 건 손해야. 넘겨줘라.』

데일과 사자의 대화를 듣던 젤피 씨에게 나는 바깥으로 나간다고 하고 저택을 나섰다. 그리고, 바깥에서 기다리던 노웸 일행 세 명과 합류해서 저택을 엿보던 청년을 확보했다.

숙박하는 오두막 안.

묶여있는 작고 통통한 청년의 이름은【피니】였다. 다정해 보이는 표정에 곱슬한 짧은 갈색머리. 나 말고는 여성진이지만, 묶여서 둘러싸였기 때문인지 떨고 있었다.

노웸이 내게 물었다.

"라이엘 님. 이분이 이번 사건과 관련이 있다고 하셨나요?"

"응. 실은 얼마 전 다리온 대장간에서 마주쳤어. 그곳 여주인에게 방어구 정비를 해줬으면 좋겠다고 부탁하던 걸 봤거든. 다만, 방어구에 새겨진 이름은 이 사람의 것이 아니었어."

소피아 씨가 피니 씨의 얼굴로 시선을 보냈다. 날카로운 눈초리였기 때문에, 피니 씨는 자기를 노려본다고 생각한 건지 무서워했다.

"죄, 죄송합니다! 그, 그래도, 그때는 그럴 수밖에 없었다고요!"

소피아 씨가 낮은 목소리로 물었다.

"그때라니 무슨 뜻입니까. 사정에 따라서는……."

소피아 씨를 아리아 씨가 만류했다.

"잠깐만! 너한테 그런 권한은 없다고."

"알고 있습니다. 하지만, 이자는 이번 사건과 관련이 있어요. 방치해둘 수는 없습니다!"

“두 사람 다, 진정해주세요.”

말다툼을 하는 두 사람을 노웸이 타일렀다. 보옥 안에서는 초대가 짜증을 내고 있었다.

『두들겨 패서 전부 실토하게 해!』

그러나 3대는 달랐다.

『아니, 안 되죠. 왜냐하면 이 청년은 데일의 영지민이니까요. 자, 어디…… 그럼 이야기를 들어볼까. 여기에 너무 구속해두는 것도 곤란하고, 이 녀석이 범인이라면 넘겨준 뒤에는 양 가문과 이야기를 해야 하잖아.』

4대가 돈에 관련된 이야기가 되자 즐기면서 말했다.

『자작은 분명 중재료로 큰돈을 벌겠군요. 부럽네요. 완전히 이쪽에서 잘못한 거니까요.』

나는 피니 씨의 눈높이까지 얼굴을 내리고 이야기를 들어보기로 했다.

“거짓말을 하면 당신에게도 도움이 되지 않아요. 대체, 그곳에서 뭘 했던 겁니까? 그보다, 저희가 이곳에 오고 나서는 보이지 않던데요?”

피니 씨는 시선을 이리저리 돌리며 사정을 설명하기 시작했다.

“어, 얼마 전에 재퍼한테 지시를 받아서…… 아아, 재퍼는 청년단을 인솔하는 사람인데…….”

“알고 있어요. 지시를 받아서 뭘 했던 거죠?”

“……다리온으로 무기를 사러 갔었어요.”

무기라는 말을 듣자 아리아 씨와 소피아 씨도 온화한 표정을 짓지 못하게 되었다.

특히 소피아 씨가 진지한 목소리로 말했다.

"무기를 입수해서 어쩔 생각이었던 거죠! 설마, 싸울 생각이었던 게……."

보옥 안에서 2대의 목소리가 들렸다.

『바로 패하겠지. 숫자의 차이도 있지만, 질의 차이로도 뒤져. 라이엘, 계속 말을 들어보자.』

소피아 씨에게 조용히 해줄 것을 요청한 나는 피니 씨에게 사정을 물었다.

"도시에 도착하니까 우리 영지에 문제가 생겼다는 소문이 돌고 있고……. 근데 파견된 게 모험가라고 들어서……. 재퍼의 계획하고는 달라서……."

재퍼 씨의 계획?

"어떤 계획이었죠?"

"……재퍼는, 기사가 되고 싶어 해요."

"기사가?"

그걸 듣고 초대가 말했다.

『그런 건, 전장에 나가서 무공을 세우면—.』

3대가 초대의 말을 가로막았다.

『그게 가능한 인간은 적다고요, 초대. 과연, 전쟁을 일으키고 싶었던 거구나. 그걸 위해 무기를 준비했다는 건가.』

재퍼 씨는 전쟁을 일으켜서 공을 세우고 기사가 되려 한 것 같다. 하지만 그런 게 가능한 걸까?

그때 소피아 씨가 중얼거렸다.

"배신 기사인가요? 설마, 그걸 위해 전쟁을?"

피니 씨가 몇 번이나 끄덕였다.

"마, 맞아요. 재퍼는 기사가 되면 생활이 편해진다고 했어요. 게다가, 밭일로 평생을 마치고 싶지 않다고……."

그걸 들은 3대가 코웃음 쳤다.

『그럼 대신해줬으면 좋았을 텐데. 정말이지, 꿈 많은 젊은이는 이래서 곤란해.』

3대는 전장에서 죽었다. 그 때문에 전쟁에서 공을 세워 출세하려는 재퍼 씨에게 짜증을 내고 있었다.

소피아 씨가 말도 안 된다는 표정을 지었다.

"이, 이 무슨 어리석은 짓을! 전쟁이 일어나면, 얼마나 사망자가 나오는 줄 아시나요! 그것만이 아니에요. 이 영지가 대체 얼마나 피해를 입을지……!"

그런 사정에 자세한 건 소피아 씨일 거다. 나는 소피아 씨의 말에 귀를 기울이며 신경 쓰이는 점을 물었다.

"전쟁이 벌어질 경우에는 어떻게 되죠?"

소피아 씨가 이마를 손으로 눌렀다. 너무나도 바보 같은 이유라 어이없어하고 있었다.

"……마이니가는 자작님께 부탁하고, 페이건가는 남작님께 부탁하겠죠. 숫자는 시기도 있으니 조달이 어렵겠지만, 서로 200에서 300일까요? 당연히 마이니가는 진심으로 싸울 테니까 그쪽의 숫자가 확실히 많겠죠. 증원이 올 때까지 버틸 수 없을 거고, 이 영지는 약탈 대상이 될 거예요."

피니 씨가 땀을 줄줄 흘렸다.

"그, 그래도, 전장에서는 선전포고로 날짜를……."

소피아 씨가 고함을 쳤다.

"그런 느긋한 전쟁은 되지 않아요! 그쪽은 가신이 한 명 살해당했다고요! 상대에게 시간 따위를 줄 리가 없어요."

정말로 그런 참사가 벌어지는 걸까? 아리아 씨를 보자 그녀도 그런 사정에 어두운 건지 고개를 가로저었다. 노웸은 피니 씨를 보며 말했다.

"그렇게 날짜를 정할 경우도 있죠. 뭐, 전쟁도 잘게 쪼개면 몇 가지 종류가 있으니까요."

소피아 씨가 끄덕였다.

"단순히 서로의 힘을 겨루는 싸움이 아니에요. 앞으로 펼쳐질 내용에 따라서는 정말로 엄청난 피가 흐를 가능성이 있죠. 메다르트 님은 적을 상대로 쓸데없이 더 힘을 빼는 짓은 하지 않으실 겁니다."

피니 씨가 부들부들 떨었다.

나는 의문을 느꼈다.

"어, 하지만 같은 반세임의 국민이잖아? 그렇게까지 하는 건가?"

소피아 씨가 어이없다는 듯이 나를 바라봤다.

초대가 내게 고함쳤다.

『당연하지! 나라도 이런 짓을 당한다면 진심으로 싸울 거다!』

2대도 같은 의견이었다.

『너는 봐주기 같은 건 못하잖아. 라이엘, 말해두는데 아군이 살해당하고 이런 취급을 받는다면 진심으로 싸울 거다. 아무것도 하지 않으면 영지민들이 불만을 가지니까.』

3대가 불쾌한 목소리를 냈다.

『정말로 민폐라니까. 전쟁이 시작되면 도망칠 수 없을 거고, 지금부터 마이니가와 합류할까?』

그런 게 허용되는 걸까?

피니 씨가 눈물을 흘렸다.

"서, 서는 그렇게 될 줄은……."

소피아 씨가 고함쳤다.

"대체 뭘 한 겁니까! 전부 말해보세요!"

피니 씨는 사정을 설명했다.

—그것은 몇 주일 전의 일이었다.

재퍼와 피니는 숲으로 들어갔다. 곤봉은 든 두 사람은 마물을 쓰러뜨려서 마석이나 소재를 회수한 뒤에 행상인에게 팔려는 꿍꿍이를 갖고 있었다.

길드에 가서 파는 것보다는 가격을 싸게 후려치지만, 거리가 있는 다리온까지 가서 파는 건 귀찮았기 때문이다.

"재퍼, 이제 그만두자. 강을 넘어버린다고."

"시끄러워, 피니. 행상인이 오기 전에 조금이라도 돈을 벌어둬야 한다고. 그러면 무기를 사와. 파오라도 나를 다시 보겠지."

명사의 딸인 파오라를 좋아하는 건 재퍼만이 아니다. 또래 남자들에게 동경하는 여성을 거론하라면 단연 파오라였다.

피니도 아련한 연심을 품고 있어서 그걸 위해 읽고 쓰기나 계산 공부를 했다. 그러나 바라봐 주는 건지는 알 수 없었다. 또래들 가운데서는 골목대장인 재퍼가 언젠가 파오라와 결혼할 거라는 소문이 파다했기 때문이다.

"하지만, 데일 님에게 허가도 받지 않았고, 숨어서 이런 짓을 하는 건 미안해."

"나는 청년단의 단장이라고! 내가 괜찮다면 괜찮은 거야!"

마이니가 영지로 들어간 두 사람은 숲속에서 마물을 찾았다. 때로는 산나물이나 나무열매 등을 따서 그걸 바구니에 넣었다.

어엿한 범죄였다.

'재퍼, 요즘 특히 심해졌네. 파오라의 아버지도, 영주님이나 데일의 형도 없어서 폭주하는 것 같아.'

갑자기 자신들을 꾸짖는 존재가 사라졌다. 또한 새로 영주가 된 것은 옛날부터 사이가 좋았던 데일이다. 그런 사정도 있어서 영지에서는 재퍼의 발언력이 강해졌다. 데일이 재퍼에게 무른 것이 원인이다.

그렇게 마이니가의 숲을 걷던 중 목소리가 들렸다. 고함소리였다.

"여기서 뭘 하는 거냐!"

그곳에는 방어구를 입고 대검을 짊어진 인물이 있었다. 마이니가의 가신이라는 걸 바로 알 수 있었던 건 차림새가 정돈되어 있었기 때문이다.

"크, 큰일 났다!"

"재퍼, 빨리 사과하자."

"나, 나는 안 된다고 했는데, 이 녀석이 어머니를 위해서 꼭 산나물을 따고 싶다면서—."

사과하자고 한 피니에게 재퍼는 죄를 뒤집어씌웠다.

"재퍼!"

숲속을 걷기 위해 손도끼를 들고 있던 마이니가의 가신은 두 사람에게 다가갔다.

"너희들. 페이건가의 영지민이군. 강을 넘어서 이쪽에 들어온 건 인정하는 거겠지? 그럼, 짐을 두고 당장 돌아가라."

채집한 물건을 두고 가면 용서해준다는 상대에게 재퍼가 물고 늘어졌다.

"이, 이봐. 잠깐 기다려줘. 절반. 아니, 대부분은 페이건가 영지에서 얻은 물건이라고. 이쪽에서 딴 것은 돌려줄 테니까."

"믿을 수 있을 것 같으냐? 이러니까 페이건가의 인간은……."

그때, 숲속에서 울음소리가 들려왔다.

재퍼와 피니가 그 목소리에 돌라서 자빠졌다.

마이니가의 가신은 등의 대검을 뽑았다.

"오크라고? 어째서 이런 곳에—."

아래턱에 두 송곳니가 돋아난 돼지머리의 마물이 다가오는 것이 보였다. 신장은 2미터 전후.

커다란 팔에는 털이 나 있고, 허리에는 천을 둘렀다. 커다란 손으로 나무를 밀자, 가느다란 나무가 빠직빠직 쓰러졌다.
오크의 오른손에는 돌도끼가 들려 있었다.
바로 근처까지 오자, 동물 같은 소리를 지르며 마이니가의 가신을 노려봤다.
“너희들, 당장 여기서 도망쳐라. 근처에 내 동료가 있을 테니 불러다오!”
가신은 대검을 들고 오크를 베었다. 오크는 그것을 도끼로 튕겨냈다.
파워가 다른데다가 대검으로는 싸우기 힘든 곳이었다.
“젠장!”
마이니가의 가신이 변명을 하자면, 분명 숲속에 오크가 있다고는 생각하지 못했다고 말할 것이다. 대검은 어디까지나 그냥 들고 왔을 뿐이다. 그저 손도끼만 있어도 이 주변의 마물은 충분히 대처할 수 있다.
그러나 오크에게는 손도끼로 싸울 수가 없었다. 두꺼운 피부에 굵은 손발. 대검으로 바꾼 이유는, 그런 오크와 싸우기 위해서는 대검이 낫다고 생각했기 때문이다.
피니는 바로 달려갔다.
그러나 재퍼는 피니의 바지를 잡았다.
“재퍼!”
“다, 다리가 안 움직인다고! 그, 그때하고 똑같아…….”
그때란, 두 사람의 첫 전투. 3년 전에 영주와 주요 인물들이 참가했던, 로베니아가가 주체가 된 전쟁이었다.

페이건가는 전력이 부족했기 때문에 후방 배치. 식량 경비라는 역할을 받았다. 그러나 재퍼가 그것에 불만을 품고 뛰쳐나갔다.

영주와 적자, 파오라의 아버지인 명사는 재퍼를 뒤쫓았다. 피니는 다른 부대에게 멋대로 움직인 이유를 전달했고, 그리고 세 명이 재퍼를 발견했을 때—.

적의 복병과 마주쳐 허리에 힘이 빠져 움직이지 못하는 재퍼를 지키려다 세 사람은 전사. 나중에 피니가 아군을 데려와서 재퍼만큼은 살아난 형국이 되고 말았다. 결과만 보면 복병을 끌어낼 수 있었지만, 영주, 적자, 명사를 잃은 큰 손해의 원인은 재퍼였다.

"이, 이거 놔줘! 바로 알리러 가야 한다고!"

"그렇게 말하면서 도망칠 생각이잖아! 놔, 놔두고 가지 말라고!"

재퍼는 놓아주지 않았다.

그런 말다툼을 듣던 마이니가의 가신은 정신이 산만해졌다. 오크의 오른팔을 깊이 베어서 방심도 하고 있었다.

"뭐하는 거냐. 어서—."

다음 순간, 돌도끼를 왼손으로 바꿔든 오크에게 마이니가의 가신이 베이고 말았다.

피니와 재퍼는 입을 뻐끔거리며 자신의 죽음도 확신했다.

그러나 오크는 오른팔에서 흐르는 피를 바라봤다. 그리고 떨어진 대검을 보고는 돌도끼를 버리고 그걸 주웠다. 피니와 재퍼를 경계하면서, 대검을 보고…… 그리고, 들고 떠나버렸다.

피니는 안도하면서, 곧바로 마이니가 쪽으로 가려고 했다. 그러나 재퍼가 손을 놓지 않았다.

"재퍼, 이제 그만―."

"피니…… 저 아저씨의 시체를 옮기자."

"―뭐?"

재퍼가 한 말은 마이니가의 가신을 페이건가 영지에서 죽은 것처럼 꾸미자는 것이었다―.

오두막 안.

모든 것을 들은 우리는 두 사람의 무계획성에 어이없어했다.

"거기서부터 이야기가 커져서, 저는 무서워져서……. 하지만 재퍼가 이건 기회라면서 마이니가가 잘못한 걸로 하고, 남작에게 병사를 요청해서 전쟁을 하자며……."

나는 피니 씨에게 확인을 취했다.

"저기, 무척 즉흥적인 계획이었네요. 그래서, 왜 막지 않았던 거죠?"

피니 씨는 눈물을 흘리고 있었다.

"저는 재퍼에게는 못 이긴다고요! 게다가, 옛날부터 거스르면 얻어맞아서……."

한심하다고 생각하면서도, 피니 씨의 모습과 내가 겹쳐졌다. 역대 당주들에게는 나도 이런 식으로 보이는 걸까?

"원래대로라면 시체는, 발견하지 못하도록 사람이 들르지 않는 곳에 숨겨놓기로 했었어요. 하지만, 험준한 숲속에서 둘만으로 옮기는 건 무리였죠. 그래서 페이건가 영지까지 필사적으로 옮겨서 귀중품을 벗기고 갖고 돌아왔어요. 들키기 전에 우리가 시체를 발견했다는 걸로 하자고 재퍼가…… 누군지 모르는 사이에 시체를 매장하자고……."

보옥 안에서는 2대의 짜증난 목소리가 들려왔다.

『그 재퍼라는 빌어먹을 꼬마는 가장 싫은 타입이군. 쓸데없는 짓을 해서 민폐를 끼치고, 목소리만 크면서 약한 녀석에게는 무척 강하지. 아무것도 하지 않고 불만만 늘어놓는 녀석의 전형이야.』

2대…… 싫어하는 타입이 많은 것 같다. 3대가 탄식을 내쉬었다.

『뭐, 바보짓을 하는 녀석은 어디에나 있으니까. 자, 그럼 이 문제를 어떻게 할까……. 좋아. 그 재퍼라는 녀석을 넘겨주고, 우리는 돌아가자.』

아, 역시 그런 결론이 되는 건가.

그러자 아리아 씨가 허둥대며 말했다.

"자, 잠깐만! 이거, 어떻게 하지 않으면 큰일이 나는 게……."

노웸이 뺨에 손을 대며 살짝 고개를 갸웃했다.

"큰일이네요. 하지만 저희가 뭔가 할 수 있을 것 같지는 않아요. 애초에 페이건가가 일방적으로 잘못한 거니까요. 어쩌면, 양부모에게 버려질지도 모르죠."

변호할 여지가 없다.

4대가 내게 말했다.

『……라이엘. 방어구 수리 건과 편지 건을 확인해보세요.』

나는 피니 씨에게 물었다.

"저기, 혹시 마이니가에 보낸 편지는 피니 씨의 행동인가요? 그리고, 방어구를 수리한 건……."

피니 씨는 다시 울었다.

"저, 저예요. 팔아치우라고 해서 다리온에 갔지만, 할 수 없어서……. 게다가, 저희를 도와줬는데 그대로 누구인지도 모른 상태로 방치되는 건 너무 심하니까요. 방어구는 수리를 부탁했어요. 적어도 가족 분들에게 돌려주고 싶어서……."

나는 여주인의 말을 떠올렸다. 그때, 마물에게 당한 듯한 상처라고 했었다. 즉, 마물— 오크의 이야기는 사실일지도 모른다.

소피아 씨가 팔짱을 꼈다.

"……솔직하게 말하면, 아직 원만하게 끝낼 가능성은 있어요. 게다가 오크를 방치할 수는 없고요. 이런 곳에 있다면, 뭔가 이유가……."

그러자 뭔가를 깨달았는지 3대가 목소리를 높였다.

『그거야!』

2대도 갑자기 의욕을 보였다.

『있을 수 있어! 그래. 여기는 우리와는 달리 주변에 마을이 있고, 마물은 정기적으로 쓰러뜨리고 있을 거다. 오크가 있다니 이상해! 지금 이야기의 흐름이라면, 여기에 있는 건 이상하다고!』

초대는 이해하지 못했다.

『오크 정도가 뭐라고? 있으면 이상하냐? 내 시대에는 브라운 베어가 여기저기 널려 있었는데?』

브라운 베어…… 곰의 모습을 한 마물로, 오크 따위보다 성가신 마물로 여겨진다. 물론 오크역시 도구를 사용하다보니 성가신 마물인 것은 사실이지만, 브라운 베어는 단순히 무척 강하다.

초대 입장에서는 오크는 위험한 상대가 아닌 거겠지.

4대가 기뻐하며 말했다.

『네, 좋군요. 좋아요. 만약 생각이 맞는다면…… 이건 커다란 돈벌이 이야기! ……이게 아니라, 라이엘에게는 커다란 경험이 될 겁니다!』

5대도 눈치챈 모양이었다.

『아아, 그런가. 확실히 그거라면 개입하는 편이 좋을지도.』

6대도 즐거워 보였다.

『호호오, 즉 여기에 가능성이 있다, 이겁니까?』

7대도 지금까지의 태도와는 달리 흥미를 드러냈다.

『음, 여기서는 개입해서 은혜를 입혀두도록 하죠. 평소에는 없는 마물. 게다가 정기적으로 토벌을 하고 있을 텐데, 갑자기 나타났다……. 좋군요. 가능성이 높아요.』

3대도 두근두근한 목소리로 말했다.

『이야아, 재미있어졌네. 라이엘, 조금 도와줄 테니까 이번 사건을 해결하자.』

……어째서 갑자기 의욕을 보이는 걸까?

제26화 합동조사대

우리는 피니 씨의 구속을 풀고, 넷이서 함께 저택으로 돌아왔다.

마이니가에서 사자가 나와 있던 저택.

그들은 적진에서 잘 수 있겠느냐고 말하며 밤인데도 불구하고 그대로 영지에서 나갔다고 한다. 주변은 어두우니 지금쯤 어딘가에서 야영을 하고 있을 것이다.

저택에는 데일 씨가 소파에 앉아서 양손으로 머리를 감싸쥐고 있었다.

데일 씨에게는 파오라 씨와 재퍼 씨가 붙어서 이야기를 나누고 있었다.

"데일, 이쪽에서도 확실하게 조사하자."

파오라 씨의 말투는 친근한 목소리로 돌아가 있었다. 그러나 재퍼 씨는 필사적으로 조사를 회피하려 했다.

"그놈들이 거짓말을 한 거야! 데일, 나를 믿어. 지금 당장 남작에게 편지를 보내서 상대에게 선전포고를 해. 시간과 장소를 지정하자고. 피니를 시켜서 편지를 보내자. 무기도 피니가 사와 준다면, 그리고 무장하면—."

이름이 언급된 피니 씨는 움찔 몸을 떨었다. 소피아 씨의 이야기를 듣고 그게 얼마나 위험한지 이해한 모양이다.

나는 재퍼 씨를 보면서 생각했다.

어째서 이렇게 즉흥적으로 행동하는 걸까?

초대가 어이없다는 듯이 이야기했다.

『나라면 그런 웃기는 편지를 받은 시점에서 저놈을 두들겨 팼겠지. 남자들을 모아서 쳐들어갔을 거다.』

야만족을 이끌고 대검을 휘두르는 초대가 상상이 갔다.

2대는 짜증이 난 모양이었다. 재퍼 씨가 아니라 데일 씨에게.

『……착각 속에 사는 놈이나 이런 바보는 자주 보이지. 하지만 그런 녀석을 중용한 시점에서 이 데일에게도 책임이 있어. 이 녀석, 정말로 최악이군.』

3대가 데일 씨를 약간 변호해줬다.

『어쩔 수 없지 않을까? 인간관계라든가, 타협안 같은 걸로 배치가 정해지는 일도 있고. 솔직히 허수아비 영주네. 영지민의 이상을 떠안았다는 느낌이야. 조금 더, 주변 명사 같은 사람들이 확실히 있어줬다면 좋았을 것을.』

3대는 데일 씨의 지금 모습을 허수아비라고 했다. 영지민의 이상을 떠안은 영주…… 그게 좋은 건지, 나쁜 건지는 모르겠다. 다만, 현재는 그게 무척 안 좋은 방향으로 향하고 있었다.

4대가 나지막하게 말했다.

『뭐, 어떤 통치를 하건 상관은 없지만, 이런 외통수 상태에 몰린 단계에서는 영주의 책임입니다. 주변의 잘못이라 해도, 이에 책임을 지는 게 영주니까요. 안타깝군요.』

확실히 미연에 막지 못했던 걸 생각하면 데일 씨의 책임일지도 모른다. 재퍼 씨를 너무 믿었다.

노웸이 저택 안을 돌아봤다. 조금 신경 쓰이는 점이 있는 모양이다. 돌아온 우리보다도 자신들의 대화를 우선하는 데일 씨 일행에게서 조금 떨어진 곳에서 노웸이 내게 작게 속삭였다.

“이 방. 청소는 되어 있지만 그렇게까지 깨끗하지는 않네요.”

그러자 아리아 씨가 노웸 씨를 보고 뺨을 실룩거렸다.

“왠지, 무서운 시어머니 같은 말이네.”

시어머니 같다는 아리아 씨에게 소피아 씨가 설명했다.

“확실히 그렇지만, 그 정도로 중요하다는 뜻이에요. 사람에 따라서는 얕잡아 보이니까요.”

노웸이 소피아 씨에게 말을 이었다.

“고용인을 해고했다고 들었어요. 귀족적인 생활이 싫었던 거겠죠. 게다가, 세금을 크게 내렸다고……. 수입이 적어서, 사람을 고용하지 못하게 된 걸지도 몰라요.”

피니 씨가 고개를 숙였다.

“맞아요. 게다가, 마을 정비를 위한 자금도 부족해서, 지금은 방치하고 있는 곳도 많아요. 전에는 제대로 하고 있었다는 불만을 가진 사람도 늘어나서……”

5대가 낮은 목소리로 말했다. 아직 오늘의 뿔 달린 토끼 건으로 침울해졌는지, 화가 난 모습이었다.

『……뭘 하더라도 불만은 나오겠다만.』

4대가 내게 해설해주었다.

『라이엘. 기본적으로 세금은 모아놓으면 영주가 자유롭게 쓸 수 있습니다. 쓸 수 있습니다, 만! ……거기서부터 마을의 유지비가 들어갑니다. 정비죠. 또한, 밭을 넓히고, 가도를 정비하는 것 등등에도 그곳에서 자금을 뽑아 써야 합니다. 세금을 내리면 당연하게도 그런 자금역시 줄어듭니다. 무슨 일이든 밸런스가 중요한 거죠.』

3대가 웃었다.

『뭐어, 그런 짓을 하지 않고 전부 자기 호주머니에 넣고 억지로 영지민들을 일하게 만드는 영주도 있긴 하지만! 자……이 바보의 눈을 뜨게 만들어줄까.』

3대의 후반부 말투는 조용하지만 조금 무서웠다.

나는 데일 씨에게 말을 걸었다.

"데일 씨. 피니 씨에게서 사정은 전부 들었어요. 아무래도, 범인은 마물인 모양이네요."

데일 씨가 우리 쪽을 보며 그런 건 알고 있다는 표정을 지었다. 한편, 재퍼 씨는 조금 초조해진 것 같았다. 피니 씨를 노려보고 있지만 그 시선을 소피아 씨가 사이에 서서 막았다.

피니 씨가 주먹을 쥐고 고개를 숙이며 외쳤다.

"확실히 마이니가의 가신을 죽인 건 마물이야! 오크였어! 지금까지 본 적도 없는 마물이야! 하, 하지만……."

재퍼 씨가 피니 씨를 붙잡으려고 하던 걸 내가 막았다. 그래도 재퍼 씨가 나를 밀어내려 해서 그대로 다리를 걸어 넘어뜨렸다. 재퍼 씨는 쓰러지면서도 피니 씨에게 외쳤다.

"피니, 그만둬!"

"……방어구나 돈 될 물건을 벗겨내고, 시체를 페이건가 영지에 옮긴 건 우리야. 나랑 재퍼라고!"

피니 씨의 외침에, 데일 씨와 파오라씨가 아연실색하고 있었다. 데일 씨는 소파에서 일어나 재퍼를 응시했다.

"……어떻게 된 거야, 재퍼."

"아, 아니야! 내가 아니라고! 피니 녀석이 하자고 했어! 나는 막았지만, 이 녀석이—."

방 안에 있던 젤피 씨가 내 쪽을 바라보며 인상을 찡그렸다. 쓸데없는 일을 했다는 표정이었다. 미안하다고 생각하지만 역대 당주들이 의욕을 보이고 있었다. 여기서 개입하지 않으면 분명 소란을 부리겠지.

"……전쟁 준비를 하려고 했던 모양이에요. 방어구와 돈 될 물건을 팔아서, 자신들의 무기를 살 예정이었죠?"

쓰러진 재퍼 씨가 나를 노려봤다.

"외지인이 우리 일에 참견하지 마! 데일, 너는 이런 놈하고 나, 둘 중에 누구를 믿는 거야! 우리는 줄곧 이 영지에서 함께 보냈잖아!"

파오라 씨는 피니 씨를 바라봤다. 그리고, 멍하니 있던 데일 씨에게 말했다.

"……데일. 피니는 거짓말을 하지 않아. 게다가, 언제나 재퍼에게 부려 먹히고 있었고, 재퍼에게 그런 말을 할 이유가 없어."

단숨에 말을 마치고 고개를 숙인 파오라 씨는, 재퍼 씨를 보며 인상을 찡그렸다.

"데일, 사과하자. 우리가 잘못한 거야."

데일 씨도 풀썩 고개를 숙였다. 왼손으로 얼굴을 누르면서, 떨리는 입술로 목소리를 쥐어짜냈다.

"……내가 내일 아침 일찍 마이니가에 가겠어. 사죄한다고 용서를 받을 수 있을지는 모르겠지만, 반드시 모두에게 위해가 가지 않도록 할 테니까."

마지막까지 영지민을 생각하는 모양이다. 솔직히 존경하고 싶지만, 역대 당주들 쪽에서 보면 그런 건 아무래도 좋은 모양이었다.

6대가 비장한 데일 씨의 모습을 보며 말했다.

『자, 사정은 전했으니 다음 단계로 넘어갈까. 라이엘, 이런 귀찮은 남의 집안 사정에 목을 들이민 거다. 보답은 확실히 챙겨야겠지!』

즐거워 보이는 6대와는 달리, 7대는 아무래도 좋아 보였다.

『사죄만으로 용서받는다면, 싸움 같은 건 없단 말이지.』

나는 역대 당주들과 상의한 대로, 데일 씨에게 현재 상황을 설명했다.

"당신의 사죄 하나로는 수습되지 않아요. 저쪽은 죽인 것도 페이건가라고 생각하고 있을지도 모르니까요. 잘 해봐야 배상금을 내든가, 쳐들어와서 약탈하거나……. 양부모이신 벤틀러 남작님도 어이없어하며 원군을 보내주지 않을지도 모르죠."

실제로 어떻게 될지는 모른다. 다만, 불안감을 부추기라고

했다.

데일 씨의 얼굴이 새파래졌다.

“그, 그래도, 죽인 건 마물이고—.”

“일부러 마물을 유도해서, 라는 말을 할지도 모르죠. 저쪽은 상당히 머리에 피가 몰렸으니, 과연 이야기를 들어줄지…….”

불안해 보이는 주변 사람들 앞에서 나는 오른손을 들었다. 몸짓 손짓을 섞어가며 불길한 미래를 늘어놓았다.

“배상금은 금화로 1천 닢이던가요? 그걸 지불할 경우, 어딘가에서 빌리는 건 가능한가요? 아, 무리겠네요. 데일 씨, 다른 영주와의 관계를 다지지 않았으니까요. 빌릴 수는 없겠죠. 그러면, 분할로 납부하게 되겠네요. 분명 이자가 붙겠죠? 그걸 지불하기 위해, 이 영지는 싫어도 세금을 올려야겠네요. 7할…… 아니, 8할일지도 모르죠! 그 정도까지 올리지 않으면 지불할 수 없으니까요.”

데일 씨가 눈을 크게 떴다. 파오라 씨도 마찬가지다.

“그럴 수는 없어! 어르신이나 아이들이 어떻게 될 거라 생각하는 거야!”

일할 수 있는 사람은 괜찮다. 일을 하지 않으면 수확 같은 걸 얻을 수 없다. 그러나 연약한 입장인 노인이나 아이…… 먼저 희생되는 건, 약한 인간이다.

“그렇게나 세금을 걷으면, 우리는 살아갈 수 없어! 배상금을 지불할 수는 있다고 해도, 영지는…….”

나는 계속 말을 이었다.

"그럼 싸울 건가요? 상대는 무구를 갖춘 병사들이 50명…… 아니, 위치가 가까우니까 150명 정도를 동원해서 이 영지를 덮칠지도 모르겠네요. 참혹한 일이 벌어지겠죠. 밭의 수확물이나 금품은 빼앗기고, 여성은—."

거기까지 말하자, 데일 씨가 내 멱살을 잡았다. 눈이 무섭다.

"……저를 때리실 건가요? 그러면 해결되나요? 말해두는데, 이 문제의 책임은 당신에게 있습니다. 당신에게는 밭일보다도 우선해야 할 일이 있었죠. 그걸 이해하지 못했으니까, 지금이 있는 겁니다. 이런 상황에서 손 쓸 수단이 없는 당신은, 영주 실격이에요."

데일 씨가 이를 악물었다.

"그럴지도 몰라. 하지만! ……아무것도 모르는 네가 뭘 안다는 거야. 주변 영주의 집에 선물을 들고 마시러 가는 아버지와 형을 줄곧 봐왔어. 세금을 올리고, 파오라의 아버지와 몇 번이고 격렬한 말다툼을 벌였지. 그것도 모자라 자기들은 전쟁에 참가해서 죽고…… 파오라의 아버지도 말려들었어! 다들 고생하고 있다고."

데일 씨가 내 손을 봤다. 목소리가 조금 떨리고 있었다.

"밭일도 한 적 없는 손이네. 무기를 쥐는 손…… 분명, 유복한 가정이었겠지. 그럼 이해하지 못할 거야. 놀러 다니는 아버지와 형, 힘들어하는 영지민을 보고 자란 내 마음 같은 건……. 나는, 영주 같은 건 되고 싶지 않았어! 주변 사람 모두가 내게 말해! 좀 더 세금을 내려주지 않으면 생활할 수 없다고! 네

아버지는, 네 형은, 이라면서 불만을 말해! 나는 어찌 할 수가 없는데, 두 사람에 대한 불만은 언제나 내게…… 영주가 되어도, 모두가 내게 불만을 말해. 말한 대로 해왔어! 하지만…… 하지만!"

내게서 손을 뗀 데일 씨는 천천히 무너지듯이 바닥에 주저앉았다. 분명, 이 사람은 무리를 해온 거겠지. 그렇게 생각하니 왠지 도발한 내가 한심해졌다.

초대가 조금 동정한 모양이다.

『……뭐야, 한심하기는. 조금 더 강하게 나가면 되는 거라고.』

2대의 말은 엄했다. 하지만 지금까지보다는 조금 말투가 다정했다.

『주변의 비위만 맞춰왔으니까 이렇게 되는 거다.』

3대도 조금 다정한 목소리로 말했다.

『뭐, 데일도 입장을 고르지 못했던 쪽 사람이네. 자, 라이엘…… 그런 데일에게 힘을 빌려주자고.』

데일 씨의 입장에 공감하는 건 초대부터 4대까지다. 이 무렵에는 월트가도 작은 영주 귀족이었다. 5대 이후부터는 양부모의 입장까지 상승했기 때문에 생각이 다르다. 그 때문에 다정한 말 같은 건 없었다. 하지만 동정은 하는 모양이다.

7대가 나지막하게 중얼거렸다.

『이 정도의 영지쯤은 문제없이 다스려줬으면 좋겠군요.』

4대가 양쪽의 입장을 모두 이해하는지 변명을 해줬다.

『작으니까, 작은 곳 나름의 고생도 있는 법이죠.』

나는 데일 씨에게 말했다.

"……이 상황, 어떻게든 돌파하고 싶습니까? 만약 제게 의뢰를 해주신다면, 이 어찌할 수 없는 상황을 어떻게 해드릴 수 있는데요."

데일 씨 일행이 내 얼굴을 봤다.

뒤쪽에서 노웰과 여성진의 목소리가 들려왔다.

"이럴 때 라이엘 님의 등은…… 멋지네요."

젤피 씨가 어이없다는 목소리를 냈다.

"언제나 이렇게 당당하고, 재치가 있으면 좋을 텐데 말이지."

아리아 씨도 조금 흥분한 모습이다.

"왜, 왠지 평소하고는 다르지만, 이쪽도 좋을지도!"

소피아 씨는 조금 나를 의심하는 중이다.

"하지만, 이 상황을 어떻게 해결할지……. 마이니가가 그리 간단히 용서해줄 리가 없는데요."

데일 씨가 나를 올려다보며 천천히 일어났다.

"그러고 보니, 남작님의 편지에서는 도움이 될 거라고……. 게다가, 마이니가와도 교섭을……. 무슨 연줄이라도 있는 건가?"

나는 단호하게 단언했다.

"연줄? 딱히 남에게 의지할 필요 같은 건 없어요. 아니, 소피아 씨의 연줄로 메다르트 씨와 면회, 그리고 제안은 했었지만요."

전원이 내 말에 귀를 기울이고 있다. 긴장된다. 전에 많은 사람들 앞에서 바보 귀족을 연기했을 때와 비슷한 긴장감이다.

그런 내게, 역대 당주들이 말을 걸었다.

『정신 똑바로 차려, 라이엘! 너는 내 자손이잖냐.』

초대의 말을 들은 나는 살짝 웃음이 나올 것 같았다. 예전에는 「절대로 인정 못한다」라는 말을 들었던 걸 생각해 보면, 분명 커다란 진보다.

그건 그렇고, 처음에는 나를 가장 싫어하던 초대가 지금은 가장 인정해주는 것 같은 느낌이 든다.

6대가 웃었다.

『라이엘, 불안감을 상대에게 알려주지 마라. 당당히 있으면 상대도 믿게 되지! 자, 벤틀러보다는 쉬운 상대다.』

확실히, 벤틀러 씨보다는 교섭하기 간단하겠지.

"양 가문이 함께 현장을 확인하죠."

내 말을 들은 전원이 다음 말을 기다렸다. 그러나 나는 말없이 팔짱을 꼈다.

아리아 씨가 가장 먼저 말을 꺼냈다.

"어? 그것뿐?"

나는 기다렸다는 듯이 말했다.

"그것만으로도 상황이 움직이니까요. 괜찮아요. 저를 믿어주세요. 뭐, 이런 일은 특기니까요. 제 출신은 백작가— 영주귀족 월트가. 200년을 넘는 역사는 장식이 아니에요."

피니 씨가 놀랐다.

"배, 백작님?!"

아니, 백작인 건 아버지고 나는 쫓겨난 몸이지만…… 뭐, 지금은 말하지 말자. 다른 사람들도 놀라고 있었다. 그만큼 백작이라는 지위가 그들에게는 구름 위의 존재인 것이리라.

"데일 씨. 이 주변에 오크가 나온 적은 있나요?"

데일 시는 턱에 손을 대고 고민하다 고개를 가로저었다.

"내가 태어났을 때부터 그런 이야기는 들은 적이 없어."

그걸 듣고 2대가 부러운 듯이 말했다.

『부럽군. 내 시대에는 오크 따위는 귀여운 부류였는데.』

너무나도 혹독한 토지다. 뭐, 드래곤이 나온 시점에서 짐작이 가는 토지지만.

"남작가의 병사가 와서 정기적으로 마물을 쓰러뜨리고 있죠? 확실히 어딘가에서 흘러들어왔을 가능성도 부정할 수 없겠죠. 하지만…… 또 하나의 가능성이 있지 않을까요?"

젤피 씨가 즉시 눈치챘다.

"미궁인가. 확실히 가능성은 있네. 이 주변은 정기적으로 토벌하고 있고, 다리온 주변의 치안은 좋아. 인근 영지도 적극적으로 토벌하고 있으니까…… 어딘가에서 흘러들어온 것보다도, 미궁 쪽이 가능성으로서는 높을 거야."

데일 씨 일행이 그걸 듣고 놀랐다.

그렇다……. 역대 당주들이 의욕을 보인 이유는 『미궁』이다. 근처에 미궁이 발생했을 가능성이 있고, 이번 문제를 해결한 보수로 그 미궁을 토벌할 권리를 얻으려는 것이다.

"미궁이 있을 경우, 이런 일로 다툴 상황이 아니겠죠? 게다가, 미궁에서 마물이 바깥으로 나오면 야생화돼요. 이대로 가면 무척 위험하죠. 페이건가도, 마이니가도."

데일 씨가 끄덕였다.

"화, 확실히 그래. 우리만으로 미궁을 토벌하는 건 불가능해. 그건 마이니가도 마찬가지. 그 숲 어딘가에 미궁이 발생했다면…… 정말로 남작님의 도움이 필요하겠지."

6대가 큰소리를 냈다.

『멍청하긴! 그런 짓을 하면 라이엘이 미궁에 들어가지 못하게 되잖아! 오크가 있는 미궁이라면 간단히 경험을 쌓을 수 있다고! 빼앗길 것 같으냐!』

4대도 마찬가지 의견……은 아니었다.

『미궁 안의 재보는 라이엘의 것! 앞으로의 활동자금을 거기서 보충해두고 싶으니, 다른 곳에 맡기는 일 따위는 있어선 안 됩니다!』

나는 데일 씨에게 헛기침을 하며 말했다.

"자, 그럼 의뢰이니만큼 보수를 받지 않으면 안 되겠죠. 하지만 이 영지에서는 제대로 된 보수를 내지 못할 것 같네요."

이 자리에 있는 전원이 불안한 표정을 지었다. 그러자 파오라 씨가 손을 들었다. 진지한 표정으로, 왼손은 스커트를 쥐고 있었다. 얼굴이 조금 붉다.

"저, 제 몸—."

거기까지 말하자, 보옥 안의 역대 당주들이 순서대로대로 말했다.

『말하게 하지 마!』

『응, 조금 곤란하다고!』
『그런 헌신은 필요 없어! 왜냐하면…… 라이엘이 곤란하니까!』
『좀 더 자신을 소중히!』
『원하는 건 그쪽이 아냐!』
『으~음. 라이엘에게는 허들이 높겠군.』
『높겠죠. 뭐, 이번에 원하는 건 달리 있으니까요.』

나는 황급히 오른손을 펼쳐서 파오라 씨에게 내밀었다. 그걸로 눈치챘는지, 파오라 씨가 말을 도중에 멈췄다. 이거 괜찮은 걸까? 뭐, 무슨 말을 하려던 건지는 모르겠지만, 역대 당주들의 의견이 일치했으니 이거면 괜찮겠지.

"거기서! ……데일 씨, 만약 페이건가 영지에 미궁이 있다면, 제게 토벌 권리를 맡겨주실 수 있을까요? 미궁에 가장 먼저 들어가고 싶네요."

지금의 나는 다리온에서 미궁에 들어가기 힘들다. 그러나 이 영지라면, 데일 씨의 허가가 있다면 가능하다.

마이니가 쪽에 있을 경우 그쪽에서도 허가를 받게 교섭을 하면 된다.

젤피 씨가 내 행동에 당황했다.

"자, 잠깐! 그런 건 허가할 수 없어!"

그러나 데일 씨는 잠시 생각하다 끄덕였다.

"그걸로 이 상황을 어떻게 해주신다면, 저는 허가하죠."

젤피 씨에게 방해받고 싶지 않았기 때문에, 나는 데일 씨에게 웃는 얼굴을 보였다.

"감사합니다. 나중에 서면으로 계약을 맺을까요."

젤피 씨가 내 어깨를 붙잡았다.

"이봐! 나는 인정할 수 없어. 그런 위험한 일은 절대로 인정하지 않을 거라고!"

저택 안이 떠들썩해졌다.

단 한 명, 재퍼 씨는 주저앉아서 고개를 숙이고 있었다. 투덜투덜 뭔가 중얼거리고 있었지만 아무도 들어주지 않았다.

다음날.

바로 마이니가로 향한 우리는 메다르트 씨와 면회했다.

데려온 것은 피니 씨뿐이다. 재퍼 씨는 나는 잘못하지 않았다고 주장하면서 날뛰었기에 데려올 수 없었다.

메다르트 씨는 일련의 이야기를 듣고 분개했다. 얼굴을 시뻘겋게 물들이며 팔짱을 꼈다.

"……데려왔다는 건, 이자를 우리 쪽에서 심판해도 된다는 거겠죠?"

나에게 지금 당장 넘기라는 말을 했다. 넘겨줬다가는 마을 광장에서 공개처형이라도 할 기세다.

"뭐, 그건 데일 씨와 상의를 하셔야겠죠. 그리고, 양 가문이 함께 현장을 확인해보도록 할까요. 상황을 제대로 확인하는 건 중요하니까요."

메다르트 씨는 피니 씨에게 시선을 보냈다.

"여기까지 온 이상, 오크 이야기도 거짓말일 가능성이 있습니다만. 확실히 미궁이 존재한다면 위험하지만…… 이자의 말을 믿으라는 겁니까?"

의심하며 오크 이야기를 믿으려 하지 않는 메다르트 씨에게 나는 웃으며 대응했다.

"하지만, 그게 사실이었을 경우에는 어쩌죠? 확인할 필요는 있어요. 미궁이 없다면 그걸로 끝. 페이건가도 동원하는 건, 페이건가 영지에도 들어가서 조사를 할 필요가 있기 때문이죠. 만약 페이건가가 방치한다면 큰일이 벌어질 테니까요."

미궁은 사람을 끌어들이기 위해 미궁 안에 재보를 배치한다고 들었다. 하지만 터무니없는 곳에 발생한 미궁은 사람이 다가오지 않는다. 그러면 안에 있는 마물이 넘쳐나서…… 마지막에는 미궁도 자연소멸. 동시에 대량의 마물이 바깥으로 배출된다.

그 숫자는 작은 미궁이라도 무려 수천에서 만 단위. 작은 영지나 도시라면 간단히 무너져버릴 만한 규모다.

나는 메다르트 씨에게 진지한 표정을 보냈다.

6대는 이럴 때, 무척 즐거워 보인다.

『제대로 위기감을 부추겨줘라. 사건 현장의 합동조사 따위는 구실이야. 미궁을 찾으려면 양 가문의 대표가 없으면 귀찮으니까.』

미궁은 영지나 마을의 영주에게는 성가신 것이다. 그렇게 들었지만, 아무래도 월트가는 인식이 다른 모양이다. 마치 행운이 내려온 듯한 대접이다.

7대도 즐거워 보였다.

『어떤 미궁일까요. 오크가 있다면 기대할 수 있을까요? 즐거워지는군요.』

월트가 전원이 즐거워했다.

반대로 메다르트 씨의 표정은 씁쓸했다.

"메다르트 씨. 미궁에 마이니가, 페이건가와 영지의 구별은 상관없어요. 주변에 마물이 방출돼서 커다란 피해가 생기겠죠. 가능성이 있다면 조사해봐야 합니다."

메다르트 씨는 눈을 감았다. 머리로는 알고 있겠지만, 페이건가에 괘씸한 마음이 있어서 순순히 받아들이지 못하는 모양이다.

그러나 이 사람도 영주다. 눈을 감고 끄덕였다.

"알겠습니다. 이 제안을 받아들이죠. 확실히 방치는 위험합니다. 페이건가도 신용할 수 없으니까요. 이대로 방치해두면 대책이 없겠군요. ……미궁에 가장 먼저 들어갈 권리도 약속드리겠습니다만, 이쪽은 주군이신 자작님께 보고하겠습니다. 가능성이 있다는 말만 전하도록 하죠."

아, 역시 페이건가는 신용하지 못하는 것 같다.

2대가 분통을 터뜨렸다.

『젠장! 이렇게 되면 빨리 발견해서 바로 들어가자. 자작가도 인원을 내서 조사하러 올 가능성이 있어.』

뭐, 여기서 자작에게 알리지 말라는 말은 할 수 없기에 나도 수긍했다.

"다행히 저는 찾는 게 특기니까요. 도움이 될 거라 생각해요."
일부러 보옥의 사슬을 들어서 푸른 보옥을 흔들었다.
메다르트 씨가 조금 놀랐다.
"꽤나 고풍스러운 물건을 쓰시는군요. 하지만 그건 감사합니다. 발견했을 경우, 제 쪽에서도 가장 먼저 들어갈 권리와는 따로 보수를 드리도록 하죠."
보옥— 옥을, 메다르트 씨는 고풍스럽다고 말했다. 확실히 지금은 마구에게 지위를 빼앗겨서, 다루기 어려운 옥은 쇠퇴했다. 사용하는 인간이 적은 것도 그 때문이다.
"그런데 라이엘 공은 그쪽이 본성입니까? 예전에 만났을 때는 흥미가 없어 보이셨습니다만."
미궁이 있기에 역대 당주들이 의욕을 보였다, 라는 말을 해봐야 이해할 수 없겠지. 나는 근처에 있는 소피아 씨에게 시선을 보냈다.
그녀는 나온 차를 마시려 하다가 동작을 멈추고 내 쪽을 바라봤다.
"뭐, 뭔가요?"
"실은 소피아 씨에게 야단을 맞아서요. 조금은 태도를 고치려고……."
사실이라서 그렇게 말했지만, 보옥 안에서 웃음소리가 들려왔다.
3대가 좋아했다.
『라이엘, 농담도 할 수 있게 됐네.』

소피아 씨가 얼굴을 새빨갛게 물들이며 내게 뭔가 말하려 했지만 메다르트 씨가 웃었다. 무릎을 치면서, 여기 와서 처음으로 웃는 얼굴을 보였다.

"그러셨습니까. 하지만 역시 라우리가의 아가씨로군요. 착실하단 말이죠."

그렇게 말하는 메다르트 씨는 예전부터 알고 있던 소피아를 보며 뭐라 말 못할 표정을 지었다. 잘 자랐다. 다부진 아이. —성장을 기뻐하면서도 어딘가 안타까워 보였던 건, 지금은 모험가가 되었기 때문이리라. 반세임에서는 귀족이 모험가가 되는 걸 호의적으로 보지 않는다.

"메, 메다르트 님까지! 라이엘 공, 그건 야단을 친 게 아니라요!"

당황하는 소피아 씨를 보고 나는 고개를 갸웃했다.

"어, 그래도……."

"그래도, 가 아닙니다! 잘 들으세요. 이런 곳에서 그런 농담은 불성실하단 말입니다."

피니 씨는 이 자리의 분위기가 누그러진 것에 조금 안심한 모양이었다.

역대 당주들은 교섭이 끝나서 즐거워하고 있었다. 보옥 안에서 떠들썩하게 대화를 나누고 있다.

『드디어 미궁이구만!』

『아니, 그전에 일단 현장 확인이야.』

『귀찮다니까. 라이엘 혼자서 미궁을 찾아볼까?』

『어떤 재보가 있을까요. 희귀금속이든 돈이든 기쁘겠군요.』
『메인은 라이엘의 경험 쌓기잖아? ……귀여운 마물이 없으면 좋겠네.』
『최심부 방에는 드래곤 같은 게 있어줬으면 좋겠군요!』
『아니, 지금의 전력으로는 어렵겠죠. 하지만…… 로망이군요.』
이야기가 끝나서 돌아가려 하자 메다르트 씨가 나를 불러 세우더니 둘이서만 대화하게 되었다.
"라이엘 공."
"네?"
"……소피아 아가씨는, 조금 딱한 아이입니다. 다른 가문의 아가씨라서 끼어들 수는 없었지만, 험하게 자라왔죠. 저렇게 엄한 소리를 하지만, 저버리지는 말아주십시오."
메다르트 마이니…… 언뜻 보면 악덕 영주 같은 인물이, 정말로 소피아를 걱정해주고 있었다. 이래서 소피아 씨도 그렇게 메다르트 씨의 편을 들어준 것 같았다. 동시에, 조금 자신을 겹쳐보게 되었다.
내게는 친가를 나올 때 도와줬던 젤 할아버지— 게다가 지금은 노웸도 있다. 아리아 씨와 소피아 씨, 젤피 씨…… 다리온에서는 호킨스 씨에, 론도 씨 파티…… 여러 사람들과 알게 되었다.
"괜찮아요. 꽤, 친하게 지내고 있으니까요."
내가 그렇게 말하자, 메다르트 씨가 안심한 듯 웃었다.
"그렇습니까. 그거 다행이군요. 소피아 아가씨는, 좋은 상대를 찾은 것 같군요."

……응? 뭔가 걸리는데?

제27화 사람에게도 마에게도 공평히 여신의 은혜를

페이건가와 마이니가 사이에 있는 숲.

그곳에 미궁이 발생했을 가능성을 제시한 우리는 양 가문 대표자와 인원을 모아 숲속에 들어갔다. 숲은 울창해서 발을 잘못 디디면 넘어질 것 같았다. 하지만 현지에서 자란 사람들에게는 익숙한 모양이었다. 우리가 마이니가 가신이 살해당한 현장에 도착하자 양 가문 사람들이 서로를 노려보고 있었다.

마이니가에서는 메다르트 씨를 필두로 열 명이 참가했다.

페이건가에서는 데일 씨, 그리고 파오라 씨와 피니 씨…… 거기에 재퍼 씨까지 네 명과, 모험가인 우리 다섯 명이었다.

현장에는 확실히 싸운 흔적이 있었다. 피니 씨의 말처럼 억지로 쓰러뜨린 나무. 주변에는 돌도끼나 대검이 입힌 걸로 보이는 상흔도 있었다.

메다르트 씨가 분한 듯이 눈을 감았다.

"……참혹한 일이로군. 바로 결백을 증명해주마."

성실했다는 가신에 대해 떠올린 모양이다. 메다르트 씨는 그런 가신의 명예를 되찾아주기 위해 필사적이었다.

데일 씨가 주변을 돌아봤다.

"어딜 봐도 마이니가의 영지군요. 피니, 여기서 싸운 거지?"

피니 씨가 끄덕였다.

"으, 응. 아니, 네. 여기서 오크가 나왔어요. 대검은 빼앗기고, 저랑 재퍼가 시체를 옮겼죠."

메다르트 씨가 피니 씨와 재퍼 씨를 노려봤다. 그것은 메다르트 씨가 모은 마이니가 영지민들도 마찬가지였다.

"대검도 빼앗은 게 아닌가?"

데일 씨는 대답하지 못했다. 재퍼 씨가 아니라 피니 씨에게 시선을 돌린 것은 재퍼 씨의 발언을 무시하기 위함이었다.

이미 재퍼 씨는 무슨 소리를 해도 신용을 받지 못했다.

"빼앗지 않았어요. 정말로 대검은 오크가 가져갔다고요!"

"……시체를 옮긴 너희의 말을 믿으라고?"

낮은 목소리였다. 그리고 날카로운 안광. 피니 씨는 메다르트 씨의 기백에 놀라서 입을 빼끔거렸다. 그러자 재퍼 씨가 미안한 기색도 없이 말했다.

"무슨 말을 해봤자 믿을 생각도 없는 주제에."

데일 씨가 제퍼 씨에게 거칠게 말했다.

"재퍼, 발언을 허가한 적은 없어. 허가했을 때만 입을 열어라!"

데일 씨는 어제보다 훨씬 태도가 의연했지만 재퍼 씨는 코웃음 쳤다.

"웃기지 마. 영주가 되고 싶지 않다며 질질 짜던 녀석한테 그딴 소리 듣고 싶지 않아. 네가 좀 더 똑바로 해나갔다면, 이런 일은—."

내가 탄식을 내쉬며 재퍼 씨를 제지하려 했지만, 먼저 젤피 씨가 움직여서 재퍼 씨를 후려쳤다.

초대가 휘파람을 불며 젤피 씨의 오른손 스트레이트를 평가했다.

『허리에 힘이 들어간 좋은 펀치구만!』

젤피 씨가 데일 씨를 바라보자 데일 씨는 고개를 끄덕였다.

얻어맞아서 날아간 재퍼 씨에게 젤피씨가 다가가 왼손으로 그를 잡아올렸다.

"이쪽은 로베니아가의 의뢰로 페이건가에 와 있어. 페이건가의 명령을 듣는 것도 일이야. 이봐, 애송이…… 이야기가 진행되질 않잖아. 너는 물어봤을 때만 말하면 돼. 알았어?"

젤피 씨가 살짝 위협하자, 재퍼 씨는 뺨을 누르며 끄덕였다.

2대가 어이없어했다.

『약한 녀석에게는 강하지만, 이기지 못할 것 같은 녀석에게는 겁쟁이……. 뭐, 머리도 좋지 않고, 재치도 없지. 남들 위에 설 남자가 아니군.』

3대가 웃으며 말했다.

『영주가 되면 압정을 펼칠 느낌의 아이네.』

메다르트 씨가 재퍼 씨를 내려다봤다. 무척 차가운 눈초리다.

"……이런 자를 곁에 두다니. 이러니 페이건가는 믿을 수가 없는 거다. 그밖에도 이것저것 숨기고 있는 것 아닌가?"

"……."

데일 씨는 분해 보였다.

그러나 3대가 내게 해설을 해줬다.

『라이엘, 말은 저렇게 하지만 마이니가도 페이건가에게 이것저것 하고 있었을 거야. 왜냐하면 어디에도 바보는 있어서 분쟁의 여지는 많아. 영지민 모두가 똑똑하다는 건 있을 수 없거든.』

영주가 명군만 있는 게 아니듯이, 영지민이 모두 선인이고 지혜롭다고는 할 수 없다.

반대로 악덕 영주만 있는 것도 아니고, 영지민도 바보에다 악인만 있다고는 할 수 없다.

5대가 평소처럼 감정이 깃들지 않는 목소리로 말했다.

『많든 적든, 이웃사이니까 서로 이것저것 하고 있을 거고, 이번 문제가 해결되더라도 어차피 또 다른 문제로 다툴 거야.』

그럼 어떻게 해야 하는 걸까? 서로 충돌하며 살아가는 건 조금 쓸쓸한 것 같다. 내 얼굴을 보고 짐작했는지 6대가 조언을 주었다.

『서로 충돌한다면, 제삼자를 만들면 된다. 그 녀석을 적으로 삼으면 한데 뭉치게 되지.』

……그걸로 해결되는 걸까? 적을 없애기 위해 적을 만든다니.

뭔가 아닌 것 같았지만 6대의 의견에 반대하는 역대 당주는 없었다.

나는 주변 수색에 들어가기 위해 그 자리를 인솔하기로 했다.

"뭐, 여기서 이야기해봤자 해결되지 않으니, 우선 현장 확인을 할까요. 여기서 마이니가의 가신이 살해당한 거죠. 그 이후—."

피니 씨가 끄덕였다.

"저희가 옮겼어요. 하지만, 오크가 나왔던 건 사실이에요. 책으로밖에 본 적은 없지만, 그건 오크였어요."

마물 도감이라는 게 있다. 그건 작은 영지에도 은근히 놓여 있는 물건이다. 상대의 지식이 있는 것과 없는 것은 커다란 차이가 생기니까.

다만, 내용을 읽는 영지민이 어느 정도나 될지는 모르지만…….

메다르트 씨는 주변에 지시를 내렸다.

"사실이 어찌 됐든, 여기를 중심으로 미궁이 없는지 찾아보자. 수상한 곳을 찾으면 주변에 알려라. 그리고, 절대 단독 행동을 하지 마라. 오크가 나오면 외쳐서 아군을 불러라."

메다르트 씨가 차례차례 지시를 내리자 모여 있던 남성들—영지민이 대답을 했고, 명사로 보이는 인물이 세부사항을 정했다. 백발이 섞인 그 인물은 3인조씩 모아서 그들이 향할 곳을 지시했다.

2대는 자신의 시대와 비교한 건지, 메다르트 씨 일행을 보고 부러운 듯이 중얼거렸다.

『착실하게 하고 있군. 내 시대와는 큰 차이야.』

부지런히 움직이기 시작한 마이니가와 달리, 데일 씨 일행은 어떻게 해야 좋을지 곤란해 하고 있었다. 인원도 적다. 게다가 재퍼 씨를 감시하는 일도 있다.

젤피 씨가 움직임이 둔한 페이건가를 보며 한숨을 내쉬었다.

"여기는 마이니가의 영지니까 얌전히 있을까요? 그리고 페이건가 영지로 이동할 때 함께 행동하면 되겠죠."
메다르트 씨는 그걸 듣고 수긍했다.
"하긴. 여기서 멋대로 행동하면 곤란하지. 페이건가 영지에 들어갈 때는 나와 동행해줘야겠다. 이봐, 누구 감시를 붙여라."
한 명이 데일 씨 일행을 감시하기 위해 찾아왔다. 눈초리가 날카롭고 데일 씨 일행에게 불쾌감을 드러내고 있었다. 재퍼 씨는 상대를 노려봤지만, 상대가 손도끼나 창을 들고 무장한 것을 보자 바로 시선을 돌리고 말았다.
나는 젤피 씨 일행을 돌아봤다.
"그럼, 우리는 자유롭게 행동할 수 있으니 미궁을 찾아볼까. 으~음…… 저쪽으로 가자."
근처에 흐르는 강을 거슬러 올라가는 루트로 이동하자고 전하자 노웸이 내게 끄덕였다.
"라이엘 님, 저희도 두 패로 갈라질까요?"
나는 고개를 가로저었다.
"아니, 숲속은 익숙하지 않아. 위험하니까 다섯 명이서 이동하자. 선두는 나……하고 젤피 씨 두 사람으로. 노웸은 한가운데, 아리아 씨와 소피아 씨가 양 옆으로 할까."
노웸이 그걸 듣고 기쁜 듯이 수긍했다. 어쩌면 나를 시험해 본 걸지도 모른다.
초대가 뭔가 말하려 했다.
『딱히 흩어지더라도―.』
그러나 2대가 그 의견을 부정했다.

『안 돼. 거리를 두고 지금 이대로 이동하자. 어쩌면 오크보다 성가신 마물이 있을 가능성도 있어. 뭉쳐서 이동하는 게 나아. 그리고, 라이엘에게는 아츠가 있어.』

5대, 6대의 아츠 콤비는 내게 주변 상황을 정확하게 전해준다. 맵 위의 붉은 점. 적의를 드러내는 그 색깔이 근처에서 발생한 것을 감지했다. 푸른색은 노웸과 동료들. 데일 씨와 피니 씨, 그리고 메다르트 씨뿐이다.

마이니가 중에서도 붉은 반응이 힐끔힐끔 보였다.

그리고 재퍼 씨는 붉은 반응을 보이고 있었다.

6대가 한숨을 내쉬었다.

『아~ 그거다. 적의에 반응하는 아츠니까. 아군 측에서도 너를 나쁘게 보고 있다면, 붉은 반응을 보이지.』

재퍼 씨는 나를 좋게 생각하지 않는 것이리라.

……아무래도 좋다.

“라이엘 님. 왜 그러시나요?”

노웸이 멈춰 서서 재퍼 씨를 보는 내게 말을 걸었기에, 나는 고개를 가로저으며 걸었다.

젤피 씨가 조금 거리를 두고 내 옆을 걸었다.

“자, 가볼까. 그건 그렇고…… 정말로 미궁이 탄생했다면 다리온 주변에서 세 번째가 되겠네. 하아, 일손이 부족하다니까.”

미궁 토벌은 기본적으로 시간이 걸린다. 침착하게 준비를 하고 대응할 필요가 있다.

인원도 필요하니 시간도 걸린다.

다리온 주변에서는 이미 두 번째가 발생했고, 벤틀러 씨는 토벌을 위해 기사나 병사, 그리고 모험가들을 투입했다.

젤피 씨가 불쾌한 표정을 짓는 이유는, 세 번째가 발생하면 일손이 부족하기 때문이다. 미궁을 방치해두면 위험하니까.

"입구를 막든가, 태울 수 있으면 좋을 텐데 말이지."

젤피 씨의 그 말을 들은 5대도 같은 의견이었다.

『그런 생각도 드는 법이지. 뭐, 태우든 입구를 막든, 독을 쓰든…… 결과적으로 미궁을 자극해서 폭주를 불러일으키니 하지 않지만.』

긴 역사 속에는 그런 일을 시험했다가 멸망한 나라도 많다고 한다. 토벌하려면 옛날처럼 사람의 힘을 써야 하는 것이리라.

그러나 초대가 말했다.

『바보 자식. 자기 힘으로 쓰러뜨리니까 가치가 있는 거잖아!』

초대다운 말이었다.

그렇게 아츠를 틈틈이 사용하면서 숲속을 나아갔다. 진창, 나무뿌리, 풀…… 매우 걷기 힘든 곳을 다섯 명이서 이동했다. 손도끼를 들고 나아가서 어느 정도까지 오자 내 머리 위에 떠오른 맵에 불명확한 부분이 발견됐다. 그곳만 일그러진 것처럼 보여서 확실히 표시되지 않는다.

붉은 광점 반응도 주변에 많고, 불명확한 부분에서도 보였다. 그러나 숫자를 모르겠다.

그 반응을 보자 역대 당주들이 소란스러워졌다.

『있었나!』

『운이 좋구나, 라이엘!』

『이걸로 사건은 흐지부지된다고나 할까, 전쟁까지는 안 가겠네.』

『바로 안으로 들어가죠. 그러고 보니…… 안에 들어가도 지도는 보이는 겁니까?』

4대는 5대의 아츠를 자세히 모른다.

설명을 요청한 이유는 분명 미궁이 있는 곳이 일그러져 보이기 때문이다.

『바깥에서는 일그러져 보이지만, 안에 들어가면 선명해져. 문제는 없어.』

6대도 마찬가지였다.

『계층이 있는 타입이거나, 아니면 극단적으로 넓지 않는 이상…… 뭐, 제 아츠도 문제없이 움직일 겁니다.』

7대는 기뻐 보였다.

『발견했을 때의 이 고양감. 옛날이 떠오르는군요.』

보통 미궁을 발견하면 초조해질 것이다. 실제로 데일 씨나 메다르트 씨의 반응은 그랬다.

혹시, 남작가 이상의 영주라면 역대 당주처럼 즐거워하거나, 기쁜 반응을 보이는 걸까? 역대 당주들의 말대로라면 경험을 쌓고 마석이나 소재도 입수할 수 있다. 게다가 미궁에는 재보도 있다.

—돈을 벌 기회. 그렇게 생각하면 확실히 미궁은 기쁜 걸지도 모른다.

나는 멈춰 섰다.

"왜 그래?"

옆을 걷던 젤피 씨가 나를 봤다. 나는, 전원에게 말했다.

"……이 앞에 미궁이 있어요."

강 옆에 위치한 미궁 입구.

그 근처에서 나는 사브르를 오른손에 들고, 그대로 돌도끼를 휘두르는 고블린에게 다가가 급소를 찌르고 사브르를 뽑았다.

고블린이 쓰러지자 곧장 다음 사냥감을 찾아, 뛰쳐나온 다른 고블린의 머리를 향해 왼손으로 단검을 뽑아서 투척했다. 머리가 뚫린 고블린이 뒤로 쓰러졌다.

조금 떨어진 곳에서는 마이니가 병사들이 고블린을 둘러싸서 창으로 찌르고 있었다. 역시 인원이 많으면 편해서 좋다. 주변을 보니, 내가 잡은 고블린이 다섯 마리 쓰러져 있었다.

노웸이 고블린에게서 단검을 회수해서 다가왔다.

"라이엘 님. 괜찮으신가요?"

주변에 적의 기척이 느껴지지 않아서 나는 사브르의 날에 묻은 피를 닦았다.

"그래, 괜찮아. 주변에 사람도 많으니까 포위당할 일이 없어서 안심이네."

그러자 검을 들고 떨면서 쥐고 있는 데일 씨— 그 뒤로 도망친 재퍼 씨가 나를 보고 있는 걸 깨달았다.

"뭐야. 웃기지 말라고……. 왜 도회지에서 자란 철부지가 저렇게 강한 건데……."

나를 약하다고 생각했는지, 재퍼 씨는 떨고 있었다. 이 주변에서 그리 익숙하지 않은 고블린보다 내가 더 무서운 모양이다. 피니 씨와 파오라 씨가 재퍼 씨를 질책했다.

"모험가라고. 약할 리가 없잖아!"

"맞아. 그보다 재퍼, 데일 뒤에 숨지 말고 앞으로 나와."

재퍼 씨는 나를 보고 복잡한 표정을 지었다. 연하, 게다가 여자가 딸렸으니. ―완전히 얕보고 있던 상대가 강해서 무서워진 것이리라.

"나, 나도 무기가 있다면……!"

그럼에도 재퍼 씨는 허세를 부렸다. 뭐, 확실히 무기의 유무는 중요하다. 하지만 메다르트 씨가 우리 쪽으로 다가와서 재퍼 씨를 노려봤다.

"허세도 적당히 부리지 그러나. 추하다기보다는, 이미 넌 우스꽝스럽군. 하지만 상상 이상의 실력이군요, 라이엘 공. 저도 솔직히 말해 놀랐습니다."

칭찬에는 익숙하지 않아서 어떻게 반응해야 할지 몰랐다. 일단 감사만 표하자 메다르트 씨가 주변을 둘러봤다. 그리고 내게 전했다.

"그쪽 모험가― 지도원이었습니까? 그자와 우리 병사 몇 명이 안으로 들어가 봤는데, 아무래도 틀림없는 모양이군요."

메다르트 씨가 힐끔힐끔 노웸과 아리아 씨를 보면서 내게 설명해주었다. 돌아온 젤피 씨는 조금 안심한 모양이었다.

100미터도 되지 않는 거리에 페이건가 영지가 있는데도, 미궁이 있는 곳은 마이니가 영지였다. 그 때문에 권리는 마이니가에 있다. 조금 신기하다는 생각이 들었다.

이렇게 가까이 있는데도 권리가 명확하게 갈리는 구나 싶었다.

데일 씨 일행도 안심한 모양이다. 하지만 오크가 있을 가능성은 높아졌다. 그리고 이건 동시에 양 가문이 다툴 때가 아니라는 것을 의미하고 있다.

"……미궁은 있었던 거군요."

메다르트 씨는 불만스러워 보였다.

"그래, 있었지. 이걸로 오크가 내 가신을 죽였을 가능성도 높아졌고. 하지만, 너희가 한 일을 용서할 수는 없어."

메다르트 씨의 시선이 피니 씨나 재퍼 씨에게 옮겨졌다. 분한 듯이 고개를 숙인 재퍼 씨가 외쳤다.

"어째서야! 죽인 건 마물이잖아! 방어구는…… 확실히 이쪽이……. 하지만, 이제 이거면 만족하잖아!"

그러자 메다르트 씨가 재퍼 씨를 노려보고, 병사들이 무기를 겨눴다. 무기는 재퍼 씨 쪽…… 우리를 제외한, 데일 씨 일행을 향하고 있었다.

"웃기지 마라, 애송이. 너 때문에 내 가신은 오명을 뒤집어쓸 뻔했다. 다른 가문의 영지에 침입해서 살해당하고, 소지품이 벗겨진 무능한 놈이라고 멸시를 당할 뻔했단 말이다! 그런데 해결됐으니까 만족하라고? ……이걸로 끝났다고 생각하지 마라!"

당한 쪽에서 보면 견딜 수 없을 것이다. 피니 씨의 이야기가 사실이라면 마이니가의 가신은 재퍼 씨와 피니 씨를 지켜주려고 했던 거니까.

그걸 무시하고 죽게 내버려둔 데다, 그 후에 한 일은 사망 장소의 조작과 시체에서 소지품을 갈취.

심하다. 너무 심하다.

소피아 씨가 재퍼 씨에게서 시선을 돌렸다.

"눈 뜨고 못 봐주겠군요."

아리아 씨도 같은 의견인 모양이다. 다만, 소피아 씨만큼 말투는 강하지 않다.

"역시 과연 괜찮은 건가 싶어."

젤피 씨는 탄식을 내쉬었다.

"뭐, 이보다 심한 녀석도 봐오기는 했지만, 그렇다 해도……."

다들 역시 이건 말도 안 된다는 반응이다. 하지만, 여기서—.

『그거네. 재퍼는 이미 자기 마음속에서 상황 정리가 따라가지 못하는 것 아닐까? 좋다거나 나쁘다거나 하는 이전 문제야. 냉정함을 잃었어. 그보다…… 지금까지 계속 용서만 받아와서 마음이 계속 커졌던 걸지도 모르겠네. 그러다가 느닷없이 현실을 들이미니까 혼란에 빠진 것 아닐까? 뭐, 그렇다고 해서 용서할 수는 없지만.』

3대의 말로는, 지금까지 좁은 환경— 영지에서 제멋대로 살아가도 용서받았다. 소꿉친구가 영주가 되어, 형 같은 사람으로서 거창한 태도를 취해도 아무 말도 듣지 않는다. 꾸짖을 어른이 사라졌고, 영지에서 그다지 나가지 않기도 해서 세상—영지 바깥을 모르기에 이렇게 커다란 문제를 일으켰다. 조금이라도 지식이 있고 바깥에 나와서 세상을 알았다면, 좀 더 다른 가능성이 있었을지도 모른다.

기고만장해서 돌이킬 수 없는 짓을 저질렀다. 갑자기 주변에서 질책을 듣자 자기 마음속에서도 정리가 되지 않고 있다.

초대가 말했다. 「무슨, 어린애냐」라고.

『작은 영지나 그 주변밖에 몰라. 여러모로 경험 부족이고, 동네 골목대장처럼 뭐든지 할 수 있다고 생각하고 있었을지도. 전장에도 나갔을 텐데, 뭘 하고 있는 건지…….』

3대는 어이없어했지만 이 자리의 살기등등한 분위기는 곤란하다.

내가 사이에 끼어들려고 하자 먼저 노웸이 입을 열었다.

"여러분. 여기서 다투는 건 위험해요. 일단은 어딘가로 돌아가서 안전한 곳에서 상황을 정리해볼까요?"

거기서부터는 다음 이야기를 해도 되겠죠, 라고 말하자 메다르트 씨가 마지못해 병사들에게 무기를 내리게 했다.

나는 여전히 주변에서 차가운 시선을 받는 재퍼 씨를 보고 생각했다.

나도 조금만 잘못했다면 재퍼 씨처럼 되지 않았을까, 하고.

친가에서 쫓겨나기 전— 기억하는 것은 내 방과, 그곳에서 보이는 뜰만이 내가 생활하는 곳이었다. 세상을 전혀 모르고,

바깥에 나가자 민폐만 끼치고, 그리고 욕설만 들어서— 나도 전부 싫어졌었다. 뭐가 그리 다르다는 걸까?

멍하니 고민에 빠져 있던 내게 노웹이 말을 걸었다.

"라이엘 님. 다들 이동을 개시했어요."

"어, 어어…… 알았어."

고개를 가로젓고 이동을 시작하려 하자, 뭔가 불길한 예감이 들었다. 아츠가 반응한 건 아니다. 지금은 아츠 사용을 중단하고 있었다.

"어라, 왠지…… 새 지저귀는 소리가 떠들썩하게……."

돌아보려 하자, 초대가 외쳤다.

『라이엘, 무기를 뽑아라!』

황급히 내가 무기를 뽑자 주변이 소란스러워졌다. 나는 천천히 자세를 낮추고 작은 목소리로 중얼거리며 아츠를 사용했다.

"풀 오버…… 맵, 서치…… 이건…… 적이 와요!"

미궁 입구에서 떠나려던 우리를 감시하고 있었는지, 접근하는 반응이 붉게 표시되고 나무들이 쓰러지는 소리가 들렸다.

발소리— 크다. 그리고 새들이 지저귀는 소리가 계속 들려왔다.

어슴푸레한 숲속, 뭔가가 다가오는 기척에 전원이 무기를 들었다. 데일 씨도 자기 저택에서 가지고 나온 검을 쥐었다.

"파오라, 내 뒤로! 피니와 재퍼도!"

메다르트 씨가 자기 병사들에게 명령했다.

"정렬해서 무기를 들어라!"

메다르트 씨를 지키기 위해 병사들이 정렬하고, 창을 들었다. 그 움직임에 2대가 기분 좋은 듯이 말했다.

『좋은 반응이군. 잘 단련되어 있어.』

붉은 반응은 하나뿐.

젤피 씨는 짊어지고 있던 방패를 왼손에 잡고 한손검을 뽑아서 자세를 잡았다. 노웸은 지팡이를 들고, 아리아 씨와 소피아 씨도 조금 늦게 무기를 들었다.

데일 씨는 영지민을 지키기 위해 앞으로 나왔고, 메다르트 씨는 반대로 영지민을 앞으로 내세웠다.

여기도 반응이 다르다.

적의 발소리가 점차 커졌다. 나는 아츠로 바로 근처까지 왔다는 것을 눈치챘다.

"옵니다…… 정면!"

그러자 바위밭에 있는 미궁 입구— 그 위쪽에서 뛰어내리는 그림자가 있었다. 실루엣은 인간형이지만, 사람은 아니다.

마물이다.

5대가 조금 놀랐다.

『헤에, 드문 일도 다 있네.』

우리 앞에 나타난 그 마물— 오크는, 왼손에 든 대검을 어깨에 걸치고 있었다. 단, 그 모습은 내가 아는 오크가 아니었다.

크기는 2미터를 넘고, 3미터에 다가가려 하고 있다. 지식으로 알고 있는 오크와는 차이가 크다. 아래턱에서 돋아난 두 송곳니와 돼지코는 오크의 특징이다. 단, 그 이상으로 어깨에 모피 같은 털이 돋아나 있다. 피부색도 지식으로 접한 것과는 다르게 보였다.

게다가—.

평범한 오크처럼 거적때기 하나만 걸친 차림이 아니라, 손발에 천이나 장갑을 장비해서 그럭저럭 멀쩡해 보인다. 커다란 붉은 눈동자가 우리에게 향했고, 살짝 벌어진 입에서 낮은 울음소리가 들려왔다.

피니 씨가 외쳤다.

"저 대검…… 녀석이에요! 그, 그래도, 무기가 저렇게 크지는—."

아무래도 대검까지 커진 모양이다. 완전히 엉망진창이다.

메다르트 씨가 외쳤다.

"네놈이냐아아아! 창을 들어라! 돌격!"

병사들 열 명이 창을 똑바로 들고, 돌격 명령과 함께 전원이 오크를 향해 창을 찔렀다.

그러나—.

나무가 부서지는 소리. 금속이 꺼림칙한 소리를 냈고, 창은 오크를 꿰뚫지 못했다. 두꺼운 피부를 가졌다고는 들었지만 이렇게까지 단단할 줄은 몰랐다.

젤피 씨가 외쳤다.

"물러나! 그 녀석은 아종이야!"

오크는 창이 부서진 병사들을 향해 대검을 휘둘렀다. 그저 힘에만 맡긴 동작. 기량 따위는 없는 그 일격에 아직 남아있던 창도 파괴됐다.

그리고 옆으로 한 번. ……방해되는 풀이나 나뭇가지를 손도끼로 후려치는 것처럼 휘둘렀다.

젤피 씨가 앞으로 뛰쳐나갔다.

"라이엘, 너희는 원호해줘!"

방패를 들고 오크 앞으로 뛰쳐나간 젤피 씨는 병사들이 물러나는 걸 도우면서 무기를 휘둘렀다. 공격을 받은 오크는 두꺼운 피부가 더더욱 단단해져서 그런지 두 배는 더 커졌다. 그야말로 흉악하기 그지없는 모습이다.

"노웸. 마법으로 원호! 주변을 태우지 않게 조심해."

노웸이 은빛 지팡이를 들고 주변에 바람을 모았다.

"명심하고 있어요."

다정한 말투. 그러나 적인 오크를 바라보는 노웸의 시선은 진지했다.

아리아 씨와 소피아 씨는 무기를 들고 우두커니 서 있었다.

"두 사람은 노웸의 원호를 부탁해요!"

소피아 씨가 배틀 액스를 들고 노웸 옆에 섰다.

아리아 씨는 창을 들고 반대편에 섰다.

노웸이 내게 말했다.

"갈게요."

마법을 쓸 준비를 마친 노웸은 지팡이 끝을 오크에게 내밀었다. 젤피 씨가 오크의 대검을 피하며 한손검으로 공격했다.

"젤피 씨!"

내 목소리에 반응한 젤피 씨는 오크가 엉터리로 휘두른 대검을 구르면서 피하며 오크와 노웸 사이에서 물러났다.

노웸이 마법의 이름을 외웠다.

"윈드 캐논!"

압축된 바람이 오크를 향해 발사됐다. 주변 나무가 발사된 마법으로 흔들리고, 푸른 잎이나 낙엽이 바람에 휩쓸려 오크에게 날아갔다.

스피드, 위력…… 모두 강력한 일격이었다.

마법이 부딪치자 오크를 중심으로 바람이 휘몰아쳤고, 그게 잦아들자 공중을 날았던 무수한 나뭇잎이 주변에 쏟아졌다.

오크는, 대검을 지면에 꽂고 태연하게 서 있었다. 아주 약간…… 1미터도 되지 않는 거리를 후퇴했을 뿐이다.

오크는 천천히 대검을 지면에서 뽑았다.

어지간한 마물이라면…… 그야말로 평범한 오크라면 날아가 버렸을 것 같은 노웸의 마법을 견뎌낸 아종 오크는 여유까지 보이고 있었다.

"죄송해요. 여기선 더욱 강력한 일격으로……."

노웸의 말에 나는 예비 사브르도 뽑아서 앞으로 나왔다.

"시간을 벌게. 젤피 씨만으로는 힘들어."

젤피 씨는 이미 일어나서 오크에게 다가가고 있었다. 내가 앞으로 나와 둘이서 오크를 협공하는 위치를 잡았다.

2대가 조언했다.

『둘이서 협공하고, 깊이 파고들지만 않으면 시간을 벌 수 있을 거야. 그건 그렇고 단단해 보이는데. 불이나 번개라면 꽤 잘 통할 것 같지만…….』

3대가 상황을 보며 말했다.

『이야~, 장소가 안 좋네. 게다가 미궁이 가까워. 자칫 주변이 불타서 미궁이 활성화되면 위험해.』

남 일이라는 식의 가벼운 말투였다.

평소의 3대다.

메다르트 씨가 외쳤다.

"정신 차리지 못할까! 손도끼를 들어라! 저 아가씨를 지키는 거다!"

이길 수 있는 가능성이라면 노웸이 마법을 쏘는 것이다. 그 때문에 노웸의 안전 확보가 필수다.

병사들이 노웸 주변에 섰다. 그 손에는 숲에 들어가는 도구인 손도끼가 쥐어져 있었다. 도저히 마물과 싸울 수 있는 모습으로는 보이지 않는다.

초대가 웃었다.

『뭐야, 근성 있잖아! 라이엘, 너도 근성을 보여 봐!』

보여주고 싶긴 하지만, 상상 이상으로 피부가 단단하다. ……내 사브르로는 베기가 힘들겠지. 찔러도 사브르 쪽이 부러질 것 같다.

젤피 씨가 오크 앞에 서자 나는 오크 뒤로 이동했다. 그러자 오크가 나를 돌아보려 해서 빈틈을 보였고, 곧장 젤피 씨가 그 틈을 찔러 베었다.

오크가 젤피 씨 쪽을 돌아보면 이번에는 내가 벤다.

엉망진창 휘두르던 오크의 대검이 나무에 부딪쳐서 멈출까 싶었지만, 대검은 그대로 나무를 썰어버렸다.

갑옷을 입은 기사도 간단히 베어버릴 것 같은 위력이다.

아종이란 이렇게나 다른가 싶어서 놀랐다.

"이 녀석, 정말로 단단하네!"

젤피 씨도 짜증을 내고 있었다. 거리를 벌리고, 공격을 피해서 빈틈을 찔러 찔끔찔끔 베고 있다. 나도 마찬가지다. 맞으면 버틸 수 없기 때문에 피하면서 사브르로 심술부리는 정도로 베기만 할 뿐이다.

젤피 씨가 일부러 근처에 있는 바위를 등지고 방패를 세웠다. 오크는 움직임을 멈춘 젤피 씨를 베고 들어갔다.

젤피 씨는 그 일격을 피하고 대검을 바위에 부딪치게 만들었다.

"자, 이걸로 무기는 부서……지지 않았네. 빌어먹으을! 혹시 명검?!"

부서지지 않은 대검은 바위를 깊이 갈랐다.

메다르트 씨가 부정했다.

"말도 안 돼. 저건 그 정도의 물건이—."

오크가 바위에 깊이 박힌 대검을 억지로 뽑았다. 바위가 부서지고, 그 순간 나는 대검의 날을 봤다.

갈라진 부분이 잠깐 보였지만, 그게 빛을 발하더니 바로 원래대로 돌아갔다.

"저게 말이 돼?"

비겁하다고 말하고 싶었지만, 그걸 말해봐야 소용없다. 다시 심술을 부리려 하자, 노웸의 목소리가 들렸다.

"라이엘 님, 젤피 씨! ……갑니다!"

노웸의 목소리를 듣고 우리는 그 자리에서 거리를 벌렸다. 오크가 서 있는 곳이 노웸의 목소리에 반응해서 융기했다.

"어스 핸드…… 어스 니들!"

노웸이 두 개의 주문을 사용했다.

지면에서 흙으로 만들어진 다수의 팔이 나타나 오크를 붙잡았다. 그러나 날뛰는 오크는 그 팔을 억지로 파괴했다.

그러나 움직임이 멈추기만 하면 족하다.

곧장 지면에서 흙으로 만든 원추형의 거대한 가시가 발사됐다. 날카로운 가시는 오크보다도 컸고, 오크는 몸의 절반을 꿰뚫어 날려버렸다.

"해냈다!"

아리아 씨가 기뻐하자, 주변도 그 광경에 안도한 분위기였다. 그러나 나는 사브르를 그대로 쥐고 있었다.

젤피 씨도 혀를 찼다.

"칫, 최악이야. 아아, 젠장!"

몸의 절반을 잃은 오크…… 그러나 오크는 머리를 움직이더니 오른손에 든 대검으로 니들을 파괴했다.

꿰뚫려서 떨어졌던 몸이 마치 끌어당기듯이 이어졌다. 정말로 신기한 광경이었다.

『라이엘, 해치워. 기다려줄 의리는 없어.』

5대의 목소리를 듣고 나는 뛰어가서 사브르의 이도류로 오크를 베었다. 젤피 씨도 황급히 베러 들어갔지만, 아무리 베어도 재생은 멈추지 않았다.

뿐만 아니라, 오크는 절반이 갈라진 상태에서도 오른손에 든 대검을 휘둘러왔다.

거리를 벌리면서 피투성이의 사브르를 봤다.

몸속을 뚫었다. 심장 부분을 찔렀는데, 오크는 천천히 재생해서 자기 왼손을 보고 쥐었다 펴고 있었다.

그리고 아무 일도 없었다는 것처럼 우리를 바라봤다.

"이런 거랑…… 어떻게 싸워야……."

베든 찌르든 회복해버리는 적. 그리고 마법을 사용하기에는 장소도 안 좋다. 단숨에 태워버리면 편하겠지만, 그것도 불가능한 숲속. 현재 상태로는 지형이나 상성이 너무 안 좋은 적이었다.

"아츠로 서둘러 도망치면…… 무리인가."

4대의 아츠— 스피드로 달아나면 확실히 도망칠 수 있을지도 모른다. 하지만 여기 있는 사람 전원에게 아츠를 걸어줘도, 몸에 익숙해지지 않아서 잘 도망치지 못할 거다. 아리아 씨와 소피아 씨가 싸웠을 때처럼…… 자칫하면 넘어졌을 때 오크가 학살을 벌일지도 모른다.

다만, 2대는 냉정했다.

『그렇군…… 아츠야. 이 오크, 아츠를 발현했어. 재생하는 건 그 아츠의 능력 아닐까? 하지만 상성이 나쁘군. 마법으로 단숨에 날려버리고 싶지만…….』

그런 게 가능한 건가 의문을 가지자 3대가 내게 말했다.

『어라? 라이엘은 의심하는 거야? 그보다…… 상대는「성장」했잖아. 아츠를 갖고 있더라도 이상하지 않아. 좀처럼 없긴 하지만.』

나는 작은 목소리로 말했다.

"가능하면 쓰러뜨릴 방법을 가르쳐줬으면 좋겠네요."

초대가 웃었다.

『그거야 간단하지! 재생하지 못할 때까지 마구 베면―.』

그러자 2대가 또다시 초대의 말을 가로막았다.

『간단해. 도망치면 된다. 여기서 싸워서 미궁을 자극하고 싶지 않아. 그럼 전력으로 싸울 수 있는 곳으로 끌어들이면 되지.』

"도망친다고 해도, 어디로……."

3대가 말했다.

『도망친다고 말하면 안 되지. 싸울 수 있는 곳으로 끌어들인다, 라고 하는 게 전향적이잖아. 라이엘, 이 고장 사람에게 물어보도록 해. 여기에서― 숲에서 빠져나갈 수 있는 최단거리를.』

나는 사브르를 들면서, 외쳤다.

"이곳― 숲에서 빠져나갈 수 있는 최단거리는?!"

아무도 움직이지 못하는 가운데 조금 낮게 메다르트 씨가 외쳤다.

"페, 페이건가 쪽으로 가는 편이 빠릅니다! 여기서 강을 넘어가면 그곳이 최단거리죠!"

어째서 메다르트 씨가 알고 있는 걸까?

그런 걸 물을 시간은 없기에 나는 데일 씨에게 확인을 취했다.

"틀림없나요."

데일 씨는 떨리는 목소리로 답했다.

"그, 그래, 틀림없어. 하지만, 길 같은 건 거의 없어. 사람이 지나가지 않는 곳이야. 그곳을 빠져나가다니—."

2대가 바로 판단을 내렸다.

『정해졌군. 최단거리로 숲에서 빠져나가자. 왔던 길도 정비되어 있지는 않았으니까. 그럼 최단거리를 골라도 마찬가지야.』

2대의 계획은 다른 멤버가 선행해서 노웸을 지키며 숲을 빠져나가고, 우리는 오크와 싸우면서 시간을 번다. 그리고 노웸이 있는 지점까지 오크를 끌어들여서, 노웸의 최대 마법을 오크에게 꽂아 넣는다— 이런 것이었다.

나는 그걸 전원에게 설명했다. 오크의 주의를 끌던 젤피 씨는 이미 피로가 드러나기 시작하고 있었다.

지금까지 계속 싸우면서 내가 생각할 시간을 벌어주고 있었던 것 같다.

"최단거리로 노웸을 숲 바깥으로— 제가 시간을 벌겠어요. 표식을 준비해주시면, 그걸 따라서 오크를 그쪽으로 유도할게요.”

그러자 노웸이 거부했다.

“안 돼요! 라이엘 님을 혼자 두다니—.”

젤피 씨는 숨이 차오르고 있었다.

“라이엘, 너는 전투 중에도 표식을 찾아서 유도할 수 있니!”

어렵지만 아츠도 있으니 가능할 거다.

문제가 있다면, 오크와 싸우면서 지도를 확인하는 작업을 해야만 한다는 것이다.

다수의 아츠를 사용하는 건 큰일이다. 마력도 깎이고, 매우 지친다. 집중력도 언제까지 이어질지 모른다.

“가능한 한 노력할게요.”

“거기서 단언하지 못한다면 하는 게 아냐!”

젤피 씨가 고함을 쳤다. 오크가 젤피 씨를 베려고 하자 아리아 씨가 젤피 씨 앞으로 뛰쳐나왔다.

아츠로 가속해서 단숨에 앞으로 뛰쳐나온 모양이다.

“나, 나도 할 수 있어! 조금은…… 의지하라고!”

아리아 씨의 목소리에 소피아 씨도 움직였다. 배틀 액스로 오크를 베었다. 오크는 대검을 소피아 씨를 향해 휘둘렀고—.

“할 수 있어!”

소피아 씨가 배틀 액스로 대검을 막아내고 있었다. 잘 보니 소피아 씨의 양다리가 지면에 파고들고 있었다.

3대가 진지한 목소리로 말했다.

『헤에, 꽤나 재미있는 아츠네. 가볍게도, 무겁게도 할 수 있는 건가. 응, 그래…… 라이엘. 두 사람과 함께 싸울까. 세 명이라면 확실히 시간을 벌 수 있어.』

3대가 아리아 씨와 소피아 씨를 인정하자, 2대는 조금 재미없는 모양이었다.

『정말이지. 바보 둘의 힘을 빌리게 될 줄이야. 라이엘, 두 사람이 다치지 않도록 도와줘라.』

초대가 아리아 씨를 향해 닿지 않는 목소리로 중얼거렸다.

『아리아…….』

나는 사브르를 다시 쥐었다.

"작전을 변경할게요. —아리아 씨, 소피아 씨 두 사람과 제가 시간을 벌겠어요. 나머지는 노웸을 지키면서 최단거리로 이동해주세요. 그곳으로 이 녀석을 유도하겠어요."

메다르트 씨가 나를 보면서 중얼거렸다.

"……이 단시간에 그 정도까지. 알겠습니다. 저는 협력하죠. 전원, 노웸 아가씨를 지키며 이동하자! 우물쭈물하지 마라! 앞으로 가서 걷기 쉽게 하는 거다!"

그러자 피니 씨가 외쳤다.

—시간을 조금 거슬러 올라간다.

피니는 서둘러 재퍼에게 다가갔다.

그리고 양 어깨를 붙잡았다. 허리에 힘이 빠져서 주저앉은 재퍼에게, 피니가 말했다.

"재퍼, 여기서 빠져나갈 길은 있어. 그때…… 마이니가 영지에 들어갔을 때의 길이야!"

재퍼는 어깨가 흔들리자 놀란 표정으로 피니의 얼굴을 바라봤다.

"바, 바보. 거긴 위험해서…… 서두를 때 쓰는 길이 아니잖아……. 그, 그보다도 도망……."

피니는 재퍼에게 마지막까지 말할 기회를 주지 않았다.

"이럴 때 도망쳐도 되는 거냐고! 다들 죽어버려! 게다가…… 마지막까지 도움도 되지 못하다니. 재퍼 넌 그래도 되는 거야!"

평소의 소극적인 피니와는 달리 말투가 무척 거칠어져 있었다.

데일이 두 사람의 대화를 듣고 말했다.

"길이 있는 거야?!"

산길…… 그것도 정비되지 않은 곳을 걷는 건 큰일이다. 때로는 위험한 곳이나 지나가지 못하는 곳도 있다. 다소 안전한 길을 알고 있다면 피니나 재퍼가 선도하는 편이 빨리 숲에서 빠져나갈 수 있다.

피니는 끄덕였다. 그리고 재퍼를 굳센 표정으로 바라봤다.

"내가 남아서 라이엘 씨를 안내할게. 그러니까 재퍼는 모두를 데리고 먼저 숲을 빠져나가줘."

재퍼는 그걸 듣고 조금 안도했지만 곧장 피니를 보며 말했다.

"기, 기다려. 너는 왜 남는 거야. 같이—."

바보인데다 구제불능이지만 재퍼도 영지의 인간이다. 오랜 소꿉친구인 피니가 위험한 일을 하려고 하면 막고 싶어지는 것도 당연했다.

"나는 이제 싫어! 우리는 도움을 받았는데…… 그런데, 그런 짓을 하고……. 그러니까, 이번에는 제대로……."

피니는 마이니가의 가신에게 도움을 받았음에도 아무것도 하지 못했던 것을 후회하고 있었다.

데일 뒤에 있던 파오라가 피니를 바라봤다.

"피니……. 데일, 피니에게 맡기자. 재퍼에게 길 안내를 부탁하고, 우리는 모두를 데리고 가야 해. 우리는…… 걸림돌이야."

파오라는 분한 듯이 중얼거렸다. 자신들이 할 수 있는 일은 적다. 아니, 거의 없었다. 데일도 그걸 이해하고 재퍼에게 말했다.

"재퍼…… 길안내를 부탁할게. 아니, 이건 명령이야. 길안내를 해. 모두의 목숨이 걸려 있다고."

재퍼는 작게 몇 번이고 끄덕였다. 그리고 일어서자, 피니는 라이엘을 향해 외쳤다—.

"제가 라이엘 씨 일행의 안내를 맡을게요! 다른 모두는 재퍼가 길안내를 할 테니, 따라가 주세요!"

나는 피니 씨의 제안을 듣고 고민했다. 안내자는 필요하다. 하지만 두 사람을 지원하며 피니 씨까지 지켜줄 수 있을까?

그러자 3대가 제안을 받아들이라고 말했다.

『라이엘, 여기서는 일을 시키자. 그러지 않으면 저 두 사람의 입장은 최악이야. 여기서 이후를 원활하게 진행하기 위해서라도 저 두 사람에게 활약할 자리를 만들어줘야 해. 그것도 목숨을 건 활약을, 말이야.』

나는 바로 판단을 내렸다.

“저, 아리아 씨, 소피아 씨…… 그리고 피니 씨가 남겠어요. 다른 전원을 숲을 빠져나가 주세요.”

노웸이 난색을 표했다.

“라이엘 님…….”

말투를 강하게 바꿨다.

“어서 가! 나 말고 저 오크를 쓰러뜨릴 수 있는 일격을 쓸 수 있는 건 노웸…… 너뿐이야.”

노웸은 고개를 수그리며 이를 악물고는, 움직이기 시작한 재퍼 씨의 뒤를 따라갔다. 그 주변이나 앞쪽을 메다르트 씨나 병사들이 둘러싸서 보호하며 이동했다.

누군가는 해야만 한다면 근접전투가 가능한 내가 여기 남을 수밖에 없다. 게다가 마법이라면 나보다 노웸이 더 전문이다.

젤피 씨는 우리 쪽을 바라보았다.

“미안하네. 이래 봬도 지도원이야. 게다가…… 여기서 도망쳤다간 지도원으로서도, 선배로서도 실격이잖아! 수치를 주지 말라고!”

숨을 헐떡이는 젤피 씨는 무리를 해가면서 남았다. 나는 지금까지 열심히 해줬으니 물러나도 괜찮다고 생각했지만—.

“믿음직하네요. 알겠습니다.”

결국, 다섯 명이 남게 되었다.

소피아 씨가 배틀 액스로 오크의 대검을 튕겨냈다.

“이 녀석을 숲 밖으로 유도하면 되는 거죠? 그럼, 물러나면서 싸우면…….”

그러자 오크가 입을 크게 벌리며 포효를 내질렀다. 숲속이 웅성거렸다.

“뭐지……?”

아츠로 주변을 확인하자, 숲속에서— 붉은 광점이 움직이기 시작했다.

제28화 이름을 외쳐라

―노웰 일행은 방비를 다지며 산길을 나아가고 있었다.

선도하는 건 재퍼다. 그 뒤를 데일이나 파오라가 따라가는 중이다. 험준한 산길을 나아가다가 주변의 풀이나 방해되는 나무가 있으면 메다르트와 그 영지민인 병사들이 쳐내서 나아가기 쉽게 했다.

노웰에게는 메다르트가 옆에 붙어 있다.

숲속을 걷는 데 익숙하지 않은 노웰에게 어디를 밟아야 좋은지 가르쳐주고 있었다. 다만, 노웰은 문제없이 걷고 있었다. 숨을 헐떡이는 것처럼 보이지도 않는다.

"꽤나 하반신이 강하군. 숲속을 걸은 적이 있나?"

메다르트는 귀여운 외모와는 달리 건강하게 걷고 있는 노웰에게 놀라고 있었다. 숲을 걷는데 익숙한 자신들을 따라올 수 있는 게 신기한 모양이다.

노웰은 표정을 바꾸지 않았다.

"옛날에, 잠깐뿐이지만요."

메다르트는 누가 노웰을 업고 가는 걸 생각하고 있었지만, 그럴 필요는 없는 것 같아 안도했다. 지금은 조금이라도 빨리 숲을 빠져나가지 않으면 안 된다.

'하지만, 이 주변도 꽤나…… 그래. 벌써 20년이나 지난 옛

날 일이니 어쩔 수 없나.'

예전, 페이건가 영지에 들어갔을 때의 일을 떠올렸다. 아직 젊고, 아이에다 무지했던 시절이다.

그 당시에도 마이니가는 페이건가와 다투는 일이 많았다. 영지의 경계선은 강이 있기에 그것에 맡기고 있었지만, 숲속은 사람의 눈도 없다. 강을 넘어서 서로의 영지에 침입하고, 침입당하는 관계에 있었다.

'화풀이 겸 들어가서 마물을 쓰러뜨리고, 강해졌다고 믿었었지.'

메다르트는 다가오는 마물— 커다란 나방을 손도끼로 떨어뜨렸다. 아무래도 조금 전부터 마물이 모여든다.

"왜 이렇게 많은 거지. 지금까지 이런 일은—."

앞서 나아가는 재퍼가 그렇게 말하자, 데일이 가진 검으로 나방을 떨어뜨렸다. 소재나 마석을 회수할 여유는 없기에 그대로 방치했다.

노웸이 뒤를 돌아봤다.

"라이엘 님—."

그 모습을 보고 메다르트는 복잡한 기분이 들었다.

마이니가 저택에 왔을 때, 라이엘은 젤피와 소피아 두 사람을 데리고 있었다. 다음에도 마찬가지였다. 메다르트로서는 소피아가 라이엘에게 마음을 터놓은 것처럼 보였다. 그래서 연인이라고 생각하고 있었다.

'이거, 소피아 아가씨도 터무니없는 남자에게 접근했구나.'

아름다운 여성에 둘러싸여 있을 뿐이라면 그저 시시한 남자이리라. 하지만 이렇게 지금은 흉악한 마물을 상대로 맞서고, 이기기 위한 방법도 바로 제안했다. 동료— 소피아도 라이엘과 함께 싸우기를 선택했다.

'월트가— 적자를 폐적했다고 들었는데, 어째서 폐적했지? 여자 버릇이 나빴던 건가?'

라이엘의 정보를 전해들은 메다르트는 저택의 왔을 때의 일을 떠올렸다. 미덥지 못해 보였지만 나쁜 소년은 아니었다.

폐적된 것에 의문을 느꼈지만, 지금은 숲에서 나가는 게 우선이었다.

"이, 이제 조금만 더. 여기를 빠져나가면—."

선두를 가던 재퍼가 한층 험준한 곳으로 나아갔다. 이윽고, 숲을 빠져나와 바깥이 보였다—.

오크 아종.

아리아 씨가 대치하고 있다. 창을 들고, 대검을 피하면서 상대에게 공격을 가했다. 속도 상승. 4대와 비슷한 아츠지만 좀 더 순발력이 있는 타입이다. 오크 주변을 재빠르게 이동하며 대검을 피하며 창을 찔렀다.

병사들이 가지고 있던 창보다도 질이 좋아서 부서지지는 않았지만, 그럼에도 꿰뚫지는 못했다.

"이 녀석 단단해!"

나는 피니 씨를 먼저 보내고, 젤피 씨와 소피아 씨를 다음

유도지점으로 대기시켰다. 이쪽은 휴식을 끼워가며 교대로 싸워서 숲 바깥까지 유도한다. 그것뿐이지만, 장소는 싸움에 익숙하지 않은 숲속이다.

덤으로 적 오크는 아종인데다 강하고, 게다가 더욱 나쁘게도 주변 마물들이 우리에게 몰려왔다.

지금도 덤불에서 뛰쳐나온 고블린을 사브르로 베었다.

“아리아 씨, 이동할게요!”

“아, 알았어.”

먼저 간 노웰 일행이 걷기 쉽도록 풀이나 나뭇가지를 어느 정도 베어줘서, 우리는 그곳을 나아가며 후퇴했다.

아리아 씨를 먼저 보낸 나도 마찬가지로 오크에게 등을 돌려서 달렸다.

등을 보인 내게 오크가 대검을 크게 들어 올려서 내리쳤다. 그러나 2대의 아츠【올】—.

이걸로 전 방위를 감지할 수 있는 나는 등을 돌린 채 그 일격을 옆으로 이동해서 피했다. 대검이 내 바로 옆에 있는 지면에 꽂혀서 진흙을 튀겼지만 개의치 않고 숲속을 달렸다.

“하하, 초대의【리미트 버스트】를 쓴다면, 조금은 잘 싸울 수 있을까요.”

한계를 넘어서 자신의 능력을 끌어내는 아츠를 쓰면 가능성은 있을 것 같았다. 다만, 손에 든 사브르로는 적의 단단한 피부를 벨 수 없다.

초대는 조금 분한 모양이었다.

『좀 더 믿음직한 무기가 있다면 할 수 있으려나?』

분명, 자신이 쓰던 대검— 참마도라도 떠올린 거겠지. 확실히 그런 무기가 있다면 나를 쫓아오는 오크와 싸우는 것도 가능할지도 모른다.

그렇게 대기하던 젤피 씨 일행의 곁에 도착하자 이번에는 젤피 씨와 소피아 씨가 오크의 상대를 했다.

"이 오크 놈아. 이번에는 우리가 상대다!"

"지금의 저라면—."

이번에는 우리가 피니 씨에게 다음으로 갈 곳을 확인할 차례다.

"피니 씨. 다음으로 갈 장소 중에 싸우기 쉬운 곳은 있나요."

피니 씨는 내게 고개를 가로저었다.

"무리에요. 여기서부터는 정말로 길이 험해서…… 보통은 사람이 오지 않아요."

이동하면서 뒤를 보자 소피아 씨를 메인으로 젤피 씨가 발을 묶고 있었다. 다만, 아리아 씨를 보니 괴로워 보였다.

숨이 거칠다. 아츠를 사용하며 싸우는 것에도 익숙하지 않거니와, 환경이 최악이기도 해서 괴로운 것 같았다.

2대가 나를 염려했다.

『라이엘, 아직 괜찮은 거냐?』

나는 보옥을 움켜쥐며 긍정을 표했다. 확실히 힘들지만 아직 버틸 수 있다. 그러자 2대는—.

『좋아. 그럼 다음에는 세 명을 쉬게 해줘라. 너는 길을 확인한 뒤에 오크를 세 명이 있는 곳까지 유도하는 거다.』

아무래도 염려하던 건 남은 멤버인 모양이었다. 뭐, 피니 씨 말고는 여성이니까 당연한 걸지도 모른다.

4대가 내게 불평을 했다.

『라이엘, 좀 더 말을 걸어주세요.』

아리아 씨에게 말을 걸어주라는 소리였다. 힘들어 보이는 아리아 씨를 봤다.

"괜찮나요?"

아리아 씨는 억지로 웃었다. 땀도 꽤나 흘리고 있다. 게다가 숲속에서 무리하게 싸웠기 때문인지 겉모습도 너덜너덜했다.

머리에 붙은 나뭇잎을 떼어줬다.

"다음 장소에서 세 사람은 쉬고 계세요. 아리아 씨는 먼저 대기해주시고요."

"그, 그런 짓을 하면……."

초대가 아리아 씨의 태도에 기뻐하고 있었다. 하지만 동시에 고민되기도 한 모양이다.

『착한 아이네, 아리아. 하지만 무리하게 만들고 싶지는 않아.』

2대가 조금 강한 말투로 말했다.

『세 명을 쉬게 하는 것도 작전이라고 해라. 지금 상태에서 싸우는 게 더 방해돼.』

방해라고 말하긴 했지만 역시 2대도 아리아 씨가 걱정된 것이리라. 그래도 역시 이걸 그대로 전할 수는 없다.

"다음 장소에서 세 사람이 싸워줬으면 하거든요. 저도 쉬고 싶으니까 시간벌기를 기대할게요."

아리아 씨는 잠시 고민한 뒤에 끄덕였다.

―싸우면서 적을 유도하던 네 사람.

지금은 라이엘이 혼자서 상대하고 있고 세 사람은 몸을 쉬고 있었다. 소피아는 몸에서 땀이 흘러 옷이 피부에 달라붙는 것을 느끼고 있었다.

무게를 조절하는 자신의 아츠.

노웰이 희귀한 아츠라고 했던 것을 떠올렸다. 그런 아츠 덕분에 배틀 액스의 무게를 변경하면서 자유롭게 휘두를 수 있었다.

내려칠 때 중량을 무겁게 만들면, 평소보다 강한 일격이 된다. 하지만 아츠를 다루는 데 익숙하지 않은 탓인지 조작이 어려웠다.

"좀 더…… 잘 쓸 수 있다면……."

현재로서 오크 아종과 정면에서 부딪칠 수 있는 무기는 소피아의 배틀 액스뿐이었다. 창을 끌어안고 나무에 기대앉아 있던 아리아는 물통에서 물을 마시고 있었다. 그러나 물은 이미 다 마셨다.

소피아는 그 모습을 보고 자신도 수분보급을 하고자 물통을 찾았다. 그러나 어딘가에서 떨어뜨렸는지 허리에 달려있지 않았다.

"……하아."

지금은 라이엘이 시간을 벌고 있다. 그 때문에 이렇게 휴식을 취할 수 있었다.

젤피는 앉지 않았다. 때때로 나오는 마물을 상대하며 세 사람의 안전 확보를 하는 중이다. 그러면서 물통을 소피아에게 던져서 건네줬다.

"자, 수분 보급."

"어, 아…… 그래도……."

이건 젤피의 물통이다. 마시면 젤피가 물을 마실 수 없게 된다. 게다가 젤피는 두 사람 이상으로 지쳤을 것이다.

염려한 소피아에세 젤피가 말했다.

"바보. 신인인 너희에게 체력으로 질 것 같아? 다음에도 열심히 해줘야 해. 제대로 몸을 쉬어두라고. 아리아, 아직 할 수 있지?"

아리아는 젤피를 보며 끄덕였다. 머리카락까지 땀으로 젖어 있었다.

피니가 세 사람에게 말했다.

"이제 곧 도착해요. 이제 곧 숲을 빠져나갈 수 있어요."

젤피가 머리를 긁적였다.

"지역 사람에게 이제 곧, 이라는 건 외지인 쪽에서는 꽤 긴 거리로 느껴지긴 하지만. 그나저나…… 라이엘 녀석, 정말로 이럴 때는 믿음직하네."

소피아도 물을 마시고 입가를 닦으며 끄덕였다.

"그러네요. 다른 사람이 된 것 같은 기분마저 들어요."

이런 상황에서 라이엘은 평소와는 달리 믿음직해진다. 예전 도적단 토벌 때도 똑같았다. 소피아는 지금의 라이엘이 진심으로 믿음직하게 느껴졌다.

조금, 소피아의 뺨이 다른 의미로 붉게 물들어 있었다—.

『라이엘. 이 주변의 진흙을 오크의 얼굴에 뿌려줘. 덤으로 눈을 뭉개버릴 수 있다면 좋겠는데.』

3대의 말을 듣고 나는 양손에 든 사브르를 봤다. 무기를 버리고 진흙을 들어서 상대의 얼굴에 뿌려주라는 걸까?

6대가 내게 웃으며 설명했다.

『라이엘, 발로 해라. 뭐, 눈을 뭉개버리더라도 이 녀석이라면 바로 재생할 테니, 진흙 정도면 충분하겠지.』

5대가 떠오른 듯이 말했다.

『뭐, 예의바른 싸움만 해서는 살아남을 수 없으니까. 라이엘, 시험 삼아 해봐. 연습이야, 연습. 아, 눈도 뭉개봐. 연습이니까.』

역대 당주들은 오크 아종을 눈앞에 두고, 내게 연습이라고 말하고 있었다.

"분명히 즐기고 있는 거죠!"

오크의 일격을 피한 나는 지면의 흙을 발로 떠서 오크의 얼굴을 향해 걷어찼다.

오크가 얼굴에 묻은 진흙을 닦으려는 빈틈을 찔러서 사브르로 눈 주변을 베었다. 진흙에 섞여서 피가 주변에 튀었지만 오크는 동요하는 낌새도 없었다. 바로 재생이 시작됐다.

내 참격을 본 3대가 휘파람을 불었다.

『꽤 하네. 노린 곳에 확실하게 칼날이 닿다니. 응, 역시 기술은 있는 것 같아. 기술은, 말이지.』

일부러 기술만큼은 있다는 듯한 말투를 할 건 없을 텐데. 2대가 조금 고민하며 말했다.

『다음은 뭘 시킬까? 투척으로 눈을 짓뭉갤까?』

3대가 손가락을 튀겼다.

『좋네! 라이엘, 그렇게 됐으니, 이번 눈 뭉개기는 투척으로 하자.』

"당신들 정말로 여유롭네! 나한테 그럴 여유가 있다는 거냐고!"

오크가 대검을 올려쳤기에 닿지 않는 거리까지 물러났다. 조금씩. 정말로 조금씩이지만, 오크가 대검을 휘두르는 법이 그럴싸해지고 있었다.

점점 익숙해지고 있다.

나는 사브르를 봤다. 양산품이라고는 하지만, 산지 얼마 안 된 사브르가 이미 너덜너덜했다. 질 좋은 물건을 사든가 무기를 변경할 필요가 있을지도 모른다.

"마치 바위를 상대하는 것 같아요."

움직이는 바위를 베는 것 같은 감각이다. 손에 든 사브르로는 어쩔 도리가 없다.

오크를 유도하면서 다음 장소로 향했다.

나는 아츠인 맵을 사용해서 바깥까지의 거리를 확인했다.

이미 꽤 많은 거리를 이동해서 숲을 빠져나가는 것도 얼마 남지 않았다.

노웸 일행 쪽은 기다리며 준비에 들어가 있을 것이다.

"이거, 그냥 걷기 쉬운 길을 골라도 괜찮았던 거 아닌가요?"

내가 그렇게 말하자 2대가 웃었다.

『걷기 쉬워? 숲속이? 길 같은 것도 정비되어 있지 않은데? 라이엘, 너희들에게는 어느 쪽이든 변함없을 거다. 거리가 늘어나면 그것만으로도 상대하는 데 고생하게 되지.』

확실히, 체력이나 마력이 버겁다. 거리가 짧은 편이 나은 걸지도 모른다.

3대는 시간을 계산하고 있었는지 내게 말했다.

『자, 시간도 괜찮을 무렵이야. 다음 장소로 이동할까.』

오크에게서 등을 돌린 나는 그대로 오크를 이끌고 이동을 개시했다. 오크가 등을 돌린 나를 쫓아오며 베고 들어왔다.

2대의 아츠로 어떻게든 피하고는 있지만 체력도 마력도 한계가 가까웠다.

사전에 확인한 길을 달리면서 때때로 넘어질 뻔하며 계속 오크를 유도했다.

"아아, 정말. 왠지 한심해지고 있네요."

도망치기만 하는 내가 싫어진다.

3대가 웃었다.

『괜찮지 않을까. 쓰러뜨릴 방법이 없다는 것도 아니고. 게다가, 딱히 도망치는 것도 아니잖아. 이건 유인하는 작전이야. 잘 진행되고 있으니까 좋은 거지. 자, 이제 조금만 더 견디면 돼.』

3대의 말로 조금 기분이 편해졌다. 확실히, 그렇게 생각하는 편이 그나마 기분이 낫다. 언젠가 이런 상황에서도 대처할 수 있는 수단을 갖고 싶기는 하지만 말이다.

그렇게 네 사람이 기다리는 곳에 도착하자, 나는 달려가서 피니 씨와 함께 그 자리에서 떠났다.

"시간벌기, 잘 부탁합니다!"

젤피 씨가 한손을 들었다.

"맡겨둬!"

—숲 바깥에서는 노웹이 라이엘의 작전 성공을 확신하며 마법 준비에 들어갔다.

은빛 지팡이를 양손에 쥐고, 눈을 감고 있었다.

'……괜찮아. 라이엘 님은 반드시 오셔. 그리고, 그 두 사람과 젤피 씨가 있다면…… 괜찮아.'

자신을 타이르듯이, 마음속에서 몇 번이고 괜찮다는 말을 반복했다.

'아리아 씨의 아츠는 속도 상승. 그 「적응종」에게 간단히 패할 리는 없어. 소피아 씨의 아츠는 중력 조작— 그 오크와도 정면에서 싸울 수 있어. 아리아 씨는 몰라도 소피아 씨는 행운이야. 그 사람은 써먹을 수 있어.'

두 사람의 아츠를 이해하고, 그리고 아종 아크를 마음속으로 「적응종」이라 불렀다.

'젤피 씨는 경험이 있어. 간단히 지지는 않아. 게다가, 져서는 곤란해. 그걸 위해서는…….'

노웸은 눈을 천천히 떴다. 마법을 쓸 준비가 갖춰졌기 때문이다.

주변에는 노웸을 지키는 페이건가, 마이니가의 사람들이 있다.

"……왔다."

노웸이 그렇게 말하자 숲 입구 근처에서 전투음이 들려왔다. 격렬하게 오크와 싸우고 있다는 건, 살아남았다는 뜻이다.

데일 씨가 외쳤다.

"피니!"

숲에서 가장 먼저 뛰쳐나온 것은 피니였다. 노웸은 지팡이를 들고 마법을 쓸 태세에 들어갔다—.

숲의 출구가 보였다.

다만, 이대로 숲에서 빠져나가면 다 끝인 건 아니었다. 네 명이서 오크를 둘러싸서 상대하고 있었는데, 이 오크 녀석…… 숲속으로 돌아가려 하고 있었다.

"여기까지 와서 돌아가지 말라고!"

3대가 조금 놀랐다.

『헤에, 눈치챈 걸까? 뭐, 불길한 예감이 드는 정도일지도 모르겠네.』

2대도 마찬가지 반응이다.

『가끔 이렇게 머리 좋은 놈이 있다니까. 고블린 중에서도 있으니, 오크 중에서도 있겠지.』

초대가 고함을 쳤다.

『이놈들에게 그런 생각이 있을 리가 없잖아!』

4대는 초대에게 뭔가 말하려 했지만, 도중에 그만두고 다른 말을 입에 담았다.

『……뭐, 반대로 인간 중에도 아무 생각 없는 녀석은 있으니까요. 하지만 곤란해졌군요.』

5대가 여느 때처럼 감정이 담기지 않은 목소리를 냈다.

『도망쳐버리면 지금까지의 고생이 물거품, 이네.』

6대는 딱히 신경 쓰는 모습이 없었다.

『뭐, 성가신 녀석이 이 숲에 살게 되겠지만. 메다르트의 주군인 자작이 어떻게든 하겠죠. 확실히 그리 재미있지는 않겠지만요.』

7대는 시시한 모양이다.

『으음. 라이엘의 무기가…….』

여기까지 와서 쓰러뜨리지 못했습니다, 로 끝나면 싫기 때문에 넷이서 둘러싸서 도망치지 못하게 하고 있었다.

"여기까지 와서 놓칠 것 같아?!"

아리아 씨가 창을 들고 오크가 도망치려는 퇴로를 막았다.

"밖으로— 나가세요!"

소피아 씨가 배틀 액스로 베어 들어갔다.

배틀 액스의 일격이 오크의 팔에 깊숙이 박혔지만, 절단까지는 이르지 못했다. 오크가 날뛰면서 소피아 씨를 난폭하게 떨쳐냈다.

"꺄앗!"

귀여운 목소리를 내며 배틀 액스를 놓고 날아간 소피아 씨를 내가 받아냈다.

"죄, 죄송합니다."

"괜찮아요. 그보다, 물러나주세요."

배틀 액스는 오크의 팔이 재생하자 바닥에 떨어졌다. 그것을 주우려는 오크를 젤피 씨가 방해했다.

"그걸 용납할 것 같아! 대검만으로도 성가신데, 이런 무기까지 빼앗게 둘 순 없지!"

젤피 씨가 배틀 액스를 빼앗지 못하게 방해하자, 나는 여기서 비장의 카드를 사용하기로 했다.

"……리미트 버스트라면, 저 녀석을 억지로라도 바깥에……."

소피아 씨가 내 손을 잡았다.

"라이엘 공, 제 무기를 써 주세요."

나는 바닥에 떨어진 배틀 액스를 봤다. 확실히, 저거라면 충분히 잿빛 오크와 싸울 무기가 된다.

"빌릴게요."

사브르를 두 개 모두 지면에 꽂은 나는, 달려가서 아츠의 이름을 입에 담았다.

"리미트 버스트."

몸에 푸른빛의 문양이 떠올랐다. 떨어진 배틀 액스를 주웠다. 힘이 늘어나고 주변 광경이 보다 선명하게 보이는 것 같았다.

단숨에 거리를 좁혀서 배틀 액스를 옆으로 휘두르자 오크가 대검으로 내 일격을 막아냈다.

"힘겨루기는…… 솔직히 힘든데."

근력도 상승했다. 오크와도 충분하게— 아니, 오히려 이쪽이 힘은 위였다. 배틀 액스를 휘둘러서 그대로 상대의 배부터 가슴 주변을 베어 올려 커다란 상처를 입혔다.

다만, 바로 상처가 재생했다. 이후에도 차례차례 상처를 입혀 나갔지만—.

"밀어낼 수 없어."

—지금의 나로는 오크를 바깥으로 밀어낼 만한 힘이 없었다.

양손으로 든 배틀 액스가 오크의 대검과 부딪쳐서 불똥을 튀겼다. 라우리가의 가보인 배틀 액스는 가보라고 말할 만큼 튼튼하다. 어쩌면 희귀금속을 사용하고 있는지도 모른다.

아리아 씨와 젤피 씨가 오크를 놓치지 않기 위해 퇴로를 막았다.

하지만 이대로 가면 먼저 내가 아츠 사용한계를 맞이해서 쓰러지고 만다.

……좀 더, 힘을 갖고 싶다.

나는 초대의 기억— 랜드 드래곤을 쓰러뜨렸을 때의 기억을 떠올렸다. 마치 불꽃을 두른 듯한 초대의 모습은, 정말로 용맹하고 매서웠다. 그 힘이 있다면—.

그렇게 생각한 순간.

내 몸에 떠오른 문양이 격하게 흔들리기 시작했다. 몸속에서 뜨거운 뭔가가 폭발하는 듯한— 그런 느낌이 났다.

어째서일까— 조금만 더 있으면, 초대의 아츠를 사용할 수 있을 것 같은 느낌이 들었다. 3단계다.

단, 이름을 모르겠다.

"이름만 알 수 있다면—."

그것만으로도, 지금 당장 쓸 수 있을 것 같았다.

—보옥 안.

초대는 라이엘의 이변을 눈치챘다.

『라이엘, 너…… 가르쳐주지도 않았는데 그 수준까지…….』

초대가 아츠 3단계에 달했던 것은 전성기에서 드래곤과 싸우기 얼마 전이다. 그런데도, 라이엘은 15세라는 연령임에도 이렇게나 간단히 발동할 수 있게 되었다.

가르쳐주지도 않았는데 억지로 끄집어내고 있다는 것을 알 수 있었다.

초대가 이름을 가르쳐주려 하자, 몸에서 작고 푸른 빛가루가 뿜어져 나왔다. 반짝반짝 빛나는 그 빛을, 주변의 역대 당주들이 보고 있었다.

2대가 눈을 크게 떴다.

『……아버지.』

초대가 자신의 오른손을 봤다. 그리고 움켜쥐었다.

『아아, 그런가. 그런 거였나. 확실히…… 이런 역할이라면…… 결말 같은 걸 생각할 필요도, 없나.』

초대의 목소리는 웃고 있었지만 조금 쓸쓸해 보였다. 초대가 머리를 긁적였다. 살짝 고개를 숙이고는 의자에서 일어났다. 다시 고개를 들어 공중에 비치고 있는 바깥 광경을 보며 웃었다.

『좀 더 가르쳐주고 싶은 게 있었는데 말이지. 하지만, 내가 가르쳐줄 수 있는 건…… 너희도 가르쳐줄 수 있어. 게다가, 마침 잘 됐을지도 몰라.』

라이엘의 성장을 기뻐하면서 앞으로도 지켜보고 싶었다. 하지만 자신이, 자신들이 어떤 존재인지를 떠올렸다.

보옥이 자신들을 기억으로 되살린 것은 라이엘에게 아츠를 가르쳐주기 위해서다. 지식이나 경험을 전하기 위함이 아니다.

『……잘 생각해 보면, 이제 내가 떠들어댈 일도 없네. 대단한 것도 가르쳐줄 수 없고. 정말이지, 자신이 한심해진다니까.』

오크와 싸우고 있는 라이엘의 모습을 보며 초대는 팔짱을 꼈다.

3대가 초대에게 말을 걸었다.

『뭔가 전할 건 없나요?』

초대는 고개를 가로저었다.

『아직이야. 아직 사라지지 않아. 나는 끈질기다고. 마누라한테도 그건 칭찬을 들었었단 말이지. 죽여도 죽지 않는 남자다, 라면서.』

마누라— 초대의 아내였던 여성이다.

4대가 안경 위치를 손끝으로 조정하면서, 살짝 웃었다.

『그건 대단하군요. 하지만, 칭찬한 건지 욕한 건지 모르겠습니다만.』

초대가 웃었다. 큰소리로 웃었다.

『하긴 그렇구만! ……그러니까, 나는 내가 전하고 싶은 건 직접 말하겠어. 게다가 말이지. 저 녀석에게…… 라이엘에게 작별인사 정도는 해두고 싶으니까.』

그렇게 초대는 양손을 크게 들어서 원탁으로 내리쳤다. 보옥 안이 흔들리는 듯한 일격에 전원이 눈을 크게 떴다.

그리고, 초대는 여섯 명에게 고개를 숙였다.

『……뒤는 부탁한다. 저 녀석은, 내 자손이고. 그리고, 좋은 녀석이야. 내 자랑이야. 이런 나의 피가 이어졌다는 증거고…… 앨리스 씨의 자손과도 만났어. 미덥지 못한 부분도 있겠지만…… 도와다오.』

2대가 주먹을 움켜쥐었다.

『……바, 바보 같기는. 우리의 자손이기도 하다고. 당연하잖아. 그런 거, 신경 쓰지 말라고. 안 어울린단 말이야!』

고개를 든 초대는 웃었다.

『그래, 믿고 있으마. 너희들, 나 같은 놈보다도 훨씬 믿음직하니까. 나는 바보라서 말이지. 이제 부탁하는 것 말고는, 라이엘의 도움이 되어줄 수 없어.』

초대가 결의를 하자, 원탁의 의자…… 초대의 의자가 사라졌다. 그리고 초대가 앉아있던 곳에는 대검이 출현했다. 참마도— 초대가 사용하던 무기와 비슷한, 은빛의 참마도가 그곳에 떠올랐다.

초대는 그걸 보고 살짝 미소를 지었다. 보고, 이해했다. 그것이 자신이 라이엘에게 남겨줄 수 있는『무기』라는 것을…….

『뭐야. 남길 수 있는 게 있었잖아.』

그리고, 천장을 향해 외쳤다.

『라이엘— 이름을 외쳐라. 내 아츠는 이제 너의 것이야!【풀버스트】…… 그게 내 마지막 아츠다!!』

초대의 목소리는, 라이엘에게 닿았다—.

제29화 라이엘의 성장

『라이엘— 이름을 외쳐라. 내 아츠는 이제 너의 것이야! 【풀버스트】…… 그게 내 마지막 아츠다!!』

초대의 목소리가 들렸다. 그건 무척이나 기쁜 듯한 목소리였다. 오크와 싸우던 나는 밀어낼 수 없는 현재를 타개하기 위해, 3단계— 초대가 사용하던 아츠의 이름을 외쳤다.

"풀…… 버스트!"

내 몸을 덮고 있던 새파란 문양이 터져나가고, 몸에서 새파란 불꽃이 분출했다. 몸속에서 힘이 솟구치는— 아니, 폭발하는 듯한 감각이 나면서 지금까지와 비교도 되지 않을 만큼 힘이 늘어난 것 같았다.

"할 수 있어. 이거라면……."

힘차게 한 걸음을 내딛고 그대로 적인 잿빛 오크를 노려봤다. 배틀 액스를 움켜쥐자 팔의 근육이 부풀어 오르는 것이 느껴졌다.

힘이 솟구쳤다.

"미안하지만 놓치지 않겠어."

그렇게 말하며 오크와 거리를 좁혀서 배틀 액스를 들어올렸다. 지금까지 이상의 스피드가 나오자 오크가 당황하며 방어 태세를 취했다.

보옥이 빛나고, 배틀 액스를 움켜쥔 나는 오크를 세로로 베어버렸다.

대검과 함께 양단하자, 오크가 놀란 표정을 지었다.

바로 재생했지만, 대검까지는 원래대로 돌아가지 않았다. 내 이변을 깨닫고, 무기를 잃은 오크는 도망치려 했다.

대검 자루를 던지고 등을 보이며 달아나려 하고 있었다.

내가 바로 이동해서 퇴로를 막듯이 서자 젤피 씨와 아리아 씨도 오크를 둘러쌌다. 배틀 액스를 들어 올리자 나를 두려워하는 건지 오크의 표정이 변했다. 그대로 무기를 들지 않은 소피아 씨에게 시선을 보냈다.

오크가 소피아 씨에게 향하자 나는 배틀 액스를 던졌다. 호를 그리며 회전한 배틀 액스가 소피아 씨의 눈앞에 꽂혔다. 그걸 손에 든 소피아 씨는 바로 오크를 향해 강력한 횡 베기를 먹였다.

"이게에에에!!"

오크는 막을 무기가 없어서 팔에 깊은 상처를 입었다. 상처가 회복되려 하자 소피아 씨는 다시 베틀 액스를 휘둘렀다.

둘러싸인 오크는 그대로 우리에게 등을 돌리며 숲 바깥을 향해 뛰쳐나갔다.

"이대로 몰아넣자!"

바로 뒤를 쫓자 그곳에는 노웸 일행이 대기하고 있었다. 뛰쳐나온 오크는 숲 바깥의 광경을 보고 아연실색한 모양이었다. 유인당한 걸 눈치챈 걸까? 이렇게 되면 위험하다. 도망치지 못하는 사이 끝장을 내지 않으면 안 된다.

"노웰!"

내가 외치자 노웰이 나를 보고 조금 놀랐다. 새파란 불꽃을 두른 모습에 놀란 거겠지. 하지만 바로 미소를 지었다. 정말로 기쁜 듯이 웃고 있었다.

그리고, 은빛 지팡이를 지면에 꽂았다.

"갑니다. ―플레임 버스트."

화속성 중에서도 꽤 상위에 속하는 마법이다. 나는 바로 뛰쳐나가려던 젤피 씨 일행을 손으로 제지했다. 그건 그렇고, 꽤나 화려한 마법을 골랐구나 싶다.

오크가 뛰쳐나온 곳 바로 밑에 마법진이 떠올랐다.

광범위로 펼쳐진 마법진은 붉은 선으로 복잡한 문양을 그리고는 그대로 주변 온도를 상승시키기 시작했다. 그러나 오크는 노웰을 보더니 다시 이쪽을 돌아봤다.

3대가 꺼림칙한 소리를 냈다.

『아아, 그런가. 뭐, 어딜 봐도 노웰 쪽이 더 위협적으로 보이긴 하네.』

우리보다도 노웰을 상대하는 게 더 무서웠던 거겠지. 오크의 표정은 완전히 두려움에 빠져 있었다. 필사적― 그런 표정이었다.

다만, 조금 슬프게 보이는 건 기분 탓일까?

그건 그렇다 치고―.

"이 타이밍에서 도망쳐버리면 곤란한데……."

아무리 위력이 있는 마법이라도 맞지 않으면 의미가 없다. 마법에 필요한 것 중 하나는, 의외로 맞추는 기술이다. 위력만이라면 나도 노웰 정도로는…… 낼 수 있을 거다.

—지금의 우리는 돌진하는 오크를 막을 수 있을 만큼의 여유가 없었다. 회수한 사브르로는 막을 수 없다. 아리아 씨나 젤피 씨로도 무리다. 소피아 씨는, 괴로운 건지 배틀 액스를 지팡이처럼 지면에 꽂아서 몸을 지탱하고 있었다.

전원 한계다. 노웰도 다음 마법을 쓸 수 있을지 알 수 없다.

마법진에서 불똥이 튀기 시작했다. 이대로 가면 오크가 도망쳐버리고 만다. 지금까지의 고생이— 그러자 초대가 내게 고함을 쳤다.

『바보 자식! 뭘 단념하는 거야. 자기 무기를 못 쓰더라도 아직 주먹이 있잖아. ……보여줘라. 라이엘!』

초대의 욕설. 그리고 나를 믿어주는 목소리에, 조금 입가가 풀어졌다. 나는 접근하는 오크를 향해 달려가면서 양손에 든 사브르를 던져버렸다.

"이봐, 무슨……!"

뒤쪽에서 젤피 씨의 목소리가 들렸다. 마지막까지는 들리지 않았지만 나는 주먹을 쥐고 휘둘렀다. 마법진에서 불꽃이 분출하기 시작하며 마법이 발동되려 하고 있었다. 동시에 내 의지에 따라서 주먹에 불꽃이 휘감기며 타올랐다.

오크도 나를 향해 주먹을 움켜쥐고, 크게 휘둘러왔다. 커다란 입을 벌리며 위협하고 나를 날려버리려 하고 있었다.

『거기다. 한 방 큼지막한 걸 꽂아버려!!』

"이걸로, 끝이다아아아!!"

초대의 목소리에 맞춰서, 나는 지면을 박차고 허리의 탄력을 가미해서 오크를 후려갈겼다. 모든 움직임이 느리게 보였다. 내 주먹은 오크의 안면을 포착해서 깊게 꽂혔다. 오크의 주먹은 허공을 갈랐고, 내 전력을 담은 일격은 오크를 후방으로 — 불꽃이 뿜어져 나오기 시작한 마법진 쪽으로 — 마치 폭발해서, 공기가 진동하는 듯한 충격을 내며 날려버렸다.

날아간 오크가 공중에서 몸을 틀어 노웸 쪽을 바라봤다. 손을 뻗으려 하고 있다.

그러나 직후에 뿜어져 나온 불꽃에 삼켜진 오크는 불꽃 속으로 모습을 감춰버렸다.

지면에 착지한 나는, 왼손을 휘둘러 내 앞에 얼음벽을 만들었다.

"아이스 월."

그러자 마력이 폭주한 모양인지 상상 이상으로 커다란 얼음벽이 나왔다. 노웸의 마법으로 나온 열을 얼음벽이 막아주었다. 뒤에서는 소피아 씨에게 부축을 받은 아리아 씨나, 젤피 씨가 걸어오고 있었다.

아리아 씨가 웃었다.

"아하하, 이제 무리…… 두 번 다시 저런 거랑 싸우고 싶지 않아."

아리아 씨가 거대한 불기둥을 올려다보며 말하자, 소피아

씨도 동의했다.

“확실히…… 그러네요.”

젤피 씨만큼은 그런 두 사람의 의견을 부정했다.

“오래 이 장사를 하고 있으면 싫어도 저것과 동등하거나 그 이상의 상대가 나와. 죽고 싶지 않으면 강해지라고. 안 그래? 라이엘. ……이, 이봐.”

몸에 두르던 불꽃이 사라지고 있었다. 그리고 심한 권태감. 이제 몸을 움직일 수도 없고, 의식을 유지하는 것도 한계였다. 그렇구나, 이게 초대가 말했던 문제점인가……. 사용 후의 피로가 심하다.

“죄, 죄송합니다. 뒤를 부탁할게요…….”

눈을 감고 쓰러지자 내게 달려오는 발소리가 들렸다. 그걸 마지막으로 나는 의식을 놓았다.

—다음날.

합동조사에서 영지로 돌아온 일행은 몸을 쉬고 있었다.

역시 격렬한 전투였기 때문에 전원이 지쳤다. 페이건가가 빌려준 오두막에서는 아침부터 노웸 말고는 모두가 누워있는 중이다.

노웸은 괴로워 보이는 라이엘을 간호하고 있었다.

“라이엘 님, 아직 괴로우신가요? 그래도 식사는 하지 않으면 안 돼요.”

“……먹고 싶지 않아.”

심한 권태감. 무기력, 그리고 몸의 격렬한 통증 탓에 라이엘은 일어날 수조차 없었다. 노웸이 준비해준 죽 같은 음식조차 먹는 것을 거부할 지경이다. 노웸이 목제 숟가락으로 라이엘의 입가에 죽을 옮겼다.

그러자 마지못해 한 입만 먹은 라이엘이 말했다.

"써."

노웸이 미소 지었다.

"약초 종류를 썼으니까요. 하지만 이걸로 조금은 편해질 거예요."

노웸은 계속 숟가락으로 죽을 떠서 라이엘의 입에 옮겼다. 라이엘은 싫어했지만 노웸이 절대로 양보하지 않아서 다시 입에 넣었다.

"……써."

라이엘은 불만만 늘어놓고 있었지만 주변에서는 그에 대한 반응이 없었다. 아니, 반응할 만한 기력이 없었다.

"우아우우……."

누워서 뒤척이는 것조차 힘들어하는 아리아.

"아, 아얏……."

온몸이 아픈지 소피아도 마찬가지로 신음하고 있었다. 젤피는 수면을 취해서 체력 회복에 전념하고 있었다.

노웸은 그걸 보며 미소 지었다.

"다들 수고하셨어요. 회합은 모레에 재개한다고 해요. 데일 씨도 메다르트 씨도 지치신 모양이고, 무엇보다 여러분이 회복되는 걸 기다리고 나서 이야기를 한다고 해서요."

"아무래도 좋아……."

라이엘은 흥미 없다는 듯이 말했다. 그러나 노웸은 그걸 듣고 라이엘의 이마를 어루만졌다.

"라이엘 님. 빨리 나아지세요."

라이엘은 새파란 얼굴로 몸의 아픔이나 다른 이런저런 것들과 싸우는 상태였다. 괴로워하는 네 사람을 간병하는 노웸도 몸이 괴롭지 않은 건 아니다. 하지만 그럼에도 움직일 수 있는 게 자기뿐이므로 수발을 들고 있는 것이다.

그러자 오두막 문을 노크하는 소리가 들려왔다.

—노웸이 밖으로 나가자, 그곳에 있던 것은 파오라였다.

"저기…… 이번에는 감사합니다!"

고개를 숙인 파오라에게 노웸은 다정하게 미소를 지었다.

"괜찮아요. 라이엘 님께서 정하신 일이니까요. 게다가, 저희도 좋은 경험이 되었고요."

영지간의 문제, 그리고 숲속에서 아종 오크와의 전투. 노웸은 이번 의뢰가 라이엘 일행에게는 커다란 수확이 되었다고 생각하고 있었다.

'그래. 게다가, 버질 님의 아츠를 라이엘 님께서 완전하게 쓰셨어. 분명 뭔가가 있어. 라이엘 님에겐 분명히…….'

노웸이 생각하건대, 이번 페이건가에서의 일은 헛수고가 아니라 오히려 고마운 일이었을 정도다.

파오라는 현재 상황의 보고를 시작했다.

"……피니는 용서를 받았어요. 바로 그쪽으로 가서 수선한 방어구를 반납하고, 돌아가신 가신의 마지막을 가족에게 들려줬다고 해요. 시체가 있다는 걸 알린 편지도 피니 씨가 보냈다는 게 판명돼서, 그것 때문에 피니는 용서를 받았어요. 정말 다행이죠."

파오라의 표정은 정말로 안도하고 있었다. 그건 마치, 재퍼보다도 피니를 걱정하는 분위기였다.

피니…… 그는 재퍼에게 위협받아 시체를 옮겨 영지로 갖고 돌아갔다. 그러나 그 후 마이니가에 편지를 보내 시체가 있다는 것을 알려줬던 것도 피니다.

재퍼에게 방어구를 팔라는 지시를 받았을 때도 수선하고 나서 마이니가에 반납할 생각이었다. 실제로 재퍼에게 비밀로 하고 방어구를 갖고 돌아왔다. 애초부터 부서진 방어구 따위는 그리 비싸게 거래되지 않는다. 그러나 재퍼는 팔 수 있는 건 뭐든지 팔아치워서 무기를 입수하고 싶었던 모양이었다.

오크 퇴치 때 보여준 용기나, 지쳤음에도 바로 마이니가로 향했던 태도. 종합적으로 평가를 받아, 피니「만큼」은 용서를 받았다.

물론 재퍼는 마이니가, 그리고 페이건가에서도 용서받지 못했다.

"다행이네요. 그리고, 신경이 쓰이던 건데……. 피니 씨와 결혼하지 못했던 건 재퍼 씨 때문인가요?"

파오라는 노웸의 말에 눈을 크게 뜨고는 이윽고 고개를 끄덕였다.

"실은 피니 본인은 모르겠지만, 저와 피니는 3년 전에 결혼 이야기가 있었어요. 피니는 읽고 쓰기나 계산도 가능하고, 아버지나 선대 영주님도 마음에 들어 했었거든요. 제 데릴사위는 피니가 좋겠다면서요. 아마 재퍼는 그 이야기를 알고 초조했던 걸지도 몰라요. 공적을 올리면 저와 결혼할 수 있을 거라 생각해서……. 정말로 바보 같은 짓을 했네요. 그래서 싫은 거예요. 언제나 날뛰고, 제멋대로라……. 재퍼 탓에 아버지도……."

눈물을 흘리는 파오라를 보고 노웸은 「그랬었군요」라고 중얼거렸다. 명사에 필요한 것은 관리하는 능력이다. 파오라의 집안은 영지의 조정을 맡고 있다. 그 때문에 우선되는 건 싸우는 힘이 아니다. 읽고 쓸 수 있고, 계산도 가능한…… 일을 할 수 있는 사람이 더 좋다.

재퍼는 처음부터 전부 잘못되었던 것이다. 그렇기에 3년 전에 전쟁에서 멋대로 뛰쳐나가는 어리석은 짓을 저지르고 말았다. 철부지 골목대장이었다.

'……라이엘 님과는 큰 차이네요.'

철부지였던 건 같지만, 라이엘은 배우려고 했다. 고민하고 또 고민했고, 자신의 힘으로 앞으로 나아갔다. 그것을— 노웸은 자랑스럽게 생각했다.

파오라는 고개를 들었다.

"……그래도, 이걸로 겨우 이야기를 진행할 수 있겠어요. 다른 후보도 없고, 방해도 받지 않겠죠. 겨우 피니와 함께 있을 수 있겠어요. 감사합니다.”

기뻐하는 파오라의 얼굴을 보고, 노웸은 조금 마음이 아팠다. 그건 파오라에 대한 질투일지도 모른다.

“……잘 됐네요. 파오라 씨.”

미소 짓는 노웸에게 파오라는 감사를 표했다. 노웸은 그런 파오라가 조금 부러웠다. 좋아하는 사람과 함께 할 수 있게 됐으니까—.

영지에 돌아오고 나서, 회담이 열릴 예정인 날 아침.

나는 오두막 안에서 일어나서 기지개를 켰다. 그리고 작은 창문에서 내리쬐는 빛을 보며 미소 지었다.

상반신은 알몸. 어제까지의 권태감이나 여러 아픔이나 고통이 사라지고, 지금의 나는 마치 다시 태어난 것 같은 기분이었다.

그리고 이해했다. 눈을 떴을 때의 이 「반짝반짝」 빛나는 감각. 그래. 이게 바로 「성장」이구나, 라는 것을.

“상쾌한 아침이야. 마치 다시 태어난 것 같은 기분…… 이게 성장인가.”

양손을 벌려 천장을 올려다봤다.

마치 어제까지 보던 경치와는 다른 것 같다. 모든 것이…… 다시 태어난 나를 축복해주는 것처럼 보였다.

“느껴져, 느껴진다고…… 부풀어 오른 마력이. 그리고 충실한 나의 이 육체! 아아, 그건 그렇고…… 나는 굉장하네."

지금까지 우물쭈물했던 자신이 바보 같다. 전혀 고민할 필요 따윈 없었다. 지금의 나는 뭐든지 할 수 있다. 그래…… 나는 다시 태어난 거다.

양손을 펼치고 한 발로 서서, 그대로 한바퀴 돌아 자신을 끌어안았다.

"굉장해. 지금이라면 하늘도 날 수 있어! 아니, 역시 하늘은 못 나나? 하지만, 내 마음은 언제라도 하늘을 날 기세야! 내 마음은 프리이이더어엄!!"

그리고 양발로 서서 양손을 들며 외쳤다.

"이게 성장! 이게 새로운 나! 그래, 아무것도 무섭지 않아. 나는…… 나는 다시 태어난 거다아아아아아!! 축하한다, 나! 고맙다, 나! 멋있구나, 나! 사랑한다, 나!"

그대로 크게 웃음을 터뜨리자, 보옥 안에서 목소리가 나왔다.

『뭐야 이 녀석?!』

『나, 나도 이 정도의「성장 후」는 처음 봤는데…… 크, 크큭.』

『기린아야…… 월트가가 시작한 이래의 기린아야, 라이엘!』

『일찍이 천재라 불렸던 건 장식이 아니라는 겁니까? 하지만 이건…… 푸흡.』

『……라이엘 녀석, 굉장하네.』

『이것 참, 이 정도의 소재였을 줄이야. 몸이 너무 오래 안 좋아서 걱정했습니다만…….』

『역대 중에서도 최고일지도 모르겠군요. 물론, 웃긴다는 의미로…… 푸하하하!!』

으~음, 아무래도 역대 당주들은 내 성장을 기뻐하는 건지 웃음을 참고 있었다. 아니, 일부는 성대하게 웃고 있었다. 초대는 원탁을 탁탁 두드리고 있다.

정신이 들자, 크게 웃던 내가 있는 오두막 문이 열리고 노웸이 굳어져 있었다. 게다가 그 뒤에는 물이 들어간 통을 든 아리아 씨.

소피아 씨도 서 있다.

"왜 그래, 다들?"

내가 아름다운 푸른 앞머리를 쓸어 올리며 상반신을 내밀자 소피아 씨가 얼굴을 새빨갛게 물들였다.

"뭐, 뭐하는 겁니까! 옷을 입으세요. 옷을!"

"바보네, 소피아."

"바, 반말?! 아뇨, 상관은 없지만 왜 갑자기……."

얼굴을 붉힌 소피아에게 나는 미소를 보냈다.

"우리 사이에, 옷 같은 건 방해되잖아."

그러자 소피아가 오두막에서 달아나버렸다. 아리아가 통속의 물을 조금 흘리면서 오두막에 들어왔다.

"잠깐, 지금 이건 무슨—."

"아리아…… 오늘도 아름답네. 그래, 운명을 느꼈던 첫 만남에서 오늘까지, 너와 함께 있어서 다행이야."

아리아가 통을 떨어뜨려서 주변이 젖었다. 아와아와 입을 뻐끔거리면서 휘청휘청 오두막에서 나가버렸다.

"응? 칭찬한 건데 안 좋았나? 이크, 노웸…… 사랑하고 있어. 안아주고 싶을 정도로."

침묵에 빠진 보옥 안에서 초대가 외쳤다.

『이 녀석, 말해버렸어! 그렇게나 우물쭈물했으면서, 성장 후에 말해버렸다고!』

4대가 퇴짜를 놓았다.

『세 명을 동시에 꼬드기다니 있을 수 없군요. 하지만 참으로 스트레이트한 꼬드김 문구네요.』

하지만 노웸은 헛기침을 하고 미소를 지으며 내게 말했다.

"그 말은, 지금은 듣지 않았던 걸로 할게요, 라이엘 님. 그리고……."

"왜 그래? 아아, 잠깐. 알았어. 내게 다시 반한 거구나."

윙크를 하며 허리에 손을 대자, 노웸은 백스텝으로 물러나서 오두막 문을 힘차게 닫았다. 그대로 나무판이라도 가져왔는지 못을 박아서 문을 막았다.

엄청난 속도였다.

3대가 헉 하고 놀랐다.

『아, 라이엘이 갇혔어.』

이게 무슨 일인가. 노웸이 이렇게까지 독점욕이 강하다니. 게다가 창문 쪽으로도 돌아가서 서둘러 막고 있었다.

노웸의 목소리가 벽 너머에서 들려왔다.

"……죄송해요. 하지만 이것도 라이엘 님을 위해서. 오늘 일은 잊을 테니까, 신경 쓰지 말아주세요."

그런 노웸에게 나는 외쳤다.

"뭐라고?! 리테이크라고. 노웸, 내 고백이 어디가 마음에 안 든 거야! 아니면 매일 같이 사랑을 속삭이라는 거야! 알았어. 오늘부터 매일 속삭일게!"

2대가 웃음을 터뜨렸다.

『왜 이렇게까지 포지티브한 건데. 마치 다른 사람 같잖아.』

3대가 진지한 목소리로 말했다.

『이건 이미 라이엘 씨…… 아니, 【라이에루 씨】라고 불러야 할지도 모르겠네. 그나저나, 라이엘이 이 정도의 존재였다니……. 크, 크크, 크하하하—!!』

3대가 웃으며 구르는 모습이 보옥에서 전해져왔다.

노웸에게서 무척이나 긴박한 느낌이 전해졌다. 분명 내 사랑 고백에 감동한 것이 틀림없다.

"……라이엘 님, 죄송해요. 죄송……큽!"

노웸이 울면서 달려갔다. 마지막에는 웃은 것 같은 기분도 들지만, 분명 기뻤던 거겠지.

나는 오두막 안에서 포즈를 잡으며 말했다.

"이 녀석이고 저 녀석이고 솔직하지 않네. 하지만, 귀엽잖아."

보옥 안에서는 역대 당주들이 깔깔 웃는 목소리가 들려왔다.

"이제 그만둬어어어!!"

보옥 안. 원탁의 방.

나는 바닥에 무릎을 꿇은 채 머리를 감싸 쥐고— 아니, 귀를 막고 있었다. 주변에서는 역대 당주들이 히죽히죽 웃으면서 아침부터 점심에 걸친 내 말을 반복하며 중얼거렸다.

『상쾌한 아침이야. 근데, 오늘 날씨는 흐리지 않았냐?』

『하늘도 날 수 있어, 는 재미있었지.』

『우리 사이에 옷 같은 건 방해되잖아, 는 굉장했네. 용케 말했다 싶어.』

『매일 사랑을 속삭일게……. 실행하는 거겠죠? 해줬으면 좋겠네요~.』

『나는 수수하게 리테이크가 재미있었어.』

『다시 반했어, 라는 부분도 좋았지요.』

『……내 마음은 프리덤……!』

가슴을 누르며 떨고 있는 7대를 노려봤다.

"당신들, 알고서 말하는 거지! 나, 나는 그때…… 왜 그런 언동을…… 빌어먹으으을!!"

몇 번이고 바닥에 이마를 부딪치며 가증스러운 기억을 지우려 했다. 그러나 선명하게 떠오르고 마는 내가 밉다.

기분이 고양된다고 듣기는 했지만, 설마 그 정도일 줄은 몰랐다. 전능감이라고 해야 좋을까, 그건 다른 의미로 무시무시했다.

3대는 웃으면서 내게 다가왔다.

『이야~ 하지만 실제로 굉장했어. 라이엘. 확실히 그 상태…… 라이에루 씨라고 부를까. 그것도 굉장했지만, 라이엘의 성장도 그에 비견되게 굉장하다니까.』

그런 말을 들어도 전혀 기쁘지 않았다.

고개를 수그린 채 2대의 말에 귀를 기울였다.

『마력 체내 보유량도 대폭 늘었지. 게다가, 천장을 봐라.』

천천히 고개를 들어 천장을 보자, 커다란 보옥을 중심으로 방사형으로 메워져 있던 옥이 전부 22개. 그리고 빛나는 것은 8개다.

한 곳, 나란히 있는 세 개의 옥이 전부 빛나고 있었다. 분명 초대의 아츠를 모두 습득한 것을 의미하는 것이리라.

3대가 내 어깨에 손을 올렸다.

『이제, 자기 아츠의 이름은 알게 된 것 아냐?』

오늘 아침, 그 흥분 상태일 때 자신의 아츠가 무엇인지 이해했다. 이름도 번뜩이며 떠올랐다.

"떠오르긴 했지만……. 그래도, 뭐랄까 그럴 경황이 아니었다고요."

3대가 그대로 몇 번이나 내 어깨를 두드렸다.

『그렇겠지! 그도 그럴게, 그 세 사람…… 얼굴이 새빨개져 있었으니까, 당분간은 삐걱대지 않을까?』

역대 당주들은 남 일이라고 생각하며 즐기고 있었다. 4대가 안경을 살짝 올려서 렌즈를 빛냈다.

『자, 그럼 여러분…… 본론으로 들어갈까요. 라이엘, 원탁을 보세요.』

나는 이미 눈치채고 있기는 했던, 원탁에 떠오른 참마도를 바라봤다. 길이를 보건대, 내 키 정도는 될 법한 투박한 검이 그곳에 떠올라 있었다.
마침 초대가 있던 곳에 떠 있다. 초대는 원탁에 걸터앉아서 대검을 올려다보고 있었다.
“어라, 의자가…….”
4대가 대검의 설명을 했다.
『솔직히, 모르는 일이 많긴 합니다만. 7대가 보옥의 장식으로 사용한 희귀금속의 영향인 모양입니다. 저희가 사용하던 무기가 재현되는 것 같더군요.』
초대가 대검을 올려다봤다.
『뭐, 내가 쓰던 녀석보다 튼튼하고 편리해보이긴 하다만.』
7대가 팔짱을 꼈다.
『솔직히, 어째서 이렇게 되었는지는 모르겠구나. 내가 헌상받은 희귀금속으로 직공에게 의뢰는 했다만, 그런 나도 자세한 사정은 모르니까. 다만, 희귀금속이 반응해서 이렇게 되었다, 라고밖에는 말할 수 없겠군.』
쓸 수 있다는 건 틀림없지만, 어째서 이렇게 되었는지는 모르는 모양이다.
“뭐, 쓸 수 있는 무기가 많은 건 고맙긴 하지만요. 그렇게 되면, 모든 아츠를 쓸 수 있게 되는 게, 출현 조건인가요?”
다른 무기도 있으면 편리할 거라 생각하자 전원이 일어났다.
4대가 나를 보며 조금 슬픈 표정을 지었다.
『라이엘…… 초대와 이야기를 나누세요. 저희는 자리를 비우겠습니다.』

전원이 자기 기억의 방으로 돌아갔다. 그러자 초대가 원탁에서 내려와서 내 쪽을 바라보았다.

『좋아! 가볼까.』

초대가 나를 자신의 기억의 방으로 안내했다. 의자는 사라졌지만, 기억의 방은 남아있었다.

제30화 작별

그곳에 펼쳐진 광경은, 예전에 봤던 초대의 기억— 보다도 미래였다.

그냥 한가로운 마을이었지만, 아무래도 내가 보기에는—.

"어쩐지, 밭이 엉망이지 않나요?"

밭의 형태가 일그러져 있다. 수로도 일그러졌다. 예전에 봤을 때보다도 엉망인 느낌이지만, 그래도 마을은 커졌다.

마을 안을 걷던 초대는 오른손으로 뒷머리를 긁적였다.

『……배불리 먹여주고 싶었어. 그래서 밭을 넓혔던 건데 말이지.』

청년이 된 크라셀이 저편에서 험악한 표정으로 다가왔다.

"앗……."

우리를 통과해서 향한 곳에는, 초대— 나이든 버질이 괭이를 들고 나가고 있었다. 흰머리가 늘고, 전성기보다는 확실하게 쇠약해져 있었다.

『이제 그만 좀 하라고, 아버지!』

『……내 마음이잖아.』

버질은 크라셀의 이야기를 들으려 하지 않았다.

주변이 잿빛으로 물들고 경치가 변하자 이번에는 다시 10년 정도가 지난 것처럼 보였다. 크라셀이 가신과 함께 마을 정비를 하는 모습이 보였다. 엉터리로 넓힌 토지를 정비하고, 제대로 관리하려 하고 있었다. 그러나 그 근처를 노인이 된 버질이 말없이 괭이를 들고 지나갔다. 크라셀은 돌아보지도 않고 작업을 하고 있었다.

『……밭을 넓히면 행복할 거라 생각했어. 그래서 노력했는데 말이지. 결국, 나는 틀렸던 거야. 2대에게…… 크라셀에게 민폐를 끼쳤지.』

영지민들이 크라셀에게 차가운 시선과 말을 날리고 있었다.

『선대는 사소한 일 같은 건 말하지 않았었는데.』

『토지 정비 같은 소리를 하며 밭을 갈아엎다니 못 참겠다고.』

『아~아, 선대 시절에는 안심이었는데…….』

크라셀은 그런 말을 무시하고 필사적으로 일했다. 초대가 말했다.

『저 때는 이미 말도 들어주지 않게 되었지. 저택에서 얼굴을 마주해도 아무 말도 하지 않았어. 뭐, 나도 완고했었으니까. 서로 말이 없지. 그러니까, 눈을 떴을 때 그 녀석이 나를 바보 취급했을 때는…… 조금이지만 기뻤다고. 살아있었을 때 좀 더, 이런 대화를 하고 싶었는데, 말이지.』

"네? 마지막까지 이야기하지 않았던 건가요?"

그러자 초대는 팔짱을 끼고 나를 보며 웃었다.

『우리에게 남은 기억은 보옥을 넘겨줬을 때까지니까. 그 이후에는 애매하거나, 혹은 갖고 있지 않아. 그러니 나는 내가 어떻게 죽었는지는 기억하지 못해.』

그러고 보니 그런 말을 했었다. 나는 크라셀을 봤다. 마을 사람들에게 차가운 시선을 받으면서도 마을을 위해 필사적으로 일하고 있었다.

『……내가 가르쳐줄 수 있는 건 이 정도겠지. 무리를 해가며 노력하더라도, 누군가에게 뒤처리를 시키게 돼. 뭐, 내가 바보였을 뿐이겠지만.』

초대가 그렇게 말하자 주변 경치가 변했다.

그건 아침이었다. 태양이 올라가고, 주변의 초목은 물기를 띠었다. 공기가 맑다.

주변에 있던 사람의 모습이 사라지고, 나와 초대만이 마을 안에서 마주 보고 있었다.

"저, 저기……."

불길한 예감이 들었다.

『라이엘. 난 말이다……. 네가 굉장하다고 생각해. 내 아츠를 배우지도 않았는데 자력으로 끄집어내려고 했어. 게다가, 나와 달리 똑똑해! 나 같은 녀석의 피에서 너 같은 자손이 태어난 거야. 너는 내 자랑이라고.』

"아뇨, 갑자기 그러셔도……. 저기, 오늘은 왜 그러시는 거죠? 왠지 이상한데요."

초대는 슬픈 듯이 웃었다.

『라이엘, 아리아를 어떻게 생각하냐. 분명 좋은 여자가 될 거다.』

"아뇨, 그러니까 지금은—."

불길한 예감이 적중한 것 같았다. 게다가, 왠지 초대가 조금 약해진 느낌이다. 평소의 커다란 목소리, 그리고 기운이 남아도는 느낌이 없다.

『그러냐. 하지만, 소중히 대해줘라. 나는 이루지 못했던 첫사랑 상대의 자손이니까. 기운이 너무 넘치지만, 귀엽잖냐. 행복해졌으면 좋겠어. 그리고, 너도 말이다.』

"……저요?"

초대는 나를 보며 말했다.

『라이엘…… 목표는 정해졌냐?』

"아직, 정하지 못했어요."

나는 고개를 숙였다. 거짓말을 해봐야 별수 없다. 모험가는 되었다. 일류도 목표로 삼았다. 하지만 마음속 어딘가에서 뭔가 걸리는 느낌이 났다.

『뭐, 좋아. 언젠가 나 따위는 상상도 못할 굉장한 일을 할지도 모르니까. 그리고…… 세레스 말이다. 그 녀석은 위험해.』

내 여동생이자, 초대의 말로는【사신에게 홀린 자】— 역사가 변할 때 등장해서 날뛰는 존재. 다른 역대 당주들은 별로 믿지 않았지만, 초대만큼은 경계하고 있었다. 내게 진지한 시선을 보내며 말했다.

『나는, 그걸 막을 수 있는 건 너밖에 없다고 생각하거든. 라이엘 월트…… 너라면 막을 수 있어.』

나는 다리가 떨렸다. 세레스와 싸웠던 때가 떠올랐다. 너덜너덜해져서, 압도적인 패배를 경험했다. 그런 공포가 떠올랐다.

『무섭냐? 하지만…… 아니, 내가 할 말은 아니군. 네가 스스로 길을 정해라. 세레스에게 도전하지 않아도 괜찮아. 네 뜻대로 살아. 그저, 살아라. 앞을 바라보며 살아가. 내가 바라는 건 그것뿐이야.』

고개를 들자 초대는 웃고 있었다.

"……초대, 왜 그런 말을 하는 건가요? 사라지는 건가요?"

초대는 웃고 있었다.

『원래부터 죽은 인간이야. 언제까지나 계속 있는 게 이상하지. 하지만…… 조금만 더, 네가 노력하는 모습을 보고 싶기는 했다. 노웸이나 아리아가 있고, 고생하며 노력하고……. 조금 더 보고 싶었어. 여러모로 가르쳐주고 싶었지만…… 내가 더 가르쳐줄 수 있는 게 없거든. 이제, 낚시 정도밖에 없다고.』

"……낚시, 가르쳐주세요. 저, 해본 적 없다고요."

어리광을 부리자, 초대는 곤란한 듯이 웃었다.

『……시간이 없어. 이제 한계야.』

몸에서 푸른 빛가루가 흘러나왔다. 초대가 오른손을 들었다.

『라이엘! 손을 들어!』

"네, 네엣!"

오른손을 들자, 초대는 내 쪽으로 걸어와서 힘차게 하이파이브를 하고는 내 옆을 지나갔다. 마지막으로 들려온 말은—.

『좀 더 자신감을 가져. 너는 내 자랑스러운 자손이라고. 그리고…… 마지막에 오크한테 날린 한 방은 멋있었다. 역시 내 자손이라니까!』

—그렇게, 들렸다.

정신이 들자, 나는 원탁의 방— 초대의 기억의 방 입구, 문이 「있었던」 곳에 서 있었다. 사라진 초대의 문과 의자. 원탁에는 대검이, 일찍이 초대가 그곳에 있었던 것을 알려주듯이 그 자리에 떠 있었다.

원탁의 방에는 2대가 남아있었다. 자기 의자에 앉아서, 조금 고개를 숙이고 팔짱을 끼고 있다.

"……초대…… 사라져버렸어요."

내가 그렇게 말하자, 2대는 살짝 끄덕였다.

『그런가.』

"알고 있었나요? 그럼, 어째서— 게다가, 조금은 친하게 지내더라도……."

2대에게 하고 싶은 말이 잔뜩 있었다. 그러나 머릿속이 정리되지 않았다. 급격한 쓸쓸함과, 어째서 이렇게 되었는지 몰라서—.

혼란에 빠진 내게 2대는 다정한 목소리로 말했다.

『……죽기 직전이었어. 아버지가 사죄를 하더군. 늦었다고 생각했지만 나도 마찬가지였어. 하지만, 솔직해지지 못했지. 가족이니까. 게다가 여기서 말다툼을 하는 것도 나쁘지는 않았어. 나도 태생이 나쁘다고 생각하니 왠지 싫어진다만.』

슬픈 듯이 웃은 2대는 대검을 올려다보았다.

나는 눈물이 북받쳤다. 북받쳐서…… 펑펑 쏟아졌다.

『라이엘. 너는 이 대검에 어울리는 남자가 돼라. 영주 귀족 월트가— 초대 같은 훌륭한 남자가 되는 거야. 바보였지만, 그래도 내가 동경하던 아버지. 그리고 용을 쓰러뜨린 영웅이다.』

용을 쓰러뜨린 영웅.

"……아, 알겠……어요. 저기……."

『응?』

"어째서, 2대는 활인가요? 동경했다면 대검이라든가……."

2대가 살짝 웃었다.

『내게는 무리였어. 휘두르지 못했던 것도 있지만…… 사실은, 내가 아버지의 등을 지켜주고 싶었거든. 그래서 활을 든 거다. 결국 불화를 일으켜서 마지막까지 등을 지켜주지는 못했지만 말이지.』

서툴렀다고 생각한다. 초대도…… 2대도.

나는 눈물이 멈추지 않았다.

요즘에는 나를 가장 믿어주고 있었다. 인정해줬다고 생각했는데, 바로 사라져버렸다. 난폭하고…… 그래도 가장 인간미가 있었던 것 같다. 생각한 걸 그대로 입에 담고, 주변에서 바보 취급을 당하더라도 앞으로 나아갔었다. 양손으로 얼굴을 눌렀다.

"아하하, 안 되겠네요. 눈물이 멈추지 않아요. 정말로 어째서일까요……. 시끄럽다고 생각했는데 바로 사라지다니…… 쓸쓸하잖아요."

2대가 대검을 바라보며 말했다.

『그게 우리의 역할이겠지. 라이엘 월트에게 자신들의 아츠를 맡긴다는 것, 말이지. 이렇게 이야기하고 있어도 알 수 있어. 우리는, 너에게 우리들의 기술을 전수하기 위해 최적화되어 있다. 대화부터가 그렇지.』

2대는 자기가 살아있었을 시대— 그런 시대의 말을, 내가 문제없이 이해할 수 있는 건 이상하다고 말했다.

유행과 쇠퇴는 언어에도 있다. 100년 이상 옛날 사람과 평범하게 대화할 수 있는 건 이상하다. 즉, 역대 당주들은 나와의 의사소통을 해도 괜찮도록 조정되어 있다는 것을 의미하고 있었다.

"그런…… 대체 이 보옥은 뭔가요!"

마치 내게 맞춘 것처럼 탄생하고, 역할을 마치면 사라질 뿐인 존재. 그게 역대 당주들의 기억이었다. 그러나 2대는 말했다.

『그거면 돼. 우리는 그걸로…… 그리고 말이다, 라이엘. 초대— 아버지가 말하더군. 너를 부탁한다고. 그런 말을 듣지 않아도 그럴 생각이야. 전원의 의견은 이걸로 일치했다. 그러니, 너는 신경 쓰지 마.』

신경 쓰지 마. —그런 말을 듣는다고 네 알겠습니다, 라고 말할 수 있을 리가 없다. 나로서는 5년 만에 제대로 대화를 나누고, 여러 가지를 가르쳐준 사람들이다. 게다가, 바보 취급을 하면서도 지켜봐주었다.

—가슴이 괴롭다. 지금까지 없었을 정도로 가슴이 괴로웠다. 차라리 계속 욕을 먹는 편이 더 나았다. 가슴에 구멍이

뻥 뚫린 것 같은 감각에, 나는 가슴을 강하게 움켜잡았다. 지금까지 느껴왔던 모든 쓸쓸함…… 그보다도, 훨씬 괴롭다.

"……이러는 게 어딨어."

2대는 내 말에 대답하지 않았다. 그저, 그 자리에서 내가 우는 모습을 지켜보고 있었다.

에필로그

페이건가 저택에서 마이니가와의 문제로 회합을 열었다.

그러나 미궁이 존재하므로 다른 건에 얽혀 있을 여유가 없는 것도 사실이었다. 마이니가는 이번 건은 흐지부지 넘어가기로 한 모양이었다.

재퍼 씨의 처벌은 데일 씨에게 맡겨졌다.

나는 페이건가 저택— 그 당주 집무실에 놓인 자료를 데일 씨와 함께 확인하고 있었다. 지금까지 아무도 읽지 않고 방치되어 있던 영지의 기록이 그곳에 축적되어 있었다. 먼지를 뒤집어쓴 방에서 남자 두 사람. 참으로 쓸쓸하지만, 지금은 데일 씨 옆에 누가 있는 편이 나을 것이다.

데일 씨가 쓴웃음을 짓고 있었다.

"곤란한걸. 메다르트 씨에게 혼났어. 인수인계는 하지 않았더라도, 얼마든지 조사해볼 방법이 있었을 거라면서. 무척 어이없어하더라."

내가 읽고 있는 자료는 선대 당주가 남긴 물건이었다. 그곳에는 어째서 페이건가가 전쟁에 주요 멤버를 데리고 갔는지가 적혀있었다.

2대는 그걸 보고 납득한 모양이었다.

『다리온과 가도를 연결해서, 정말로 숲을 개척할 생각이었던 거로군. 마이니가의 마을에도 가도를 연결하고, 자작가의 도시에도……. 그렇군. 연결마차를 달리게 할 생각이었던 건가.』

지도를 보니, 확실히 이곳에 길이 생기면 도움이 되는 영지가 많았다. 다리온까지 갈 수 있다면, 그곳에서 센트럴까지 이어지므로 연결마차를 사용할 수 있다.

3대는 이 계획에 흥미를 보였다.

『작은 영지이야. 가도가 지나가는 것만으로도 여러모로 발전하겠지. 그래서 억지로 주변을 설득한 거구나. 그리고 난색을 표하던 명사에게 전쟁을 이유 삼아 가도가 있는 마을이나 영지를 보여주려고……. 꽤 무리한 느낌은 있지만, 이게 성공하면 이 영지는 커다란 수입을 얻을 수 있었겠어.』

선대와 그 적자가 전쟁에 참가한 이유는 싸우기 위해서라기보다는, 남작에게 의리를 보이고 앞으로의 일을 상의하기 위해서였던 것 같다.

주변에 사전 공작을 하거나, 가도 정비에 반대하던 파오라 씨의 아버지에게 성공 사례를 보여줘서 설득을 생각했던 모양이다.

그리고 계획에는 데일 씨에 대해서도 적혀있었다. 선대와 적자의 사인이 있고, 데일 씨에게 개발 예정인 영지를 맡기겠다는 것이 적혀있었다. 메모에는 성실한 데일 씨에게 조금이나마 뭔가를 남기고자 한 흔적이 발견되었다.

"……데일 씨, 이걸 먼저 읽어주세요."

"어? 아, 알았어."

조금 야윈 것처럼 보이는 데일 씨는, 앞서 결정된 파오라 씨와 피니 씨의 결혼을 축복하고 나서 상태가 이상하다. 억지로 기운을 내고 있었다.

파오라 씨를 좋아했던 모양이지만, 영주인 데일 씨와는 결혼할 수 없다고 딱 잘라 거절당했다고 한다.

"꽤나 서두르던 것 같아요. 무리해서 전쟁에 참가한 것도, 선대 영주 나름의 생각이 있었던 것 같더라고요."

무리를 했던 건 사실이지만 주변에서 재촉도 있었던 모양이다. 자금을 모으기 위해 남작을 설득하고, 마이니가에서는 자작을 설득. 대화할 자리를 만드는 단계까지 진행되었다고 한다.

데일 씨는 얼굴을 덮었다.

"……이런 거, 한 번도 못 들었어. 말해줬더라면……."

2대는 조금 가시 돋친 말을 했다.

『말했다면 인정했을까? 영지민 측 생각에 너무 쏠려서, 반발했을 가능성이 높겠지. 그러니 잠자코 진행했던 걸 테고. 영지민에게 이야기하지 않았던 것도 이해를 받기 위한 기반이 없었던 거겠지.』

기반— 가도 정비에 따른 이익을 상상하지 못했다는 뜻이다. 연결마차가 달리는 가도는 정비가 필요하다.

영지의 남자들은 정비를 위해 일하면 돈을 받을 수 있다. 만약 영지에 여관을 건설한다면, 투숙객이 돈을 낸다.

페이건가의 영지는 자작과 남작의 도시를 연결하면 깔끔하게 그 선 위에 있다. 게다가 괜히 우회하지 않아도 된다.

데일 씨는 자료를 모두 읽고 천장을 올려다봤다. 괴로운 표정을 짓고 있었다.

"……재퍼가 겨우 입을 열어줬어. 아버지와 형이 죽은 원인을 만들었다는 것도. 경솔한 행동으로 문제를 일으킨 것도 말이지. 나는 어떻게 해야 좋을까. 파오라는 피니와 결혼. 재퍼는 방치할 수 없어. ……하하, 외톨이네."

재퍼 씨에 관해서는 꽤 엄한 처벌이 내려질 예정이다. 데일 씨가 고민하던 것은 어떤 처벌을 내릴지에 대해서다. 마이니가, 그리고 페이건가…… 쌍방이 납득할 처벌이 되려면 아무래도 벌이 무거워진다.

쌍방을 위험에 처하게 한 재퍼 씨에 대해서는 처벌을 말려달라고 요청하는 사람이 아무도 없었던 모양이다. 반대로, 피니 씨에 대해서는 없어지면 곤란하다며 감형을 탄원하는 사람들이 있었다.

평소 행실의 차이였을지도 모른다.

다만, 처벌을 내리는 데일 씨는 괴로워하고 있었다.

"……옛날부터 알고 지내던 사람을 처벌하다니. 결국, 내가 원망을 받을 거야."

영지민은 데일 씨의 판단을 어떻게 생각할까……. 타당한 처벌이 될까? 데일 씨에게 고민의 씨앗은 많았다.

3대가 데일 씨에게 이해를 드러냈다.

『이렇게 되니까, 너무 친해지는 것도 문제란 말이지. 뭐, 당장 신부라도 얻는 게 어떨까? 영주에게는 귀족 아내가 필요하니까.』

실연한 직후인 사람에게 결혼을 권하는 것도 과연 괜찮을지?

그런 표정을 짓자 5대가 내게 말했다.

『귀족의 결혼에서 연애감정 같은 건 부차적인 거니까. 뭐, 빠르게 후대를 만들 필요도 있어.』

3대가 5대를 놀렸다.

『역시 아내나 첩이 많으면 하는 말이 다르네.』

『……내버려둬.』

때로는 원망을 받고, 그리고 이해받지 못한다. 자유롭고 풍족하게 살고 있다고 생각하겠지만 그렇지도 않다. 내게 영주란 귀찮은 일로 느껴졌다.

"……데일 씨. 앞으로 어쩔 작정이시죠?"

"그래. 우선은 사죄와 인사를 하러 돌아다녀야겠지. 조금씩이라도 좋으니까 이 영지를 좋게 만들겠어. 우선은 메다르트 씨에게 가야겠네."

그렇게 말한 데일 씨에게, 나는 조금 재미있는 이야기를 했다.

"그러고 보니, 오크에게서 도망쳤을 때 최단거리를 알려주신 건 메다르트 씨였었죠. 페이건가 영지인데 꽤나 자세히 알고 계시더군요. 몇 번 찾아왔던 적이 있는 것 아닐까요?"

데일 씨가 상황을 떠올렸다.

"그, 그러고 보니…… 어째서 알고……. 왔던 적이 있어? 하지만, 옛날부터 그곳은 우리 영지인데……."

나는 살짝 웃었다.

"교섭재료가 되지 않을까요? 뭐, 이쪽이 먼저 성의를 보이고 난 뒤의 이야기겠지만요."

메다르트 씨도 남에게 대놓고 말할 수 없는 일을 했었다는 거다. 확실히 이웃끼리라 쌓이고 쌓인 것이 있어서 너무 성가시다.

"……그러네. 확인해볼게. 그보다도, 내일은 돌아가는 거지? 미궁에 가장 먼저 들어가는 건에 대해서는 괜찮겠어?"

나는 유감스러워하는 역대 당주들의 목소리를 들으며 데일 씨에게 답했다.

"오크와의 싸움으로 장비가 꽤 못 쓰게 됐으니까요. 준비하는 사이에 자작님이 토벌대를 편성할 테니 이번에는 단념해야겠죠."

젤피 씨의 장비도 그렇지만, 전원이 너덜너덜하다. 내 사브르도 다시 못 쓰게 되었다.

데일 씨가 내게 감사를 표했다.

"고마워, 라이엘. 네가 와줘서 다행이야. 때리려 했던 것도…… 사과할게. 뭐, 다수의 여성에게 둘러싸여 있는 건 과연 괜찮은 건가 싶지만. 메다르트 씨도 그건 같은 의견이었어."

메다르트 씨의 영지에 갔을 때는 기본적으로 소피아 씨와 함께였다. 덕분에 나와 좋은 사이라고 착각했던 모양이었다.

"……변명을 하고는 싶지만, 우선은 여기 일을 끝낸 뒤로 할까요."

페이건가의 쌓이고 쌓인 자료를 보며, 나는 그렇게 말했다.

다음날.

짐마차를 타고 다리온으로 돌아가던 우리는 야영을 하고 있었다. 가도 옆에 짐마차를 세우고 식사를 마친 뒤, 교대로 파수를 보며 밤을 지새웠다.

나와 소피아 씨가 주변 경계를 하고 있었는데, 시간이 되었는지 소피아 씨가 일어났다.

"아리아가 왔으니 돌아가겠습니다. ……모, 몸을 차갑게 하지는 말아주세요."

대화는 없었다. 그보다, 이야기를 해도 소피아 씨는 바로 「네」라든가 「아뇨」 같은 대답만 할 뿐이라 이어지지 않았다.

7대가 보옥 안에서 웃었다.

『풋풋하군요. 부끄러워하고 있지 않습니까.』

6대는 미묘한 모양이다.

『그런가? 좀 더 이렇게, 올 게 오지 않으면 흥미가 끌리지 않는데.』

5대는 어이없어했다.

『네가 반응하지 않는다면, 착한 아이 아냐?』

그게 무슨 뜻이지? 그런 생각을 하던 사이에 아리아 씨가 내 옆으로 왔다.

주변에는 보름달이어서 밝고 조용했다. 벌레소리가 들린다. 아츠를 사용해서 주변을 경계하고 있지만 적이 다가올 기척도 없다.

"……옆에 앉을게."

"앉으세요."

아리아 씨도 내 성장 후부터 관계가 삐걱대고 있었다. 나쁜 의미는 아니다. 그저 말을 걸어도 얼굴을 붉힌다.

그래서 의사소통이 불가능하므로, 노웸이나 젤피 씨를 사이에 끼워서 대화를 하는 것이 최근의 풍경이었다.

"보, 보름달이라 밝네."

모닥불이 파직파직 소리를 내고 있어서, 나는 타고 있는 장작더미를 찌르며 내답을 했다. 거기서부터는 대화가 이어지지 않아서 서로 말이 없는 시간이 계속됐다.

"저를 피하고 있죠?"

내가 질문하자 아리아 씨가 나를 노려봤다.

"어쩔 수 없잖아! 운명 같은 소리를 들었는데 어쩌라는 거야! 아아, 정말! 이상한 것도 떠올랐고."

이상한 것. 그게 묘하게 신경 쓰였다. 대화의 계기가 될 거라 생각해서 나는 아리아 씨에게 물었다.

"이상한 것?"

"록워드가의 실연 이야기야. 이 붉은 옥 말인데…… 록워드가에 시집을 왔던 선조님이 갖고 있어서, 대대로 딸에게 전해져온 거야. 뭐 데릴사위가 많았다고나 할까, 우리는 여자아이가 많은 가계였던 것 같아서."

그러고 보니 아리아 씨의 아버지도 데릴사위였다. 나는 이야기를 계속 들었다.

"원래대로라면, 붉은 옥 같은 건 무문(武門) 집안에 있는 편이 나은데 왜 록워드가가 갖고 있는 건가 싶었거든. 표면적으로는, 여자라 해도 여차할 때는 싸우기 위해서라는 이유였지만……. 실은, 이건 좋아하는 사람에게 건네주지 못했던 거래."

좋아하는 사람. 그걸 듣고 묘하게 걸렸다. 록워드가에 시집을 갔다는 소리를 듣자, 초대의 첫사랑 상대였던 앨리스 씨가 떠올랐다.

"엄청 옛날이야기야. 왕국력으로…… 100년도 아닌 시절? 시집을 왔던 선조님한테는 좋아하는 사람이 있었대. 그것도 세습할 수 있는 아슬아슬한 지위의 귀족. 그곳의 삼남이야."

4대가 중얼거렸다.

『어라어라.』

아리아 씨가 말을 이었다.

"선조님은 언제나 드세고 활발한 사람이었는데, 그 사람 앞에서만큼은 얌전하게 있었대. 아가씨처럼 보이려고 행동했는데……. 그 사람이 개척단에 지원하게 되었어. 그래서 뭔가 건네주고 싶어서, 그 무렵에 유행해서 갖고 있었던 이 붉은 옥을 주려고 했었다더라."

3대도 눈치챈 모양이다.

『……정말이지. 계속 엇갈리네.』

"그래도, 결국 건네주지 못했대. 그래서 결혼도 하지 않고 그 사람이 언젠가 돌아올 때 건네주려고 기다리고 있었어. 그랬더니 나이도 차버려서 꼭 결혼할 수밖에 없어졌던 거야. 그래서 그대로 이 붉은 옥을 가지고 온 거래."

2대가 살짝 웃었다.

『아버지답다고나 할까. 뭐랄까…… 아들인 내가 들으니 복잡한 기분인걸.』

"그때까지 이야기해본 적도 없는 상대야. 게다가, 록워드가 저택에 왔을 때 발견했다든가 하는 소란도 있어서…… 뭐, 그런 이야기가 이어져왔어. 그러니까, 나의 딸이나 손녀들은 제대로 상대에게 마음을 전하라는, 그런 교훈이라고 하더라고. 어때, 이상하지?"

나는 고개를 가로저었다.

시대, 그리고 상황……. 완전히 닮은 다른 누군가일 리는 없다. 초대의 기억의 방에서 이것저것 지켜봤던 나는 그렇게 생각했다.

즉, 초대가 말했듯이 이건—.

『이 만남은 운명이었던 거네. 틀리지 않았던 거야.』

—3대가 조금 미안한 듯이 입에 담았다.

"이상하지 않아요. 그리고 그 상대…… 제 선조님이에요."

"어?"

"아리아 씨의 선조님의 이름은 앨리스 씨 아닌가요? 이쪽은 버질인데요."

아리아 씨가 놀랐다.

"어, 아, 알고 있었어? 어, 어라?"

아무래도 틀림없는 모양이다. 혼란에 빠진 아리아 씨에게, 나는 보름달을 올려다보며 말했다.

"……이 만남은 운명. 그거면 되지 않을까요."

초대의 마음은 앨리스 씨에게 닿았다. 그보다, 짝사랑이 아니라 서로 좋아하고 있었던 게 굉장하다.

게다가 서로 이야기조차 나눠본 적도 없었는데.

아리아 씨가 운명이란 말을 듣고 내 성장 후를 떠올렸는지 얼굴을 붉히며 시선을 돌렸다. 나는 그걸 보며 웃었다.

다만, 하늘을 올려다본 나는 조금 슬퍼졌다. 이 이야기를 초대가 듣는다 해도 어떻게 되는 건 아니지만, 가르쳐주고 싶었다. 아니, 듣지 않는 게 나은 건가?

확실히 이 만남은, 초대로부터 이어져온 운명이었을지도 모른다. 아니, 그런 거겠지.

오늘은 무척 달이 아름다웠다.

"……달이 아름답네요."

그러자 보옥 안이 소란스러워졌다. 하지만, 부족했다.

『야야, 진심이냐.』

『아니, 이건 모르는 거 아닐까?』

『하지만 유명한 말 아닙니까? 누구의 말인지는 모르겠습니다만.』

『이 타이밍이라면, 우연이라도 굉장한데.』

『라이엘도 꽤 하는군요.』

『본인이 알고 있는지가 문제이긴 합니다만.』

목소리는 여섯 명. 한 명이 부족했다.

아리아 씨는 입을 뻐끔거리면서, 얼굴이 새빨갛게 물들이고는 눈가에 눈물을 글썽였다.

"주, 죽어도 좋아!"

갑자기 이상한 소리를 하는 아리아 씨에게 나는 고개를 갸웃했다.

"아뇨, 죽어도 좋다고 말씀하셔도…… 그런 말은 하지 않는 게 좋아요. 아리아 씨는 행복하게— 아얏!"

무슨 영문인지, 아리아 씨에게 오른손 스냅을 이용한 따귀를 맞았다. 물론 나는 불합리한 폭력을 당하는 것에는 익숙하지만, 어째서 아리아 씨가?

그런 생각을 하고 있는데, 보옥 안에서 질렸다는 목소리가 들려왔다.

『아~ 역시 라이엘이군.』

『평소의 라이엘이네.』

『최악이군요. 0점입니다.』

『……그럴 거라 생각했어.』

『라이엘, 너는 책을 좋아했던 것 아니었냐?』

『지금 이건 어쩔 수 없지. 따귀를 기꺼이 감수하거라.』

이런 불합리한 폭력을 당했는데, 아무도 나를 위로해주지 않다니. 어떻게 된 걸까?

아리아 씨가 말없이 일어서더니 내게서 떨어진 곳에 다시 앉아서 파수를 보기 시작했다.

"아리아 씨? 저기…… 뭔가 실례라도 저질렀으면 사과할 테니까요."

내가 다가가자 아리아 씨는 고개를 돌렸다.

"아무것도 아냐! 하지만, 미안하다고는 생각하지만 지금은 안 돼! 부탁이니까 저리 가!"

거절당한 나는 어깨를 떨구며 침울해져서 원래 위치로 돌아갔다. 그저 솔직하게 달이 아름답다고 말했을 뿐인데 그 이상한 대답…… 뭔가 잘못이라도 한 건가?

역대 당주들이 웃음을 터뜨렸다.

『너는 여러모로 굉장하네.』

『타이밍이 최고였어.』

『운명으로 시작해서 달이 아름답네요, 였으니까요.』

『……솔직하게 존경하겠어. 진심으로 한 말이니까.』

『나 역시. 굉장하구나. 라이엘.』

『나도 그리 생각하지만…… 아리아에게는 실례였구나.』

……역대 당주들은 이유를 말해주지 않았다. 왠지 전면적으로 협력해주지 않는 그들도, 언젠가는 사라지게 되는 걸까?

〈『세븐스 3』으로 계속〉

■역자 후기

안녕하세요. 불초 역자입니다.

2권에 접어들어서 라이엘 일행도 서서히 모험가다운 일을 하기 시작했……다 싶더니만 오히려 정치에 가까운 일에 연관되다니 엉뚱한 곳에서 고생이 많네요. 그래도 모험가다운 활약도 하고, 히로인도 착실하게 늘고 있고, 점차 성장해나가는 모습이 보여서 좋습니다. 1권에서의 한심한 모습의 반동인지 점점 나아지는 모습이 눈에 확 띄네요. 그런 면에서는 확실히 축복받은 녀석일지도 모르겠습니다. 역대 당주들이 뒤에서 조언을 주면서 확실히 받쳐주고, 노웸이나 히로인들도 내조를 해주고…… 덕분에 뭔가 자주적이지 않다는 느낌을 주지만 그건 앞으로 차차 극복해 나가겠죠.

그리고 초대가 떠났습니다. 2권에서도 언급되었듯이 처음에는 가장 라이엘에게 반발했지만 결국은 라이엘을 제일 먼저 인정하고, 가장 호의적인 모습을 보이면서 떠나가는군요. 앞으로 계속 이렇게 한 명씩 라이엘에게 아츠를 전해주고 떠나갈 거라 생각하니 조금 안타까운 마음도 들고 그렇습니다. 의외로 7인이 캐미가 꽤 맞았는데요. 보옥의 비밀도 그렇고, 왠지 역대 당주들을 알고 있는 것 같은 노웸의 떡밥도 있고, 여러모로 흥밋거리가 끊이지 않는 것 같네요. 앞으로의 전개도 기대해볼만 한 것 같습니다.

그럼 후기는 이쯤 하고, 다음 권에서 뵙겠습니다.

세븐스 2

초판 1쇄 발행 2017년 10월 10일

지은이_ Yomu Mishima
일러스트_ Tomozo
옮긴이_ 이경인

발행인_ 신현호
편집국장_ 김은주
편집진행_ 최은진 · 김기준 · 김승신 · 원현선 · 김솔함 · 권세라
편집디자인_ 양우연
국제업무_ 정아라 · 고금비
관리 · 영업_ 김민원 · 이주형 · 조인희

펴낸곳_ (주)디앤씨미디어
등록_ 2002년 4월 25일 제20-260호
주소_ 서울시 구로구 디지털로 26길 111 JnK디지털타워 503호
전화_ 02-333-2513(대표)
팩시밀리_ 02-333-2514
이메일_ lnovelpiya@naver.com
L노벨 공식 카페_ http://cafe.naver.com/lnovel11

ISBN 979-11-278-4269-7 04830
ISBN 979-11-278-4190-4 (세트)

값 7,000원